《合肥通史》编纂委员会

主　　任：凌　云
副 主 任：韩　冰　钟俊杰　林存安　吴春梅
委　　员（以姓氏笔画为序）：
　　　　　王家贵　王道才　吴利林　汪秀坤　李尚才
　　　　　罗　平　查　凯　洪家友　夏毓平　黄群英
　　　　　谢　军

《合肥通史》编纂委员会办公室

主　　任：夏毓平
副 主 任：夏元荣　许昭堂
成　　员：王东征　贾　猛　李平原

《合肥通史》学术指导委员会

顾　　问：卜宪群　黄传新　朱士群

主　　任：陆勤毅

委　　员（以姓氏笔画为序）：

　　　　　王道才　宁业高　朱万曙　朱玉龙　汤奇学

　　　　　张　生　苏士珩　沈世培　施立业　翁　飞

　　　　　戴　健

当代卷(上)

沈 葵 ◎ 主编

合肥通史

《合肥通史》编纂委员会 编

全国百佳图书出版单位
时代出版传媒股份有限公司
安徽人民出版社

图书在版编目(CIP)数据

合肥通史 当代卷(上、下)/沈葵主编.—合肥:安徽人民出版社,2016.8
ISBN 978-7-212-09195-8

I.①合… II.①沈… III.①合肥市—地方史—1949—1978 IV.①K295.41

中国版本图书馆 CIP 数据核字(2016)第 167333 号

合肥通史 当代卷(上、下)
HEFEI TONGSHI DANGDAIJUAN

《合肥通史》编纂委员会 编

沈 葵 主编

出 版 人:徐 敏	
选题策划:刘 哲 丁怀超	责任印制:董 亮
责任编辑:洪 红(上册)	装帧设计:程 慧
王大丽(下册)	

出版发行:时代出版传媒股份有限公司 http://www.press-mart.com
　　　　　安徽人民出版社 http://www.ahpeople.com
地　　址:合肥市政务文化新区翡翠路 1118 号出版传媒广场八楼　邮编:230071
电　　话:0551-63533258　0551-63533292(传真)
制　　版:合肥市中旭制版有限责任公司
印　　刷:安徽新华印刷股份有限公司

开本:710mm×1010mm　1/16　印张:57.75　字数:832 千
版次:2017 年 5 月第 1 版　2017 年 5 月第 1 次印刷

ISBN 978-7-212-09195-8　定价:300.00 元(上、下册)

版权所有,侵权必究
发现印装质量问题 请联系:(0551)63533291

绪　论

1949年10月1日,中华人民共和国成立,中国历史翻开了崭新的一页。

在此之前的1949年1月21日,伴随淮海战役尚未散尽的炮火硝烟,人民解放军进入合肥。合肥和平解放,新合肥由此诞生。

从1949年至1952年,史称"三年恢复时期"。在中共合肥市委、市人民政府的领导下,合肥人民团结一致,艰苦努力,克服战争创伤,巩固新生政权,重建经济秩序,破除愚昧文化,规划城市建设。3年间,合肥的各级人民政权得以巩固和加强,经济总量从0.9亿元增加到1.4亿元(以2002年价格计算),城市人口从5万增长到13.8万,城区面积由5平方公里扩大为9.8平方公里,新的文化教育卫生事业开始建立,社会呈现出昂扬向上的风貌。1952年,合肥被确定为安徽省的省会,赋予合肥作为全省政治、行政、经济、文化中心的地位。3年恢复,成效显著,为中国共产党领导下的新合肥的发展,夯实了基础。

从1953年起,中国开始执行国民经济和社会发展第一个五年计划,合肥市根据安徽省的统一计划,确定将合肥"由消费城市转变为生产城市"的建设目标,开始了大规模的经济建设。

"一五"时期,合肥经济发展的重点是工业,尤其是机械、化工、轻纺等工业,以此将合肥建成以机械、化工、轻纺工业为主的新兴工业城市。这一时期,合肥积极争取国家投资,大力引进先进工业技术和设备,同时,利用作为内陆近江省会城市的区位特点,紧紧抓住国家工业建设战略布局,从上海等沿海城市迁入50多家工业企业和相关人员，再投资资本，扩大生产，相继建成了合肥矿山机械厂、安徽第一纺织厂以及电机厂、针织厂、日用化工厂等。到1957年年底，全市工业企业518家，工业总产值比1952年增长9.8倍，初步形成了合肥机械、轻纺、化工等工业的框架，为合肥工业构建了发展的平台。

"一五"时期，合肥农村经济在合作化运动的推动下，获得了发展。城市建设从1954年开辟贯通市区东西的主干道长江路起，陆续修建了胜利路、淮河路、徽州路，以及江淮大戏院、安徽省博物馆、百货大楼、长江饭店等建筑。1956年编制了《合肥市城市总体规划》。合肥，正在向着既定的发展目标，稳步前进。

然而，从1958年开始的"大跃进"运动打乱了合肥发展的步伐。"大跃进"是一场突如其来的在"左"的错误支配下，过急、过快又违反事物客观规律、波及全国的群众运动，影响经济社会的方方面面。合肥的经济社会发展概莫能外，出现了大起大伏，最终急剧下降的状况。在农业方面，先是掀起积肥、兴修水利的高潮，继而是放粮食高产"卫星"，再者是"人民公社化"；工业方面，"大跃进"指标竞相登场，一哄而起，大办工厂，"全民大办钢铁"如日中天；文化教育科技卫生乃至社会方方面面都在"大跃进"运动中"大显身手"，不切实际地盲目"跃进"。1959年后，全市工农业生产大幅下滑，陷入严重经济困难的境地。

为克服严重的经济困难，特别是1959年开始的粮食危机，1961年年初，中共安徽省委在合肥郊区南新庄进行"责任田"试点。当年，郊区34％的生产队实行"责任田"，为度过粮食危机发挥了关键作用。同时，1962年，中共合肥市委、市政府贯彻中央提出的国民经济"调整、巩固、充实、提高"八字方针，实施"关、停、并、转"一批企业，大幅减少基本建设投资，削减职工和城市人口，对农村实行以生产队为基本核算单位的分配制度等措施。到1962年，合肥的工农业生产开始回到正常发展的轨道。

1963年到1965年，合肥继续贯彻"八字"方针，尤其是在"巩固、充实、提高"上发展国民经济。在工业方面，以建立生产制度、整顿生产秩序、提高产品质量、改进企业管理、增加企业效益为主,工业经济稳步回升并呈现发展态势。1965年,全市工业总产值4.65亿元。在农业方面,与"责任田"全部被改正的同时,继续巩固以生产队为基本核算单位的分配制度,并允许社员拥有少量的自留地,放开农村集市贸易,加强城市支援农业的工作等,使农村经济逐步恢复并有所增加。1965年,全市农业总产值2.27亿元。

这一时期,合肥的商业以及文化、教育、科技、卫生等行业都经历着"调整、巩固、充实、提高"的过程,以摆脱"大跃进"运动造成的困境,逐步取得了良好的效果。

但是,从1962年起,阶级斗争和"政治挂帅"成为中国政治发展的主题,并渗透到经济、文化和社会的方方面面。这一时期,合肥城乡开展的"四清"运动,文艺界批判黑线的斗争,教育界的"半工(耕)半读"等,无不是在阶级斗争的主旨下进行的。"左"的错误大幅扩展,为"文化大革命"的发生埋下了祸根。

1966年5月16日,《中国共产党中央委员会通知》发布,从此,中国进入长达10年的"文化大革命"动乱时期。当年,红卫兵运动兴起,所谓"破四旧"席卷全国。首当其冲的是教育界、文艺界等领域的知识分子和干部,合肥大中学校的教师、校长、省市文联的作家、艺术家等被抄家、批斗。随后,红卫兵冲进省市机关,"造反派"应运而生。直到1967年1月,"造反派"夺权,合肥地区的政治、经济、社会秩序陷入混乱,被迫实行军事管制。人民解放军第12军进驻安徽及合肥。1968年4月,安徽省和合肥市分别成立革命委员会,纷乱的造反、无序状况才有所缓解。此后,从1969年至1974年5年间,"文化大革命"进入所谓"斗、批、改"阶段,并开展了一系列名目繁多的运动,诸如"知识青年上山下乡"、干部下放、"一打三反""献忠心""批林批孔"等。这些运动无一不对合肥的经济政治和社会发展起着干扰、阻碍和破坏的作用。大中学校被迫下迁,数十万学生、教师、机关干部和城市居民下放农村,企业管理混乱,经济效益和产品质量下降,农业生产效益低下,粮食产量停滞不前,城乡居民生活水平下降,商品匮乏。

1975年,由邓小平主持对各方面工作进行全面整顿。合肥地区全面整顿的重点是抓好重点工业企业的生产管理,恢复铁路、公路交通战线的规章制度,在商业行业加大食品供应等,并取得了较好的整顿效果。但是,当年年底,邓小平再遭批判,全面整顿戛然而止,反击右倾翻案风运动狂风骤起。1976年,"四五"运动发生前后,大批合肥地区的干部群众加入其中,或去北京声援、参与,或在合肥游行、集会,表达对"四人帮"的抗议和对"文化大革命"的抵制。10月,粉碎"四人帮","文化大革命"结束,合肥开展"揭、批、查"运动,清查与"四人帮"集团及其帮派体系有关的人和事。但是,由于中共安徽省委主要负责人对这场运动不理解,以致"揭、批、查"运动无法顺利进行。直到1977年6月,中共中央做出改组安徽省委的决定,并派万里赴皖任省委第一书记后,运动才得以持续进行。到1978年年底,中共十一届三中全会召开。至此,"文化大革命"运动及其衍生出来的思潮终于结束,改革开放的新时代初显端倪。

回眸从1949年至1978年间的30年历史进程,中共合肥市委、市政府带领全市人民,励精图治,积极进取,取得了许多超越前人的发展成就。但是,从1958年"大跃进"运动始,由于"左"的错误路线占据主导地位,导致合肥此后的发展严重受挫,甚至付出血的代价,其中的教训极为深刻。"文化大革命"更将"左"的错误发挥到极致。合肥的经济、政治和社会方方面面已经无法再承受这样的痛楚。

同时,从1949年至1978年的30年间,国家强调和实施的是"计划",包括经济计划、社会发展目标、文化、教育、卫生、事业发展规划的制订,乃至人民生活的安排等,都要在统一的计划框架下进行。这样做,一方面是管得太死,导致发展动力不足,另一方面是束缚乃至扼杀了地方谋求发展的积极性。"责任田"的"发明"和实施,本是安徽及合肥为克服严重困难局面而采取的与自身实际情况相结合的应急办法,却在统一计划的"左"的错误命令下,被生生扼杀。地方政府和当地人民群众的创造力被压制,积极性被打压。以致合肥经济社会得不到发展,耽搁了长达20年的时间,教训深刻。

中共十一届三中全会后,中国迎来了改革开放的新时代。值得载入史册的是,在改革开放初期,安徽及合肥的农民冲破旧的制度束缚,敢于探索、自发地实行以"包产到户""大包干"为主要形式的农业生产责任制,冲破陈旧过时的人民公社制度,发挥农民群众的生产积极性,开启中国农村改革的大门,继而为城市的改革提供借鉴,做出了历史性的贡献。

1978年秋,肥西县山南区的干部社员在中共安徽省委允许社员"借地度荒"的《关于当前农村经济政策几个问题的规定》(简称"省委六条")发出近一年后,自发地实行"包产到户"农业生产责任制。与此同时,凤阳县的"大包干"强势登场,安徽其他农村地区各种形式的农业生产责任制如雨后春笋,纷纷萌芽。由此,以"包产到户""大包干"为主要形式的安徽农村改革披荆斩棘,在争议中一路前行,终于打开了中国改革开放时代的大门。发源于肥西农村本不起眼的"包产到户",在这个伟大的历史进程中功勋卓著。

从1978年年底到2011年的30多年,合肥的改革开放和社会主义现代化建设大体上可分为三个10年。即20世纪80年代,是合肥改革开放的开启和扩展时期;20世纪90年代,是合肥全面深入实行改革开放的时期;而从2001年至2011年,则是合肥全面建设小康社会、加速社会主义现代化建设的时期。这也与安徽全省及全国的30多年发展脉络相一致。

在1978年前后,为肃清极"左"错误和"文化大革命"运动的后果,中共合肥市委在全市开展了"揭、批、查"运动、平反冤假错案,关于真理标准问题的讨论,等等,并以此为在全市落实工作重心转移到经济建设上来铺平道路。在农村改革逐渐风生水起之后,合肥将农村改革的有益经验引入城市工商企业经营管理中,争取扩大企业自主权试点,加强企业之间的合作,恢复个体工商业等,以充分调动各方面的生产积极性。

由于农村改革的迅速推开并取得明显成效,20世纪80年代,改革开放在合肥全面展开。其中,城市经济体制改革的主要内容有:在企业,继续扩大企业自主权,利润包干责任制,承包经营责任制,试点股份制和资产经营责任制,以及劳动合同制,利改税等;在技术和资金上,开展技术引进和利用外资工作。同时,扩大对外贸易,给予企业自营出口权。原有的计划经济体制逐步被有计划的社会主义商品经济体制取代。城市建设,也从改善城市基础设施,改善居民住房条件开始,继而实施旧城改造,新建、扩建城市干道、加大公共设施建设等,为尔后的"再造新合肥""建设现代化滨湖城市",提供了有益经验。

进入20世纪90年代,在邓小平南方谈话发表及中共安徽省委、省政府做出"开发开放皖江"的战略决策下,合肥紧紧抓住机遇,深化改革开放,加快社会主义现代化建设的步伐。这一时期,合肥的企业改革和发展进入到制度创新、转换机制阶段,现代企业制度逐步建立,三大开发区相继建立并日趋成熟。农村的改革持续进行。农业产业化逐步推开,乡镇企业转型升级,农民进城务工蔚然成风。社会主义市场经济体制初步建立。1995年,经安徽省人大八届二次会议提出,中共合肥市委、市政府做出了尽快把合肥建成现代化大城市的战略决策后,"再造新合肥"开步前进,城区面积迅速扩大,城市人口快速增加。市政基础设施建设步伐进一步加快。先后建成了一环路、二环路等城市主干道。一大批城市重点工程相继建成。城市面貌进一步改观,启动了搭建现代化大城市的新架构。

新世纪以来,合肥在20年改革开放的基础上,加大发展步伐,加快发展速度,迈上了加速崛起的快车道。2001年,中共合肥市委、市政府制定了到2010年全市实现国内生产总值1000亿元的发展目标,并以此推动科教兴市、城镇化、经济国际化、可持续发展四大战略。由于目标明确,政策对路,措施得当,创新有力,到2006年,仅5年时间,合肥实现国内生产总值1073.86亿元,提前5年实现千亿发展目标,四大战略也进展顺利。2005年,中共合肥市委、市政府为落实安徽省委、省政府对合肥提出的"在全省率先实现建设小康社会目

标,在中部地区奋力率先崛起"(即"两个率先")的要求,确立了"工业立市"战略。同时,将合肥建设成为现代化滨湖大城市,提升合肥首位度,构筑省会经济圈,以实现与"工业立市"协同发展,被确定为合肥"十二五"发展目标。2006年至2010年,合肥大力推进"大发展、大建设、大环境"以及"大招商、招大商",不仅大大加快了工业发展速度,使经济总量迅速上升,还由于科技创新层出不穷,经济发展的质量也呈现良好态势。在城市建设、社会进步、生态文明等方面也有较大提升。到2010年,全市实现国内生产总值2702.5亿元,5年间年均增速17%以上。

合肥的城市建设在新世纪的第一个10年获得突破性的发展。主要体现在:持续不断地进行旧城改造,新建和改造一大批城市干道,3大开发区建设日臻完善,政务文化新区建设独树一帜。滨湖新区的建设,不仅突破了原先的城市发展思路,为合肥朝着现代化大城市发展迈出了实质性的一步,而且对提升合肥知名度、增强合肥城市辐射力、影响力及合肥的可持续发展,都有积极的推动作用。

改革开放以来的30多年间,合肥在精神文明建设、民主法治建设和社会面貌上,也取得了显而易见的成就。在思想和观念领域,极"左"的观念失去了"市场",一心一意谋发展、加快富民强市的观念被合肥人民所接受;在经济与社会发展上,计划经济的观念逐步被淘汰,让社会主义市场经济在经济社会发展中起决定性作用的观念深入人心。在行为方式上,积极实干取代了空喊口号,勤奋学习取代了盲目自傲,开放交流取代了封闭僵化。追求新知识、科学技术、创新创业等,成为这个时代人民的努力方向。在民主法制建设上,法制逐步恢复、健全,法律知识逐步普及,社会治安趋于稳定。在精神文明建设方面,改革开放和建设社会主义现代化的政策方向、目标深受人民的拥护,持续不断开展的文明创建活动,不仅得到了越来越多合肥市民的自觉参与,而且在创建过程中逐渐形成了一系列制度和机制。合肥先后多次获得"全国园林城市""国家卫生城市""全国创建文明城市工作先进市"及"全省文明城市"等荣誉。涌现出一大批各行各业的先进人物和劳动模范。在民生建设方面,合肥市投入大量资金用于改善民生,包括逐年提高社会低保金发放标准,实施城镇居民基本医疗保险制度和农村新型合作医疗制度,建立义务教育经费保障机制等,努力建设一个和谐、美好的合肥。

2011年8月,经国务院批准,安徽省调整部分行政区划,撤销地级巢湖市,庐江县划入合肥市,原居巢区改为县级巢湖市,由合肥市代管。合肥市行政区划扩大,共辖四县(肥东、肥西、长丰、庐江)、一市(县级巢湖市)、四区(瑶海、庐阳、蜀山、包河),750平方千米水域面积的巢湖成为合肥的内湖。合肥在人口数量、土地面积、经济总量、社会影响、区域作用等方面都跃上一个新的平台。合肥的发展前景更加令人憧憬。

面对新的机遇,中共合肥市委、市政府不失时机地提出了把合肥建设成"大湖名城、创新高地"的新目标。"大湖名城"是指合肥应成为经济繁荣的实力之城,人才聚集的智慧之城,环境优美的生态之城,全民参与的创业之城,文化浓郁的魅力之城,和谐美好的幸福之城;"创新高地"是指把合肥打造成为具有创新精神,创新理念,创新模式,创新文化,创新资源的城市,并将创新全面融入到经济社会发展的各个层面,各个环节,使合肥成为能够在更大范围、更宽领域,更高层次吸引更多的资源,营造更优的发展环境,拥有更新的体制机制,赢得更好的发展先机的"聚集地"。

由此,合肥再次迈开新的步伐,踏上新的征程。

目　录（上）

绪　论 / 001

第一章　新中国、新合肥

第一节　合肥解放 / 004

一、合肥解放 / 004

二、支援渡江战役 / 008

三、建立新政权 / 012

四、召开各界人民代表会议 / 017

五、中共各级基层组织和群众团体的建立 / 020

第二节　巩固新政权 / 026

一、解放初期的严峻形势 / 026

二、开展剿匪反特斗争 / 027

三、镇压反革命 / 034

四、抗美援朝运动 / 040

五、农村土地改革运动 / 044

第三节　建立新经济 / 051

一、战胜荒灾，安定人民生活 / 051

二、稳定物价与金融秩序 / 054

三、没收官僚资本，建立国营企业 / 057

四、恢复和发展工商业 / 059

五、开展"三反""五反"运动 / 062

第四节　倡导新文化　/ 066

一、扫除"娼赌毒"　/ 066

二、宣传贯彻《中华人民共和国婚姻法》　/ 070

三、开展爱国卫生运动　/ 073

四、建立新的文化、教育体制　/ 076

五、虢季子白盘的献出与晋京　/ 082

六、知识分子思想改造运动　/ 086

第五节　新安徽的政治行政中心　/ 088

一、从皖北区行政中心到新安徽的省会　/ 088

二、"为皖之中"得先机　/ 091

三、城市建设迈出第一步　/ 093

第二章　向社会主义过渡

第一节　宣传贯彻过渡时期总路线　/ 102

一、宣传贯彻总路线　/ 102

二、明确建立生产型城市发展目标　/ 107

三、1954年抗洪救灾　/ 109

第二节　社会主义三大改造运动　/ 113

一、农业的社会主义改造　/ 113

二、手工业的社会主义改造　/ 118

三、资本主义工商业的社会主义改造　/ 121

第三节　"一五"时期的经济建设　/ 127

一、56家上海企业内迁合肥　/ 127

二、"一五"计划的实施与成就　/ 136

三、计划经济体制的确立　/ 139

第四节　"一五"时期的社会发展　/ 141

一、文教卫生事业的发展　/ 141

二、城市规划与建设 / 149

三、社会结构与社会变迁 / 155

第五节 "一五"时期的政治建设 / 157

一、民主政治建设 / 157

二、加强党的建设 / 160

第三章 社会主义建设道路的探索与曲折

第一节 从贯彻党的"八大"精神到反右派斗争 / 166

一、贯彻党的"八大"精神 / 166

二、整风运动与反右派斗争 / 169

第二节 "大跃进"运动 / 172

一、1958年"大跃进"运动 / 172

二、城乡人民公社化运动 / 188

三、毛泽东视察合肥 / 194

第三节 继续"大跃进" / 196

一、初步纠"左" / 196

二、"反右倾"与继续"大跃进" / 199

三、"大跃进"运动的严重后果 / 202

第四节 调整国民经济 / 205

一、调整农村政策 / 205

二、南新庄与责任田 / 208

三、调整城市工商业 / 212

四、精简机构和下放城市人口 / 222

五、理顺文教卫事业 / 224

六、调整党内外关系 / 229

第五节 阶级斗争与"左"的错误 / 232

一、"改正"责任田 / 232

二、农村社会主义教育运动 / 236

三、城市社会主义教育运动 / 238

四、思想文化领域的批判斗争 / 242

第六节　城市规划与城市建设 / 243

一、调整行政区划 / 243

二、城市规划与城市建设 / 245

第四章　"文化大革命"时期

第一节　传达贯彻《"五一六"通知》和红卫兵运动的兴起 / 254

一、传达贯彻《"五一六"通知》 / 254

二、红卫兵运动与"破四旧" / 259

三、批斗"资产阶级当权派" / 265

四、"造反派"的夺权 / 268

第二节　从实行军事管制到革命委员会成立 / 270

一、造反派的分裂与实行军事管制 / 270

二、"造反派"的"全面内战" / 272

三、"三支两军" / 274

四、成立革命委员会 / 276

第三节　开展思想政治领域的革命 / 278

一、"斗、批、改"运动 / 278

二、整党建党 / 280

三、"清理阶级队伍" / 281

四、干部下放 / 285

五、知识青年上山下乡 / 288

六、"一打三反" / 291

七、清查"五一六"分子 / 295

八、掀起"献忠心"运动 / 296

第四节　从"批林批孔"到"十年浩劫"的结束　/ 298

一、"批林批孔"运动　/ 298

二、1975 年的全面整顿　/ 299

三、"反击右倾翻案风"与党的基本路线教育　/ 300

四、庆祝"四人帮"的垮台　/ 302

第五节　"文化大革命"期间的经济状况　/ 303

一、农业学大寨　/ 303

二、工业学大庆　/ 307

三、商业贸易遭破坏　/ 310

第六节　"文化大革命"期间的文、教、卫事业　/ 312

一、教育事业被严重摧残　/ 312

二、文化事业遭受破坏　/ 319

三、卫生事业历经挫折　/ 321

第五章　初步的拨乱反正

第一节　"揭、批、查"运动　/ 325

一、开展"揭、批、查"运动　/ 325

二、调整各级领导班子　/ 332

三、平反冤假错案　/ 334

第二节　真理标准问题的讨论和"知青"安置工作的开展　/ 338

一、真理标准问题的讨论　/ 338

二、"知青"安置工作的开展　/ 340

第六章　1949 年至 1978 年的巢湖和庐江

第一节　1949 年至 1978 年的巢湖　/ 345

一、巢县解放与新政权的建立　/ 345

二、三大改造与"一五"计划　/ 354

三、探索与曲折 / 362

四、"文化大革命"10年 / 369

第二节　1949年至1978年的庐江 / 374

一、新政权的建立与巩固 / 374

二、"一五"时期的经济社会发展 / 387

三、从"大跃进"运动到贯彻"八字"方针 / 394

四、"文化大革命"时期 / 400

第一章

新中国、新合肥

1949年1月21日合肥解放,揭开了合肥历史发展的新篇章。广大人民群众满怀希望和信心,建设新合肥,创立新社会。

合肥解放伊始,新建立的人民政权面临着诸多困难,经历着严峻考验。在军事上,国民党残余势力和土匪特务活动猖獗。他们拦路抢劫、阻断交通、杀人放火、破坏生产、袭击基层人民政权,气焰十分嚣张。在经济上,通货膨胀,物价飞涨,人民生活困苦,国民经济陷入困境,恢复生产、发展经济的任务异常繁重。在社会生活方面,社会风气恶劣,各种丑恶现象,诸如卖淫、嫖娼、吸毒、赌博、包办买卖婚姻等在广大城乡普遍存在。

面对如此复杂的形势和严峻现实,中共合肥市委、市政府采取一系列措施:建立各级政权机构,吸收各界人士参政议政,并广泛发动和组织人民群众支援人民解放军渡江作战。开展抗美援朝、剿匪反特斗争和镇压反革命运动,保卫新生的人民政权。大力恢复和发展城市经济,进行"三反""五反",打击资本家的不法行为,把国民经济引上逐步恢复和发展的道路;开展农村土地改革运动,彻底消灭封建土地所有制,极大地调动了农民的生产积极性。改造旧的文化教育体系,建立新的文化、教育、卫生等各项社会事业。同时在广大城乡进行移风易俗宣传教育,清除旧社会污泥浊水,建立社会新风尚。

在中共合肥市委、市政府领导下,合肥人民经过3年多的艰苦创业,建立和巩固了新政权,经济和社会事业获得恢复和发展。同时,随着合肥成为安徽省省会,城市地位得到提高,展现出良好的发展前景。

第一节　合肥解放

一、合肥解放

(一) 人民解放军进入合肥城

1949年1月10日，淮海战役胜利结束后，中国人民解放军沿平汉、津浦铁路大举南下，由谭启龙率领的华东野战军先遣纵队担负起解放合肥的任务。

华东野战军先遣纵队于1948年5月在河南濮阳组建，司令员孙仲德，副司令员饶守坤（7月底，由彭德清继任）；纵队工委书记兼政治委员谭启龙、副政委李步新；政治部主任由李步新兼、副主任宋日昌。纵队除直属队外，下辖一、四、七三个支队。先遣纵队的任务是先行渡江南下，将革命种子撒向闽、浙、皖、赣，发动群众，开展游击战争，为之后的大军南下，创造有利条件。淮海战役胜利结束后，先遣纵队奉命改变南下意图，乘胜追击国民党刘汝明部，担负起解放合肥的任务。

1949年1月19日，华东野战军先遣纵队第一、第四支队在司令员孙仲德、政委谭启龙的率领下由定远进驻合肥东乡梁园镇。当晚，先遣纵队打电话给国民党合肥县政府，了解驻扎在合肥城内刘汝明部队的动态，并告之国民党政府合肥县长龚兆庆："在解放军到达合肥前，负责保护全城市民生命财产安全，维护社会秩序，不准任何破坏，听候我方接管。"① 龚兆庆听从人民解放军的命令，提供了城内情

---

① 中共合肥市委党史办公室编：《合肥党史专题1919－1949》（内部发行），1988年版，第378页。

况,表示欢迎解放军进城。20日,国民党刘汝明部开始撤离合肥,先遣纵队司令部命四支队一大队先向合肥进发,侦察合肥敌情。一大队队长李锡凤和政委齐平率两个中队,于21日凌晨3时许抵达合肥东乡磨店子。7时,先遣队侦察部队挺进合肥东门外飞机场附近,与刘汝明部后卫队交火。刘汝明部队不敢恋战,匆匆向巢县方向逃窜。

此时,留在城内的龚兆庆等人,早与中共皖西四地委书记唐晓光取得联系,做好迎接人民解放军的准备。他们按照人民解放军事先下达的命令,履行职责,保护仓库物资,造具清册,等候移交。一大队侦查到这种情况之后,决定及时进城,同时派人向纵队、支队部汇报。1月21日15时许,一大队官兵从东大门进入合肥城。这一天,是腊月二十三,也是合肥人传统上"送灶"过小年的日子,合肥人民欢欣鼓舞,鸣放鞭炮,欢庆解放。

事后,新华社以《合肥国民党机关人员遵守我命令迎候接管》为题,报道了合肥解放的经过:

> 合肥国民党南撤后,城内国民党政府机关和人员,遵照人民解放军命令,各守原职,保护文件、资财,迎接人民解放军和人民政府前往接管。这个榜样,足资各地国民党政府人员效法。当解放军进抵合肥东北70里的梁园镇时,即用电话命令合肥国民党政府县长,在解放军即将到达前,负责保障全城市民生命财产,维持社会秩序,不准任何破坏,听候我方接收。合肥国民党县政府接到这一命令后,即派出代表2人,到达解放军司令部,表示服从命令。上月21日上午9时左右,国民党刘汝明部弃城南逃。人民解放军向前追击逃敌,于是日上午12时左右派遣部队进城。其时,城内国民党政府专员兼保安司令廖梓英、保安副司令李文琪、县长龚兆庆等均照常在执行职务,负责保护仓库物资,并造具清册,等候移交。解放军入城时,他们都列队在国民党县政府的门口迎接人民解放军。①

---

① 《合肥国民党机关人员遵守我命令迎候接管》,《中原日报》1949年2月3日。

一大队进城后,政委齐平带领两个班的战士,前往国民党合肥县政府。国民党第十区行政督察专员兼保安司令廖梓英,保安副司令李文琪及合肥县长龚兆庆等皆出来迎接,表示弃暗投明,移交清册。22日上午,华东野战军先遣纵队司令员孙仲德、政委谭启龙等率部队进入合肥城。至此,合肥这座千年古城回到了人民怀抱。

(二)民主党派在合肥解放中的作用

合肥解放未曾发生大规模的军事战斗,从而使数万居民免受战火之苦。合肥之所以和平解放,其中一个重要的原因,就是在此之前,中共地方党组织和一些拥护共产党、反对国民党政权的民主党派及各界爱国人士,在合肥进行了长期的卓有成效的地下工作。他们对合肥的和平解放,做出了重要贡献。正如人民解放军先遣纵队支队政治部秘书郭鉴所说:"先纵所以兵不血刃,不费一枪一弹就和平解放合肥,同地方部队、民盟组织的努力是分不开的。"[①]

在合肥解放中,中国民主同盟合肥联络站(简称民盟)发挥了重要作用,这主要表现在以下几个方面:

第一,控制武装,为合肥解放作军事准备。1947年年底,中共皖西区地委书记唐晓光奉命与在合肥坚持地下斗争的中国民主同盟组织取得联系,全力以赴对国民党军政人员展开大规模的政治攻势,并通过民盟成员郭崇毅等人做国民党合肥县县长龚兆庆、合肥县自卫总队副队长兼官亭区区长龚衡军等率部起义的工作。1948年年底,龚衡军率合肥县国民自卫总队两个大队和官亭区自卫大队近千人,在合肥西乡官亭地区举行武装起义。起义后部队被改编为人民解放军合肥支队,龚衡军任支队长,唐晓光兼任政委。

第二,秘密掌握国民党县政权。为促使合肥早日解放,合肥民盟经过密商,积极支持已暗中入盟的龚兆庆竞争合肥县长一职。几经

[①] 安徽省地方志编纂委员会编:《安徽省志·政党志》,方志出版社1998年版,第680页。

周折,龚兆庆终于当上了旧中国合肥最后一任县长。为便于活动和推行政令,民盟成员殷乘兴、哈庸凡及董光升分别当上了县府的主任秘书、秘书和民政科长。这样,合肥解放前夕,国民党合肥县政府实际上已掌握在合肥民盟组织手中。

第三,挤走敌军,为合肥和平解放创造条件。合肥城中国民党军队本已不多,1949年1月,从淮海战场溃逃的国民党刘汝明兵团余部数千人涌到合肥,这给龚兆庆与中共地方武装合肥支队密商的起义增加了难度。刘汝明部驻过合肥,对合肥情况较为熟悉。他在城内外构筑工事,储备粮秣,拉夫派税,准备作困兽斗。南京国民政府也电令要保住这个"首都"眼皮底下的重要城市。在此紧要关头,合肥民盟组织根据中共地下党组织意见,决定设法挤走刘汝明。一方面,县长龚兆庆对刘汝明部采取阳奉阴违的策略,并不断送去"解放军正规大部队即将到来"的假情报,造成大军压境之势,令其惶恐不安。另一方面,民盟盟员龚兆庆商请与刘汝明旧交颇深的省府顾问朱幼农多次与刘叙谈,晓以利害,要刘约束部下不得骚扰地方,并力劝刘打消了炸火车站、炸火车头、烧省府等念头。这样,尽可能保全了合肥城内省、县政府档案、电话总机,保护了一些市政设施,使合肥群众的生命财产少受损失。

第四,做好迎接合肥解放的准备。国民党守军南逃后,由民盟控制的县政府当即派人到西乡向人民解放军送信,并用急令调回驻在西乡的县自卫队武器,加强城防,保护各类物资,维护社会秩序。解放军进城后,县政府把库存在合肥仓库内的600多万斤粮食、可装备4个连的武器弹药、万余件公用家具,国民党县政府的印鉴、文卷及其他物资,全部完整地交给解放军接收。县政府还组织人写标语、做宣传、协助人民解放军维持秩序、安定人心。

为合肥和平解放做贡献的还有中国国民党革命委员会(简称民革)安徽小组。民革成员李海等与中共皖西党组织取得联系后,他们发挥其成员多在桂系军队和省、县政府任职的优势,搜集情报,传播中共军队在战场上节节胜利的讯息,揭露桂系军队中的贪污受贿等内幕。民革成员王汉昭甚至以省保安司令部保安处长的合法身份当上了司令部的情报所所长。他们的这些活动,也促进了和平解放合肥的进程。

二、支援渡江战役

(一)总前委在瑶岗

淮海战役结束后,中共中央制定了"打过长江去,解放全中国"的战略目标。1949年2月中旬,渡江战役在即。中央军委决定,由刘伯承、邓小平、陈毅、粟裕、谭震林组成的淮海战役总前委在渡江作战期间,"照旧行使领导军事及作战的职权"①。皖北区党委书记曾希圣向总前委建议,将位于合肥以东15公里的撮镇瑶岗村作为总前委的驻地。主要原因有三:第一,该地曾驻过中共的侦察部队,社情比较清楚,群众基础较好;第二,位置适中,便于对前线各部指挥联络,且地形平坦、开阔,淮南铁路贯通境内,宜于进出;第三,避开合肥,利于防备敌机空袭。经过慎重考虑和反复比较,总前委采纳了曾希圣的建议,将总前委指挥部设在瑶岗。3月28日,淮海战役总前委改名称为渡江战役总前委。邓小平任总前委书记。3月下旬至4月上旬,邓小平、刘伯承、陈毅等率总前委指挥部人员、饶漱石率华东局和华东军区机关人员,共约400人,陆续抵达瑶岗村,指挥、部署渡江战役全局工作。

总前委在瑶岗的主要工作是密切注意敌我战场态势,分析情报,为中央军委做出重大决策提供各种数据和情况;统筹渡江作战的准备工作,指挥协调二野、三野的作战行动;制订接管江南新区的计划和人事安排。在瑶岗,总前委审定签发了《京沪杭战役实施纲要》,拟

---

① 中共肥东县委党史工作委员会编:《渡江战役期间总前委在瑶岗》,安徽人民出版社1989年版,第19页。

就了《关于接管江南城市的指示》《中国人民解放军布告》《关于新区农村工作的指示》以及部队《入城守则》《约法八章》等具有历史意义的文件。第三野战军司令员陈毅于4月12日在豫皖苏分局书记宋任穷陪同下,在合肥肥光电影院作形势报告,向即将南下的700余名干部传达中共七届二中全会精神。陈毅还称赞合肥为古往今来的江淮重镇,将来必定成为安徽省社会主义建设的中心。4月25日,总前委离开瑶岗村,移至南京。

(二)各地群众支援渡江战役

合肥解放伊始,即成为人民解放军发起渡江战役、进军江南的主要基地之一。为配合人民解放军顺利渡江,中共合肥市委、市政府全力动员全市人民投入到渡江战役支前运动中,制定颁布《合肥市战勤组织暂行办法》,确定有钱出钱、有力出力、劳资兼顾、公私两利的原则,并具体规定了支前的出工、雇工任务以及奖惩办法。2月19日,市委、市政府联合召开各区、镇及直属机关300多名干部会议,指出支前工作的伟大意义和合理负担原则,号召全市人民行动起来,全力以赴,投入支前工作,支援人民解放军"打过长江去,解放全中国"。各区、镇也召开干部会议,进行宣传和组织工作,各行各业职工纷纷响应政府号召,掀起支前热潮。2月28日,合肥市成立支前委员会和支前司令部,王善甫、树海分任正、副司令,张恺帆任政治委员,司令部下设民力、秘书、收发、运输、医务5个处,领导全市人民全力以赴开展支前工作。各区、街也相应建立支前委员会、支前小组等战勤组织,统一调动和使用民力。

地处合肥周围的东乡、西乡、北乡及三河镇,在合肥获得解放后的前后也相继解放,并先后成立了中共肥西、肥东县委和县人民政府,三河镇建立了中共三河市委、市政府。刚建立的县、市委和县、市人民政府都把支援工作作为压倒一切的最紧迫的任务。各县、市分别成立支前指挥部,主要领导人担任正副指挥,迅速开展了筹集物资、运输物资、保障交通的工作。

合肥市及所属县支前机构成立后,立即发动群众、宣传群众、组织群众全力投入支前工作。各支前组织根据解放大军所需要的民工、粮草运输补给及渡江所需要的船只等运输工具情况,开展热烈的报工、评工等组织动员活动。在皖北地方党组织和各级支前部门的领导下,合肥地区人民竭尽全力,提供大量的人力、物力、财力,为支援渡江战役做出了重大贡献。

1. 筹集军需物资,确保部队供给

兵马未动,粮草先行。在支援渡江筹集粮草的过程中,合肥人民表现出高度的政治热情和极大的积极性。为了保证部队粮草供应,合肥人民积极筹集各种军需物资,仅合肥第四区一次便送给部队军鞋6000双;合肥新兴、益华、程丰3家米厂,1个月生产军粮50余万斤。肥东县境内驻有十几万人马,当地群众在两个多月的时间里,共筹集粮食1000多万斤、马草料近5000万斤,并在境内的撮镇设立了粮草供应总站,在梁园、店埠、大兴集、李家庙、护城等处分别设立粮草供应分站,方便部队用粮需要。肥西县仅山南乡就捐供大米4万斤,柴百万斤。三河市捐献粮食420多万斤,草86万多斤,油1万多斤,盐5.1万斤,并赶做军鞋2949双。[①]地处合肥北乡的水家湖、下塘集至合肥市的沿途也设有粮草供应站,保证了部队的粮草供应。

2. 积极组织民工,确保物资运输

在支前运动中,各支前组织十分重视集训民工,以保证渡江工作顺利进行。合肥市在支前中计组织挑挽业工人750名,平车业工人250名,作为支前运输的主力,并协助两业工人成立自己的工会。各区则在自觉自愿的基础上先后动员贫苦群众4029人,作为支前的又一支运输力量。私营汽车司机则加紧修复10余辆汽车,并立即投入支前运输,在1个月内就运输军用物资1000多吨。全市民工在2月19日至5月15日的两个多月时间内,冒着被敌机轰炸的危险,昼夜

[①] 中共合肥市委党史研究室合肥市新四军历史研究会编:《扬帆飞渡定乾坤——渡江战役资料集锦》(内部资料),1999年版,第74页。

抢运渡江战役物资5125万斤,装卸物资2.2亿多斤,转运伤员8500人。肥东先后组织动员常备民工1.2万人、短备民工16.8万人,担架1200多副,挑子6766个。在常备民工中还先后组织3批远征民工担架队,跟随大军渡江南下,担负伤病员及军需物资的搬运工作,直至胜利完成渡江任务后才返回肥东。肥西县组织民工3000余人,全力以赴投入渡江运输。三河市共动员民工3695人,筹集担架129副,小车9辆,民船81只,组织船工491人,投入支前战斗。北乡也组织担架3000多副。[1]

3. 尽快修复道路,确保交通畅通

尽快修复被国民党破坏的铁路、公路、桥梁,确保大军过境和物资运输,是支援渡江的又一艰巨任务。淮南铁路横贯肥东县境内,由于年久失修又遭国民党军破坏,已不能通车,公路损坏也十分严重。为保证部队运输畅通无阻,肥东县组织了1.5万多民工,在15天内整修铁路、公路185公里,修、架桥梁20座。三河市作为解放大军抵达长江的必经之地,紧急筑路5华里,架通电话线24华里,赶修独木桥2座,并设架浮桥1座。[2]

在支前运动中,合肥人民积极踊跃,奋勇争先,涌现出了100余名支前模范。如,以高振修为首的200余名工人,冒着敌机轰炸扫射的危险,抢运物资。陆仁堂头部被弹片击伤,孙长胜面部烧伤,至医院包扎后,又立即赶回现场继续抢运。张士海拉车送粮4天返回后,接着运子弹,归途中淋雨行进40里,刚到家得知部队急需车辆,又连夜与平车组长分头奔走街巷,召集人力。黎明前,他俩组织的120辆平车按时列队出发。[3]

合肥人民以英勇无畏的精神,与来自全国各地的支前民工,踊跃参加到支前运动中,有力地支援和保障了人民解放军渡江战役的胜

---

[1] 《扬帆飞渡定乾坤——渡江战役资料集锦》,第74—75页。
[2] 《扬帆飞渡定乾坤——渡江战役资料集锦》,第75—76页。
[3] 合肥市地方志编纂委员会编纂:《合肥市志》,安徽人民出版社1999年版,第2267页。

利进行。对于皖北人民的支前工作,邓小平在向毛泽东汇报渡江战役情况时,给予了充分肯定:"江北各地党政和人民的努力支前,特别是皖北新区尽到了超过其本身能力的努力,尤属值得赞扬。"①

三、建立新政权

(一)成立军事管制委员会

1949年1月22日,即人民解放军先遣纵队进入合肥的第二天,合肥临时军事管制委员会成立,孙仲德任主任。2月5日,人民解放军江淮军区命令正式成立合肥市军事管制委员会,以代替临时军管会,孙仲德任军管会主任,黄岩、宋日昌任副主任。军管会作为新生政权的过渡机构,是合肥解放初期的最高权力机关,统一指挥对国民党政权机关和军事、经济、文化教育单位进行接管。

为了顺利接管合肥,早在合肥解放之前,人民解放军和中共地方党组织就已经认真系统地学习了中央关于城市接管的指示和政策。合肥一俟解放,军事管制委员会按照"自上而下,按系统,原封不动,整个接收"的原则,及时对合肥市的机关、金融、交通等行业进行全面的接管工作。

1949年1月,中共中央发出《关于接收官僚资本企业的指示》,规定城市接管的基本原则和具体要求:不打乱企业原来的组织机构;保持企业中原来的规章制度、工资制度;军代表有权监督企业中一切活动,并在一切命令和指示上签字,但不管理生产。这个规定保证了生产的连续性,保证了人民生活的稳定,有利于经济的恢复和发展。

---

① 朱根生、马德宝编著:《把握转折举重若轻:邓小平辉煌历程聚焦》,军事科学出版社2004年版,第92页。

华东野战军合肥城防司令部的牌子挂在原安徽省政府门柱上

军事管制委员会成立后,对刚解放的合肥市实行军事管制。其主要任务是协助地方政府维护社会治安秩序,保卫新生的地方政权。1949年1月25日,市临时军管会公用事业部接管了"中华邮政"合肥邮局,同时成立合肥市邮政局。同日,市临时军管会文教组接管了全市中小学校,保留和安排原有教职工工作。27日,江淮区党委会同先遣纵队干部大队,接管了国民党安徽省警察局留守处合肥县警察局,共接收旧警察200余人和一部分文书档案和枪支弹药,并将这些人员集中到城防司令部,组织他们学习中共对解放区、对城市的有关政策,解除他们的顾虑,提高他们的认识,通过审查留用的95人,分别担任交通警和消防警,其余皆发给路费遣散回家。2月8日,市军管会颁布法令,严禁银元和国民政府法币在市场流通,并于2月27日,接管国民政府中央银行、中国银行、交通银行、中国农民银行等在合肥设立的金融机构,取缔银楼业。此外,还接管了国民党"中央交通部第四运输处合肥汽车站""安徽电信局""安徽电话局""合肥县电话管理处"及"合肥电灯厂"等官僚资产。与此同时,又接管了原合肥县的财经机构。至此,合肥的政治、经济、军事以及金融、教育、治安诸方面皆在新政权的掌握之中。

合肥军事管制委员会在地方政权机关逐步完善并能有效行使权

力后,于1949年4月撤销。

(二)中共合肥市及地方各级人民政权的建立

1. 中共合肥市委、市政府成立

1949年1月31日,合肥改县为市,经中共江淮区委决定,成立中共合肥市委。黄岩为市委第一任书记,同年,张恺帆、李广涛先后接任市委书记。市委机关最初设在段家祠堂,5月搬至和平桥西侧,7月迁至原国民党县政府所在地(今省博物馆西侧)。市委内设组织部、宣传部、职工部。2月1日,成立合肥市人民政府,为江淮行署直辖市。首任市长郑抱真,10月由树海接任。市政府内设公安、司法、民政、工商、建设、教育、邮政、公路管理及财经、房地产管理等机构。中共合肥市委、市人民政府先分属江淮区委、江淮行署领导,4月后分属皖北区委、皖北行署领导。

2. 中共肥西县委、县政府成立

1949年1月8日,经中共皖西区委决定,中共肥西(南)工委改为中共肥西县委,机关驻地设在紫蓬山麓的周新圩。肥西(南)办事处改为肥西民主县政府,驻地设在紫蓬山麓的梁岗。县委、县政府先隶属于中共皖西三地委、三行署。6月改隶属中共巢湖地委、专署。8月后又改为皖北行署直接领导的重点县。6月,机关由紫蓬山区迁至上派,先后下辖山南、官亭、紫蓬、程店、城南、城西、长军、蜀西8个区。1952年3月28日,肥西县改属六安专区。

3. 中共寿合县委、县政府成立与撤销

1949年1月下旬,中共江淮四地委决定在合肥北乡下塘集建立中共寿(县)合(肥)县委、县政府。机关驻地始设在下塘集,3月迁往王楼,分属江淮四地委、四行署、四分区,4月改属中共定远地委领导。全县下辖六合工委,庄墓、下塘、长军、蜀西、瓦埠、炎刘6个区。其中瓦埠、炎刘区在今寿县境内。6月,寿合县与寿县合并,中共寿合县委撤销。长军、蜀西划归肥西管辖。

4. 中共三河市委、市政府成立与撤销

1949年2月2日,经中共皖西区党委决定,建立中共三河县委、三河民主县政府,分属皖西四地委、四行署领导。3月,三河县委、县政府分别改建为三河市委、市政府。全市下辖杭梅、东镇、西镇、南镇、北镇5个区镇。1950年3月,撤销三河市,改设三河区,并入肥西县。5月,成立三河镇,为肥西县的重镇。

5. 中共肥东县委、县政府成立

1949年2月3日,经中共江淮五地委决定成立中共肥东县委、县政府,分属江淮五地委、五行署领导。6月,改属中共巢湖地委、行署领导。机关驻地最初设在撮镇四大户村,随后迁驻梁园镇,后迁至店埠。下辖造甲、白龙、草庙、古城、梁园、王子城、店埠、石塘、长临河、西山驿、双墩11个区。1952年3月28日,划入滁县专区。

至此,合肥地区市、县一级地方党政机构全部建立。中共合肥各级组织及地方各级人民政权的建立,为合肥地区人民在中共领导下完成民主革命的遗留任务和恢复国民经济奠定了坚实的政治基础。

(三) 加强治安管理,稳定社会秩序

合肥解放之初,新旧政权交替,人们对中共的政策不甚了解,加之国民党的破坏和谣言惑众,致使社会秩序一度混乱。为巩固新生的人民政权,保护人民的生命财产安全,合肥市军管会以人民解放军三野先遣队一支队和纵队机关为基础,组建合肥城防司令部,孙仲德任司令员,谭启龙任政委。城防司令部成立后,把加强社会治安管理,维护社会秩序,作为保卫新政权的首要工作来抓。采取的措施主要有:一是组织纠察队,夜巡街市,取缔赌博、烟馆、暗娼等活动,各街口要道设立检查站,盘查可疑行人;二是城防司令部协助新成立的市政府接收国民党各部门档案、房产、资产,查清散存物资,保护公共建筑和设施;三是登记与管制原国民党军政人员,严查特务组织,追缴暗藏枪支弹药,发动群众检举破坏分子;四是发布公告,宣传党的城市政策和形势,追查谣言,涂盖反动标语,张贴新标语和宣传画;五是

加强旅社、公寓、公共场所的管理,清查户口,维护交通安全;六是协助金融机关兑换旧币,严禁抢购货物,避免引起波动。此外,还动员商店复业,工厂复工,学校复课,逐步建立基层人民政权与基层组织。

1949年2月中旬,市公安局正式成立,履行治安管理职责。市公安局下设秘书、侦察、治安、审讯等科室,以及警察训练班、公安队、交通队、消防队等。全市三区二镇皆设公安分局,街道设公安派出所。2月16日,市公安局根据市军管会发布的自行登记布告,在全市设立2个登记处和8个登记室,办理国民党和其他反动组织人员自行登记手续。刚开始,由于经验不足,登记面过大,影响了对敌人的分化瓦解。5月上旬,市公安局重新规定只登记国民党基层组织委员会委员、三青团分队长以上骨干以及特务人员,并选择逃避、破坏登记工作的典型人进行公开处理,以儆效尤。此项工作开展后,共登记1511人,起到了瓦解敌人阵营的作用,同时也便于公安机关对这些人的管制。[①]

7月,合肥公安局重点调查国民党匪特在市区的原有社会关系,侦察潜伏在市内的匪特,共捕获匪特164人,捣毁一批匪特组织和敌人情报联络点,社会治安状况大为好转。[②]

加强户籍管理,维护新的社会秩序。1949年3月9日,合肥市政府决定废除保甲制度,取消镇级组织,建立街政府。全市设4个行政区,32个街政府。同月,市公安局设治安科统管户籍,下设9个派出所负责全市户口管理工作。11月,合肥市户口查登委员会成立,开始在全市范围内进行整顿户政、户口登记工作。市公安局组织180多人,对全市户口进行登记。登记工作分宣传动员、群众自登、互相复核等4个阶段。派出所严格执行常住、暂住、出生、死亡、迁入、迁出、变更更正等7项基本登记制度和人口统计制度。通过户口查登工作,基本搞清市内户数、人数、居民职业构成等情况。在登记中新

[①] 童天星主编,中共安徽省委党史研究室编:《城市的接管与社会改造·安徽卷》,安徽人民出版社1997年版,第79页。

[②] 《城市的接管与社会改造·安徽卷》,第79页。

发现国民党党团特政警宪人员共1368人,小偷、娼妓、烟鬼、流氓、会道门人员等524人。1951年,市公安局根据国家公安部《城市户口管理暂行条例》精神,结合换发华东区统一印制的《城市居民户口簿》,又进行一次户口登记。通过登记,发现假报姓名的260人,虚报年龄的896人,并发现隐瞒身份的国民党军政人员528人,反动会道门人员195人。[①] 通过全市的户籍登记与加强管理,使得全市常住户和暂住户有了分类统计,建立户籍统计档案,基本上掌握了社会情况,为社会的稳定创造了条件。

四、召开各界人民代表会议

合肥各级地方党组织和人民政权建立后,立即开展民主建政和执政党建设,其中重要的标志性工作是有计划地召开各界人民代表会议,以体现中共及新政权的人民性、代表性。从1949年9月25日合肥召开第一届各界人民代表会议,到1953年3月2日举行第九届各界人民代表会议,合肥市共召开了9次各界人民代表会议。全市各界人民代表会议代行人民代表大会职权,讨论合肥实行的路线、方针、政策,讨论研定、批准同时期合肥市的生产建设、文化教育、社会发展、经济工作等多项计划、要事。同时,选举历届各界人民代表会议的领导机构和主要领导成员。

1949年9月25日至28日,合肥市第一届各界人民代表会议第一次会议召开。市长树海作《合肥市人民政府八个月来的工作总结》,市委书记李广涛作《建设新合肥的方针与任务》的报告。会议收到代表书面提案75件,其中:市政建设方面(包括民政、公安、建设)19件,文化教育方面(包括社教、社会福利、中小学学制、添设学校、教师福利、社会活动、学校教学、私立中小学津贴等)32件,劳资关系方面14件,工商税收方面(包括发展工商业、向人民银行贷款、税收、摊

---

① 《合肥市志》,第2090页。

派整顿)10件。① 11月25至27日,合肥市第一届各界人民代表会议第二次会议举行。会上,市长树海报告了市政府执行第一次代表会议决议案的情况。此次会议收到代表提案62件,合并为繁荣商业、劳资关系、调查户口三类。会议就代表提案提出初步计划,并对合肥市企业和农民的一些不合理负担情况,以及某些生产资料价格问题,进行了专题讨论研究。

合肥市第二届各界人民代表会议于1950年7月18至20日举行。会议代表180人,实际出席会议代表177人。会议以"继续克服困难、调查工商业、改善劳资关系、维持生产、救济失业工人、加强市政建设"为中心任务。会议期间,市长树海作了《合肥市今后工作任务》的报告,选举产生合肥市各界人民代表会议协商委员会,并通过《合肥市各界人民代表会议组织条例》。会议还通过《斥杜鲁门反动声明》及筹备举行"反对美国侵略朝鲜、台湾运动周"及《开展征收工人失业救济金和工人文化教育经费案》等决议。

合肥市第三届各界人民代表会议于1951年3月12至14日召开。市协商委员会副主席万选初作了《反对美国重新武装日本的重大意义》的报告,中共皖北区委负责人作时事报告。会议订立了《合肥市各界人民爱国公约》。

合肥市第四届各界人民代表(扩大)会议于1951年4月27日召开。市长树海作《关于召开本次会议议程和惩治反革命问题的说明》,市公安局局长黄建中作了《合肥市镇压反革命工作的报告》,市人民法院院长韩子和作《镇压罪大恶极反革命分子工作情况的汇报》。会议通过了《关于镇压反革命分子的决议》。

合肥市第五届各界人民代表会议于1951年11月29日至2月3日举行。会议中心议题是:加强抗美援朝工作、增加生产和厉行节约、思想改造三大专题。会上,市协商委员会副主席万选初就会议的宗旨和意义作说明和解释,市长丁继哲作《关于五个月工作检查和今

---

① 《合肥市志》,第1919页。

后任务》的报告。会议做出了如下决议:坚决响应毛主席号召,一致拥护人民政协第一届全国委员会第三次会议和华东军政委员会第三次全体委员会的决议,完全同意市人民政府的各项工作报告和今后3个月内进行的几项工作任务。会议通过提案审查委员会《关于提案审查的意见及撤销个别代表资格等的决定》《关于建议政府驱逐帝国主义分子陈兴华出境的决议》。

合肥市第六届各界人民代表扩大会议于1952年1月12至14日召开。会议听取了市委书记吴绩(女)作《关于开展反贪污、反浪费、反官僚主义的报告》,并通过了相应的决议。

合肥市第七届各界人民代表会议于1952年3月28日召开。市长丁继哲作《关于三年来合肥市资产阶级向工人阶级、人民政府进攻的猖狂性与严重性的报告》。

合肥市第八届各界人民代表会议于1952年8月18日召开。会议听取并讨论关于开展城乡物资交流、发展工农业生产、进一步开展爱国卫生运动以及"三反""五反"运动情况总结和政法工作报告等,并通过相应的决议。

合肥市第九届各界人民代表会议于1953年3月2至7日举行。市长丁继哲作《关于一九五二年政府工作报告》。会议共收到代表提案1535件。会议通过《关于1953年上半年在全市继续加强抗美援朝》《大力宣传贯彻婚姻法》《开展反对官僚主义、反对命令主义、反对违法乱纪斗争》等项决议,并进行了协商委员会主席、副主席和委员的改选。

合肥市各界人民代表会议是解放初期中共合肥市委团结社会各界人士发扬民主、共商国是,贯彻中共中央、皖北区委、安徽省委建国、建省的方针大计,议定合肥市建设与发展大事的主要形式,也充分体现了坚持新政权人民当家做主的精神,密切了党和政府同人民群众的关系。

五、中共各级基层组织和群众团体的建立

(一)党的建设

1. 基层党组织的建立和发展新党员

合肥刚解放时,全市仅有 401 名中共党员,31 个党支部。到 1950 年,除工会和机关成立一些党的组织外,大部分单位还没有建立党的基层组织,党的基础比较薄弱。从 1950 年起,中共合肥市委根据上级指示,结合整党进行建党工作,逐步发展与壮大党的基层组织。在最初的两年内,主要是先在产业工人中建党,发展了一些新党员。此外,在农村土地改革中,各级党组织也吸收了一批土改积极分子加入党组织。到 1952 年,全市共有党员 770 名,党支部发展到 60 个。[①]

2. 整风运动

1949 年 12 月 15 日,中共合肥市委发出通知,要求各级干部开展反麻痹思想的学习,提高思想认识,改进工作作风。1950 年 5 月 1 日,中共中央发出《关于在全党和全军开展整风运动的指示》(以下简称《指示》),决定在全党进行一次大规模的整风运动。《指示》要求各级党组织,结合总结经验,开展批评与自我批评,克服党员干部中的骄傲自满情绪、命令主义作风,以及少数人的腐化堕落、违法乱纪的错误。整风的主要任务是:提高干部和一般党员的思想水平和政治水平,纠正工作中和思想作风上所犯的错误,改善党和人民群众的关系。整风的基本方法是:自上而下召开各级干部整风会议或举办整风培训班,学习文件,检查和总结工作,开展批评与自我批评。

1950 年 8 月,合肥市各级党组织开展整风运动,内容是揭露和批

[①] 中共合肥市委党史工作委员会办公室:《中共合肥市委志(1926.9－1995.5)》,安徽人民出版社 1995 年版,第 93、96 页。

判党员干部中存在的居功自傲和命令主义、官僚主义作风。此次整风运动至同年10月结束。

3. 整党工作

合肥解放后,合肥地区党组织在领导接收、支前、恢复与发展工商业、调整公私关系与劳资关系及在领导抗美援朝、土地改革、镇压反革命等运动中,都取得了很大成绩。党在群众中也建立了一定的威信,党群关系比较密切。但是,党组织自身也存在一些问题。从组织上看,由于追求发展党员数量,客观上存在急于求成,致使有些觉悟不高、思想不纯的落后分子,甚至有少数的异己分子、投机分子被吸收入党,造成党的组织不纯。同时,一些基层甚至还没有建立党组织。从思想上看,随着党的地位和环境的变化,党内出现了许多不良思想和作风。如强迫命令、立场不稳、贪污腐化、脱离群众等。

1951年2月,中共中央召开政治局扩大会议,做出《关于整顿党的基层组织的决议》,提出用3年时间,在党内进行一次有计划、有准备、有领导的整党运动。根据中央决议的精神,中共皖北区委开始整党的准备工作。1951年4月,皖北区委做出《有关整党建党准备工作内容的决定》,要求机关整党工作结合"三反"运动总结工作、整顿队伍、干部鉴定等工作进行,着重批评资产阶级思想,划清无产阶级同资产阶级的思想界限。农村整党工作要结合农业社会主义改造、粮食统购统销工作进行,主要是教育党员懂得怎样成为一名合格的共产党员。

根据中共中央和皖北区委决议和决定精神,合肥市委组织部计划通过组织自修组、开办党训班、工人学校等方式,在全市普遍开展整党和建党思想教育。1951年10月8日起至12月底,在搬运工会党支部开展整党运动,作为全市整党建党工作的前期试点。11月11日,合肥市委组织部向中共皖北区委就合肥市整党建党准备情况作了汇报。12月,合肥市委制定《关于整党建党计划(草案)》,决定对全市的党组织进行一次全面整顿。

1952年8月,中共合肥市委启动全面整党工作。市委确定这次整党的基本方针和基本目的是：首先在思想上进行一次深入的普遍的共产党和共产主义教育，把一部分不够条件的党员和一部分消极分子，经过耐心的团结教育和改造，提高到符合党员的标准；在组织上经过登记、审查，分清敌我界限，经慎重审查，把混入党内的阶级异己分子和投机分子，坚决清除出党，以提高党员队伍的质量，纯洁党的组织。

合肥市直机关的第一期整党工作前后历时3个月，其中学习1个月，登记检查和审查处理2个月，至11月中旬结束。参加这期整党学习的，有市直机关18个党支部、343名党员、群众654人（其中团员345人），合计997人。有25人被审查处理。①

通过整党，全市大多数党支部在组织上和思想上均有显著提高，出现了新的气象；党组织在整党过程中取得了一些初步经验，为今后整党建党工作的进一步开展打下了良好的基础。同时，通过整党，中共合肥市委对党内尤其是干部情况有了全面的了解，为以后培养和选拔干部打下了基础。

(二)青年团、工会、妇联、工商联等群众团体组织的建立

1. 青年团合肥市工作委员会的成立

1949年1月31日中共合肥市委成立时，下设青年工作委员会，负责全市青年工作。5月，中国新民主主义青年团合肥市筹委会成立。6月10日正式成立中国新民主主义青年团皖北区合肥市工作委员会，团市委书记由时任中共合肥市委宣传部长黎竞平兼任，组织上受中共合肥市委青年工作委员会领导，内设机构有组织部、青工部、学生部、宣传部、军事体育部。下辖有学校、工会、机关3个团总支和一个分总支及28个团支部，计1200多名团员。1950年5月，合肥市团工委更名为中国新民主主义青年团合肥市委员会（简称团市委）。

团市委成立后，动员和带领全市青年积极参加各项社会改革运

---

① 中共合肥市委组织部：《中共合肥市委第一期整党工作总结报告》，1952年12月4日。

动。第一,推动抗美援朝运动。1950年10月,全市团组织举办宣讲会、报告会等,开展抗美援朝、保家卫国和爱国主义、国际主义的宣传教育活动。1951年3月,召开合肥市各界青年反对美国武装侵略朝鲜的代表会议,动员全市青年参加抗美援朝运动。全市先后共有2300多名青年志愿参加军事干部学校受训,有数千名青年参加志愿军,奔赴"抗美援朝,保家卫国"的最前线。5月1日,团市委组织全市各届青年举行抗美援朝示威大游行,动员各界青年积极参加和平签名、参军参战,同时发起制定合肥市各界青年爱国公约。此外,全市团组织还在城乡青年中开展增加生产、厉行节约、捐款捐物和拥军优属等活动,动员教育广大青年以实际行动支援抗美援朝。第二,开展增产节约和技术革新竞赛。1952年,团市委组织青年开展向刘胡兰、董存瑞、黄继光以及苏联的卓娅、保尔·柯察金、马特洛索夫等英雄人物学习的活动,激发青年的共产主义精神和建设社会主义的积极性;帮助全市青年工人订立技术互助合同,举办"青年技术研究会",建立以技术革新为主要内容的各种形式的青年活动小组,引导青年动脑筋、找窍门、搞革新、大力开展"红旗劳动竞赛"。此外,团市委还根据青年的特点,组织开展文娱体育活动。

2. 市总工会的成立

1949年2月18日,合肥市职工总会筹备委员会成立。同年5月1日,召开第一届职工代表大会,正式成立合肥市职工总会,6月更名为合肥市总工会。

市总工会成立以后,积极发展会员,并按行业自下而上地组建基层工会。至1952年年底,全市工会会员由1950年的2083人发展到16041人,增加了6.7倍;全市基层工会发展到111个,店员、搬运、教育、建筑、运输、新闻、出版、金融、医务、文艺、农林、水利、铁路、邮电、手工业、工厂、机关等15个行业和部门,大都建立了基层工会。[①]

各级工会成立后,积极对工人进行思想教育。通过采取报告会

---

① 《合肥市志》,第1839页。

和讲座等形式，相继在职工中开展"劳动创造世界""中国共产党和共产主义"等阶级启蒙教育，开展"谁养活谁"的大讨论，并选送工人积极分子参加市委举办的"群运训练班"培养骨干，推进工会运动。同时，市各级工会配合有关部门，通过开办工人夜校、成人学习班等，在职工中开展以扫除文盲为主的职工文化教育。至1952年，全市建有职工业余学校15所，109个班，入学人数达5000余人。①

市总工会还领导全市工人参加各项社会改革运动。1950年11月9日，全市万名工人集会，声讨美国侵略朝鲜的罪行。1951年，全市9856名职工投票反对美国武装日本，9899人订立爱国公约。各行各业职工共捐购飞机大炮款4.2万余元。同年3月，市搬运和建筑系统进行民主改革，搬运工人两次召开揭露和控诉大会，开展反封建把头的斗争。1952年元月24日，在"五反"动员大会上，全市各业店员职工，当场检举奸商行贿、偷税、盗窃国家财产等"五毒"行为1200多起，迫使不法资本家坦白认罪，补交税款和退回赃款14.6万余元。2月，在"五反"第二战役动员会上，合肥市有800多名工人代表提出"五项"条件，又向皖南、皖北各地工人倡议开展打"虎"竞赛。在"五反"斗争中，全市共涌现市级"五反"模范67名，行业模范217名，有113名优秀积极分子被提拔输送到国家机关和企业担任管理人员。②

3. 市妇女联合会的成立

1949年2月，中共合肥市委指派朱静、毛英、康林、陶萌兰、程勉5人负责筹备组织合肥市妇女联合会。5月15日，全市妇女代表会议召开，通过合肥市妇女联合会筹备工作方案，成立合肥市妇女联合筹备委员会。1952年8月16日，召开合肥市第一次妇女代表大会，选举产生了合肥市民主妇女联合会第一届执行委员会组成人员，合肥市民主妇女联合会（简称市妇联）正式成立。

市妇联从筹备之时到正式成立，即将宣传、贯彻《婚姻法》列为首

---

① 《合肥市志》，第1848页。
② 《合肥市志》，第1847页。

要任务,常抓不懈。1953年,市妇联利用电影、话剧、报告会、图片展览、幻灯、群众会、妇代会等形式,向广大群众宣传《婚姻法》,受教育人数达1.35万人(次)。①

市妇联组织全市妇女积极参加抗美援朝。1951年三八妇女节期间,市妇联参与动员组织7000余名各界妇女,参加抗美援朝示威游行和拥护世界和平宣言的签名运动。参加游行的有18岁的姑娘,有才结婚的新娘,有70多岁的老奶奶,有背着孩子的母亲。她们还做了3000个慰问袋,慰问袋里装着毛巾、牙刷、牙膏、钢笔、日记本、慰问信等,献给中国人民志愿军。②

市妇联还组织动员全市妇女参与各项运动。在"五反"运动中,全市有700多名妇女投入运动。其中有50多名妇女检举了自己的丈夫、儿子、父亲等亲属的违法行为,有159名妇女动员亲属向政府坦白交代问题。1952年,市区有2158名妇女参加各种形式的劳动组,郊区有1.1万人参加生产互助组,占郊区有劳动能力妇女总数的80%以上。1953年,全市90%以上的妇女投入到爱国卫生运动中。妇联还积极向各阶层推荐妇女干部。在郊区,有20%的妇女担任生产互助组组长;在城市,有42名妇女担任各行各业的中层干部。1954年,在合肥市第一届人民代表大会代表普选中,有80%的妇女参加选举,有26名妇女被选为代表,占代表总数的16.47%。③同年,三八国际劳动妇女节纪念大游行,合肥的妇女自己驾驶汽车、摩托车、自行车作前导,展示了新社会妇女的新面貌。

4. 市工商业联合会的成立

1949年2月,合肥市商会筹委会成立。5月,全市28个行业成立行业委员会。9月,撤销商会,成立市工商业联合会筹委会。1951年4月,召开第一次会员大会,正式成立合肥市工商业联合会(简称工商联),选举产生了第一届委员会,褚石谷当选为会长。

---

① 《合肥市志》,第1868页。
② 《合肥市志》,第1869页。
③ 《合肥市志》,第1869页。

市工商联自成立之日起,即组织开展了各项活动。第一,积极参与农村的土地改革运动。1951年冬,合肥市成立皖北土改工作团第八分团,合肥市工商联派刘秉钧、郝仲英等7人参加该团,赴皖北怀远县农村开展土改运动。第二,支援抗美援朝。1950年12月24日,合肥市工商界举行大会,全市有35个行业7400余人参加,大会通过《合肥工商界抗美援朝、保家卫国公约》,并举行游行示威。同年4月,市工商联又组织3000名工商业者举行集体纳税游行,有40家工商业户实行集体纳税。7月9日,市工商联召开各行业代表临时会议,集体认捐"合肥号"战斗机50%价款,支援抗美援朝。① 第三,参加镇反运动。1951年,全国开展镇压反革命运动,市工商联一方面组织工商界人士学习《惩治反革命分子条例》,提高工商界人士政治觉悟,一方面组织工商界人士参加斗争、公审反革命分子大会,发动工商界人士检举揭发反革命分子。市工商联主要负责人还受安排参加审理反革命案件,为依法惩治反革命分子开展工作。此外,市工商联还带领工商业界人士积极参加了"三反""五反"运动等,为合肥市的建设事业和各项运动的顺利开展做出了贡献。

第二节 巩固新政权

一、解放初期的严峻形势

合肥解放之初面临的形势十分严峻。在军事上,皖北的硝烟还未散尽,人民解放军正准备渡江战役,国民党军队严密封锁长江,并派飞机日夜在合肥上空及沿江、江北城市侦察、扫射,引起百姓恐慌。

---

① 《合肥市志》,第1874页。

1949年4月3日,4架美制国民党飞机空袭合肥。至渡江战役前夕,空袭合肥市区的国民党飞机达21架次,投弹数十枚,炸毁民房百余间,炸死炸伤群众10余人。① 在经济上,合肥曾是国民党政府的省会,是国民党政治、文化、军事的地区中心,市民长期受国民党的反动宣传影响,对中共半信半疑,多有等待观望的心境。市内各私营公司、商店、银行均闭门无人,通街无摊贩、无行商肩挑小贩,工商业处于瘫痪状态。国民党政权造成的无止境的通货膨胀,物价飞涨,使"金圆券"如同废纸,人们弃之可惜,用之违法,处于两难的困境中。在广大农村,地主和富农把持着大量土地,广大农民只有少量土地甚至没有土地,为了养家糊口,只好租种地主的土地,忍受地主的剥削和压迫。在政治上,国民党遗留下来的匪特武装和潜伏特务大量存在,他们不甘心国民党的失败,企图东山再起。这些人伙同农村中的恶霸地主、反动道会门头子,城市中的封建把头、帮会骨干及地痞流氓,沆瀣一气,为非作歹,无恶不作,反革命活动十分猖獗,严重危害着人民的生命财产安全。在思想文化领域,帝国主义、封建主义、资本主义的腐朽落后思想,还在毒害着人民群众。广大妇女受着封建婚姻制度的压迫,包办、买卖婚姻仍然盛行,吸毒、贩毒、卖淫嫖娼和聚众赌博等社会丑恶现象普遍存在。

所有这些表明,新生的人民政权面临着极为严峻的考验。为此,中共合肥市委、市政府采取巩固新政权、建设新经济、倡导新文化等一系列措施,稳定形势。

二、开展剿匪反特斗争

(一)匪患肆掠

1949年年初,国民党在皖北地区的统治土崩瓦解,被打散的溃

---

① 《合肥市志》,第32页。

兵游勇留了下来，一批国民党特务也潜伏下来。他们与原有土匪、恶霸、反动道会门头目等互相勾结，以大别山、巢湖为据点，进行武装破坏活动，企图颠覆新生的人民政权。

合肥地区处于巢湖沿岸，又是安徽腹地，是巢湖匪特与大别山匪特交集、联络的必经之地。因此，合肥地区的匪特数目多，番号杂，分布广。

在肥西县，匪特组织主要有"华中剿匪义勇纵队第五总队（又称九路军）"，司令李世华，共百余人，主要活动在合肥西郊；大别山匪特首领张干委派的"专员"沈子峰，"副专员"郑良甫部，有人、枪各300余，主要活动于六合公路的合肥地区沿线；在肥西防虎山周围，有大别山土匪支队张纯和部；在肥西大柏店、高刘集一带，匪特江北"剿匪"第二游击纵队第一团匪首罗八等经常在此活动。还有匪特王可军、胡中荣，巢湖惯匪王光传、邓大河等匪帮都在肥西一带活动。

在肥东县，肥东解放前，全县盘踞着好几股土匪、恶霸：东部有胡载之、杨一鸣；西部有龚养初、夏家勋；南部有陈俊之、程玉山；北部有王华锦、谢黑头、牛登峰；中部有王柱东。肥东解放初期，在店埠、草庙、王子城、石塘等地区，又先后出现了"华洋军""新五军""江北反共游击第五纵队独立第三支队"和以陶传恺为首组织的"淮南游击第七师"、以杨一鸣为首的"苏浙皖反共救国同盟会淮南独立团"、以黄复初为首组织的"沿山独立团"、以王文林为首的"江北第五纵队肥东办事处"等10余股土匪武装。其中，"江北反共游击第五纵队独立第三支队"是肥东境内人数较多、活动最为猖獗的土匪武装。

在合肥城内，则有国民党军统皖站站长唐玉琨南逃时潜伏的特务组织，这伙特务共有6人，少校组长娄一骏，中尉副组长冀子惠，少尉台长李明，以及联络员、情报员、通讯员等。他们配有2瓦特电台一部，以开文具、电料商店为掩护，搜集共产党军政情报，直接报告逃亡芜湖的唐玉琨，图谋内外接应，伺机颠覆新生的人民政权。

解放伊始，土匪和潜伏的特务组织，利用原有的社会基础，趁新生人民政权刚刚建立、社会尚存动荡之机，采取各种手段进行破坏活

动。主要表现在:

1. 武装反扑,袭击区乡政府。1949年春,各级人民政权全力以赴宣传动员群众支前,匪特武装乘机袭击区乡政府,制造血腥恐怖,致使许多县、区、乡干部惨遭杀害。肥西县匪首李世华、石家瑞率匪袭击长安、日新两乡政府,抢走步枪14支,公粮近万斤。匪首吴奎一一伙,将上派乡乡长李兴发掳走吊死,并威胁去董岗的老百姓说:你们带信给董岗乡长,如与我作对就不客气。① "华中反共军江北游击第五纵队第二支队"支队长郑伯均,率部先后袭击4个乡政府,抢去长枪13支,打死乡长等干部4人。仅6月至8月,肥西县被匪特打死、活埋、烧死的干部、战士和群众积极分子达92人,打伤56人。肥东县在1950年7月21日至25日的5天中,被土匪捣毁3个乡政府,打死乡长2人,指导员2人,抢夺长、短枪16支。②

2. 混入军、政内部,策动叛乱。解放初,一些匪特份子趁人民政权组织机构尚未完善之机,伪装进步,混入军、政部门,伺机进行破坏和叛乱。国民党县大队副大队长、中统特务头子周炳章率领30余人枪,搞假投降,被及时识破缴械。合肥解放后,有10多名中统特务隐瞒身份,先后混入合肥市军管会、文工团等机关团体,作为内线,暗中进行活动。匪首沈子峰骗取梁墩三十岗乡乡长职务,借征粮为名搜刮贫苦农民,引起当地群众的恐慌和对共产党的不满。有的拉拢腐蚀干部进行策反活动。如在肥西县,混入干部队伍的匪特或被匪特引诱通匪者97人,占干部总数的20%,其中县、区、乡干部21人。这些匪特,利用窃取的合法外衣,进行反革命勾当。1949年3月13日,匪首沈子峰策动肥西独立团警卫排长杨友三叛变,里应外合,打死副政委张子玉、供给处长杨业等3人,劫去六〇炮1门、机枪步枪30

---

① 中共安徽省委党史研究室编:《安徽省社会主义时期党史资料专题集》(第一集),安徽人民出版社2000年版,第81页。
② 安徽省地方志编纂委员会编:《安徽省志·公安志》,安徽人民出版社1993年版,第164页。

余支。①

3. 烧杀抢掠,严重危害人民的生命财产安全。匪首李德、李恒全、程玉山等5股匪特,在肥东长临河区抢劫百余民户,被匪杀害者有30多人。1949年8月11日,百余名匪徒从巢湖分乘3只木船到肥西的丙子镇抢劫,所有大小户均被洗劫一空。山南、官亭两区的匪特抢劫杀害耕牛达119头。匪特还经常流窜到合肥城内,抢劫华昌粮行、庆昌染坊,破坏城郊电讯、交通设施、阻劫汽车运输物资,甚至以"中美特训班行动总队"的名义,给合肥市商会会长褚石谷和富商刘秉钧等写信,进行恐吓、威胁,敲诈钱财。此外,他们还强奸妇女,绑票勒赎。

4. 刺探军政情报,造谣惑众。匪特组织以开粮行、商店作为刺探军政情报的据点,以收买、拉拢、欺骗、威胁等手段网罗地痞流氓、恶霸为特务,以做生意、跑单帮、挑货郎担为掩护,千方百计刺探军政情报。他们还蛊惑一些不明真相的群众闹事,制造了三河数千人抢米事件。②

(二)剿匪斗争

为打击敌对势力的嚣张气焰,巩固新生的人民政权,从1949年3月起,在中共皖北区委和合肥市委领导下,合肥地区开展了军事清剿与政治瓦解相结合的剿灭土匪的斗争。

1. 建立剿匪指挥组织。1949年6月,皖北军区警卫团(兼合肥城防司令部)第2营和肥西独立团联合组成"肥西剿匪指挥部",展开武装剿匪行动。7月,肥西独立团整编为六安军分区警备第8团,并调往外县剿匪。8月,巢湖军分区基干团2个营、庐江独立团、三河大队2个连、无为大队1个连,再次组成"肥西清剿指挥部",统一指挥

---

① 中共合肥市委党史研究室编:《中共合肥地方史》(1919.5—1949.10),皖非正式出版字(99)第097号,2000年版,第198页。

② 合肥市公安局编:《合肥公安志》,合文管办内临时出版字(90)18号,(内部发行),第230页。

肥西境内的剿匪作战。1950年1月,肥东县成立"肥东县剿匪委员会",由县委副书记杨吉平、县公安局局长田中坐镇指挥,展开剿匪行动。各级剿匪指挥部、委员会的建立,对统一指挥剿匪斗争,夺取斗争的胜利起了决定性的作用。

2. 调兵遣将,实施军事打击。巢湖军分区警卫团3营进驻肥西,在1949年7、8两个月中与土匪战斗8次,毙匪25人,俘匪大队长孙树平以下54人。8月11日,巢湖基干团配合肥西武装在西道士山毙匪100多人,俘匪39人。28日,在地方武装配合下,于防虎山活捉匪司令张纯和,击毙匪区长张束平等77人。同月,肥西剿匪指挥部歼灭土匪220人。9月,皖北军区警卫3团在三十里岗活捉匪首周家峰,击毙匪41人。皖北军区警卫2团在东大圩、晓星集一带活捉匪首程玉山、王君川。在军事打击的同时,结合政治政势,加强对匪特的分化瓦解工作。据1949年10月份统计,仅皖北军区警卫2团就俘匪副专员郑良甫以下87人,争取匪营长孟凡舟以下85人投诚,收缴炸弹117枚,长短枪1503支。①

在肥西被击溃的残匪有部分窜至肥东。肥东剿匪委员会立即发布剿匪通令,采取军事打击与政治攻势相结合的方针,由皖北军区独立第3营、巢湖专署公安队,分别清剿散布在店埠、古城等地的"江北反共游击第五纵队独立第三支队"和活动在石塘地区的武装匪特。1950年8月,肥东剿匪部队击毙和俘获匪独立第3支队200余人,余者亦纷纷缴械。截至年底,肥东县剿匪部队共歼灭14股匪特组织,歼敌1500多人,其中有纵队副司令以下中队长以上匪首30多人,缴获轻机枪1挺,长短枪1400多支。②

3. 侦察破案,深挖隐藏的国民党特务。1949年春,合肥及肥东、肥西公安机关通过各种渠道,深入调查国民党特务组织和军、政、警、宪及反动党、团等组织情况,配合人民解放军在城乡发动群众开展剿

---

① 《合肥市志》,第2160页。
② 《合肥市志》,第2161页。

匪的同时,严密监视特务的动向,深挖潜伏的特务。仅半年时间,就破获匪"中国远东军三六九部队巢湖分区行动支队""华中剿匪义勇纵队第三大队""中美特训班行动总队""人民反共救国军苏浙皖总部独立第二支队"等特务组织,依法逮捕11名匪首。肥西县公安机关先后破获匪"长江上游挺进军江淮第一纵队""华中人民反共军江北第五游击纵队"等特务组织,逮捕了匪纵队参谋长孙建元、支队长郭汉卿,第五支队副司令陆广全等匪特首领。并破获以国民党团长王吉和为首的"苏浙皖人民反共救国军"组织,主要匪徒尽皆落网。据1950年6至12月不完全统计,肥西县公安局直接破获的匪特案39起,逮捕土匪77名,缴获各类枪支、手榴弹、粮食等大量物资。肥东县公安机关先后侦破、歼灭匪"江北反共游击纵队第三独立支队"等6股残余匪特武装。①

4. 依靠和发动群众,开展群众性的揭发检举运动。1949年8月25日,皖北军区发布剿匪动员令,要求党政军各部门精心研究匪情,了解土匪特点,发挥和创造剿匪战术,从军事上有力地打击土匪。同时要加强调查,开展政治攻势,团结一切社会力量,从政治上有效地瓦解土匪,学会做群众工作,把群众作为剿匪的主要力量,使剿匪工作与群众工作结合起来。各地抓住匪特抢粮、绑人、暗杀、拉耕牛、逼人命及破坏生产等具体实例召开公审会,并召开邻居会、匪属会,晓以利害,指明前途,发动他们做规劝工作。在人民群众的支持下,一些土匪自感穷途末路,纷纷向政府投诚。仅1949年9月底,肥西县望舒、大黄、化岗3个乡,就有36名土匪缴械投诚。肥东古城区,在1950年8月下旬,有50余名匪特投诚。② 与此同时,合肥市、肥东、肥西还开展了对反动党团特务人员的登记管理工作,初步查清潜伏的特务组织情况。

5. 执行党的政策,分化瓦解匪特武装。各地对捕获的土匪,按

---

① 《合肥市志》,第2161页。
② 《合肥公安志》,第232页。

照"首恶必办,胁从不问,立功受奖"的政策,抓紧审理结案。1949年8月,皖北人民法院依法判处阴谋暴动案主犯史时雨、吴秩五死刑,判从犯吴学南等有期徒刑,对胁从分子则宽大释放,在社会上引起强烈反响。9月,皖北行署法院对肥东县捕获的郭子榜等5名匪首判以死刑,有力地打击了土匪的嚣张气焰。一些残匪慑于法律威严,主动投案自首。

6. 开展治安联防,加强基层政权建设,巩固人民民主专政。随着军事清剿的有序开展,少数匪特分子惊恐万状,四处流窜,寻找"防空洞"。为此,市、县各级人民政府及时采取对应措施,在市、县结合部统一部署力量,实行联防;加强联系,互通情报,协同作战;加强户籍管制,严防残匪流窜等办法查捕匪特。据不完全统计,1949年1月至9月,合肥市共捕获从外地潜入本市的匪特164人,处理散兵游勇回原籍420人。① 1950年10月,根据皖北行署公安局的指示,合肥、肥东、肥西三地公安机关及城防部门,联合组成了以黄建中、翟金坡为主任的联防治安委员会,加强联防工作。同时,废除保甲制度,建立村级人民政权,加强基层民主政权建设,为彻底肃清残匪创造有利条件。1949年9月,皖北人民行政公署召开首届民政扩大会议后,合肥市立即着手改造村政工作,村长、组长(一般以自然村为小组),均由民选产生。基层政权的加强与巩固和军事清剿与政治攻势的紧密结合,迫使残匪陷入绝境。

解放初期合肥的剿匪斗争,认真贯彻了军事清剿、政治攻势与发动群众剿匪自卫的方针,实行了党、政、军、民齐动员,坚持了发动群众与专门机构相结合的原则;在军事清剿的同时,加强了政治攻势,全面贯彻党的政策;在斗争中加强基层民主政权建设,加强公安队伍和自卫武装建设等。因此,在一年多的时间内,国民党在合肥地区布下的大小特务组织和土匪武装全部瓦解、歼灭。截至1950年年底,合肥地区共歼匪5510人,其中被击毙534人,被俘1987人,投诚自

---

① 《合肥公安志》,第235页。

新2943人,镇压罪大恶极的匪首46人,缴获六〇炮1门,轻机枪4挺,长短枪3534支,以及大批弹药物资。① 合肥地区的剿匪斗争取得了完全的胜利,从而保障了人民的生命财产安全,巩固了新生的人民民主政权和社会新秩序。

三、镇压反革命

新中国成立前,合肥曾是国民党省级党政军机关、安徽省省会所在地,是国民党经营、控制的重要据点。新中国成立后,国民党遗留下来一批旧社会残余势力。据1949年4月调查,在合肥国民党的中统、军统、桂系特务组织有18个,反动党团组织4个,反动道会门组织13种,青洪帮、封建把头组织14个,以及国民党省政权在溃退时有计划地潜伏下来一批特务、政客等。② 他们不断变换手法从事破坏活动:有的混入革命队伍内部,伺机发动反革命暴动;有的里应外合,煽动策反;有的纠集余孽,拼凑地下武装;有的窜扰城乡,造谣惑众。他们千方百计地破坏革命秩序,反对新生的人民政权。

面对严峻复杂的局势,合肥市公安机关着手调查敌情社况,绘制了"国民党政情图",对国民党、三青团匪特人员进行自新登记,又配合军事部门,在乡村开展剿匪斗争。同时,在户口登记调查中,重点调查匪特的社会关系,侦查潜伏城内匪特,集中搜捕流窜城市的散匪。

1950年3月,中共中央发出《关于严厉镇压反革命分子活动的指示》。同年7月23日,政务院和最高人民法院联合发布《关于镇压反革命的指示》。中共合肥市委立即召开党政负责干部会议,进行传达贯彻,及时组织侦破了一批反革命案件。1950年10月10日,中共中央发出《关于纠正镇压反革命活动的右倾偏向的指示》(简称《双十指

---

① 《合肥公安志》,第227页。
② 《合肥公安志》,第237页。

示》),合肥市委再次召开干部大会,检查前一阶段在镇压反革命运动(简称镇反运动)中出现的问题,决定从12月中旬开始,有计划有步骤地开展镇反运动,并明确运动打击的重点是土匪、恶霸、特务、反动党团骨干及反动道会门头子等残余反革命分子(简称五类反革命分子)。

合肥市的镇反运动分三个阶段进行:

(一)从1950年12月至1951年10月是镇反运动第一阶段

主要是发动群众运动,并由公安机关统一行动,关、押、杀一批罪大恶极的反革命分子。

1950年12月,中共合肥市委召开全市干部会议,根据中共中央《双十指示》精神,对镇反运动作动员部署。同时,市公安局召开干部会议,检讨过去对反革命打击不力的偏向。市公安局发动和依靠群众,组织力量找出浮在面上的有现行破坏活动的反革命分子,在调查掌握罪证材料后,列出搜捕对象名单,报市委审查批准后,于1951年1月20日,第一次集中搜捕浮在面上的五类反革命分子137人,其中重大反革命骨干分子52人,不法地主恶霸85人。①

合肥近郊农村开展土地改革运动后,外地和本地的部分地主恶霸,纷纷窜到城市找"防空洞"。针对这种情况,合肥城乡统一行动,使逃亡的特务、恶霸地主纷纷落网。截至1951年1月,市区协助附近乡村捕捉恶霸地主85人。②

镇反运动开始后,反革命首恶分子受到沉重打击,动摇分子开始投案自首,坦白交代自己的罪行。中共合肥市委针对前阶段对反动党团特人员自新登记纷扰较大,不够彻底的情况,抓住有利时机,再次对这些人进行自新登记工作。截至1951年年底,市区登记的人数达2043人。③

1951年2月21日,中央人民政府颁布《中华人民共和国惩治反

---

① 《合肥公安志》,第238页。
② 《合肥公安志》,第238页。
③ 《合肥公安志》,第239页。

革命条例》(以下简称《条例》),中共合肥市委号召全市各行各业的职工和市民群众广泛学习、宣传《条例》,通过召开诉苦会、控诉会、代表会、公审会,举办展览会等,大张旗鼓地宣传动员群众投入镇反运动。4月23日,市区第二次集中搜捕了81名反革命分子。27日,召开合肥市镇压反革命各界代表大会,控诉反革命分子罪行,公开宣判27名罪大恶极的反革命分子死刑。这些人多是血债累累,犯有严重罪行的首恶分子。如反革命分子朱子良,在新中国成立前任中统合肥县调查室秘书、县政府情报所副所长期间,杀害新四军七师交通员唐广发,率特务中队袭击抗日游击队,杀害回家养伤的某部参谋长梁孟华。特务骨干王继发在抗日时期充任密探队长,曾残害无辜10余人之多。国民党中统合肥通讯室主任、戡乱大队长娄养真,从合肥城里拉走50余人枪,窜到巢湖边东大圩,网罗散兵游勇,组织1500多人的土匪武装,四处骚扰,偷袭新生的人民政权。①

在镇反大会上,有的苦主、街道居委会向政府送锦旗、献词,拥护镇反,有的则当场血泪控诉,使全场群情激愤。全市以派出所警区为单位,召开40场控诉会,1560名群众代表控诉了99名在押反革命犯,使镇反运动家喻户晓、妇孺皆知。许多群众消除疑虑,积极投身镇反运动。

随着镇反运动的高涨,部分干部和群众要求多捕多杀的"左"的思想情绪开始滋长,公安司法机关在办案中也出现草率现象,捕杀一些可捕可不捕,可杀可不杀的反革命分子。同时,监狱内罪犯畏罪逃跑、自杀现象时有发生。1951年5月中旬,中共合肥市委召开扩大会议,传达贯彻党中央提出的镇反要执行"严肃与谨慎相结合的方针"、全国第三次公安会议提出的"收缩"方针以及皖北行署公安局关于镇反要适当收缩的电报。会议明确提出坚决贯彻立即收缩,严格控制捕人杀人的方针,并决定以清理积案、组织犯人劳改为主要工作。5月23日,合肥市成立由市长树海、公安局长黄建中,法院院长韩子

---

① 《合肥公安志》,第238页。

和,以及劳动、税务局长和党外人士组成的反革命案件审查委员会,协助公安司法各部门审查反革命案件,参与量刑问题的讨论。在清案工作中,采取发动坦白、重点审讯、群众调查相结合的方针,通过区乡(街道)干部群众代表会、座谈会以及个别查访等形式,补充、核实材料,吸收民主人士参加审议,然后由人民法庭在群众大会上审判处理。截至1951年年底,共清理在押案犯529名,对被判刑的罪犯及时投入劳改,实行"改造第一、生产第二",劳动生产与政治教育相结合,取得良好的社会效果。

1951年8月25日,中共合肥市委召开第三次万人公判大会,依法宣判103名反革命分子,处决李本一等8名罪大恶极的反革命分子。还组织全市人民收听公判会实况广播。到10月29日,市委采取分类部署镇反运动的措施,派出两个工作组到郊区,召开群众大会、控诉会,深入发动群众,并结合农村土改,将镇反运动进一步推向农村。经半个月的调查取证,逮捕隐藏于郊区农村的84名反革命分子,并及时召开公判大会,依法处决其中5名反革命分子。[①]

(二)从1951年12月至1952年11月是镇反运动的第二阶段

在这一阶段,市区镇反运动相对平缓,郊区仍继续进行,这一时期的镇反运动主要围绕以下几个方面进行。

1. 开展清理中层和内层工作

在镇反运动中,有些问题涉及党政机关和党内,有些人希望洗清嫌疑,或说清自己的历史,卸掉包袱,专心工作。为此,1951年9月,合肥市成立清理中层总会和12个分会。在全市机关、团体、企事业单位内部开展"忠诚老实运动"。中共合肥市委召开有关部门负责干部会议,强调采取慎重的方针,团结绝大多数,孤立和打击极少数混入内部的残余反革命分子,动员有历史和罪恶问题的人主动坦白,说真写实,讲清问题,同时开展互相批评和检举揭发。这一工作一直延

---

① 《合肥市志》,第2165页。

续到1952年10月结束。据统计,全市经过清理的51个单位4134人中,清理暴露出有各种政治问题和其他问题的517人,其中清理出五类反革命分子身份的137人,逮捕法办43人,历史罪恶不甚大,新中国成立后主动坦白交代,又有悔改表现而被留用41人,其余或待处理或调离原工作岗位。①

2. 清理积案

1951年年初,中共合肥市委针对镇反运动积案较多的情况,成立清理积案委员会,吸收民主党派、民主人士参加清理案件。1952年5月,公安、司法、检察抽调12名干部,成立清理积案办公室,下设审讯、审查、判决、缮写组。至7月底,清理反革命案犯139名,其中判处死刑12名,死缓2名,判决有期徒刑97名,判处管制18名,教育释放10名。②

3. 管制反革命分子和争取反革命家属工作

1952年6月,政务院颁布《管制反革命分子暂行办法》,合肥市采取群众提名,搜集证据材料,报请公安司法机关批准,对30名反动党团骨干、特务恶霸、地主等进行管制、改造。全市有被杀、关、管的反革命分子家属600余户,较普遍地存在不满情绪。为此,中共合肥市委有关部门召开反革命家属座谈会,讲明政府对反革命家属的政策,讲解反革命分子的罪恶及应得惩处。先后有200余名反革命家属发言表态,有的还控诉、检举揭发亲人的罪行,转变了原有的立场和态度。

(三)从1952年11月至1953年年底为镇反运动的第三阶段

合肥市根据全国第五次公安会议精神和省公安厅制定《关于安徽省继续贯彻镇压反革命的计划(草案)》的决定,以取缔反动道会门、打击水上活动的反革命分子和扫清残存反革命分子为重点,取缔一贯道、同善社等反动道会门。

1952年11月10日,中共合肥市委召开公安系统、法院、检察署

---

① 《合肥市志》,第2166页。
② 《合肥公安志》,第241页。

300余人大会,动员部署第三阶段的镇压反革命工作,要求在不同类型地区分别进行试点,实行分类指导。镇反已经彻底或基本彻底的地区,要不失时机地开展各项公安业务工作建设,转入经常性的对敌斗争,着重解决10%的城乡结合部不彻底地区,深挖漏网反革命。为此,市公安局组织210名干部深入镇反不够彻底的3个市区派出所辖区和郊区2个乡进行典型实验,以划分五类反革命分子的政策界限为标准,全面展开第三阶段镇反调查摸底。通过调查,新发现的反革命分子达230余人,核实材料后集中逮捕95名反革命分子。镇反尚不彻底的郊区洪岗乡残存19名反革命分子,经查实其中5人负有血债,及时给予打击处理。①

合肥地区的反动道会门,名称繁杂,派系很多,主要有"一贯道""三宝道""同善社""先天道"等10余种。道会门长期以来散布"鬼神论""宿命论"以及"躲灾避难"等邪说,利用封建迷信、求神拜佛、求仙丹神药等手法愚弄毒害道众,诈骗钱财,严重扰乱社会治安。

1953年,合肥市开展取缔反动道会门运动。根据中央"打击、惩办少数大道首,教育改造多数一般道首,对广大被骗会众,只要声明退道,一律不究"的原则,合肥公安逮捕3名"点传师"以上的反动道首,询训38名"分坛主"以上的道首,还有98名一般道首在各公安分局和郊区进行集训登记、退道。是年4月至6月,城市以区、农村以乡为单位召开退道大会,城内2260名道众均登记退道。在取缔反动道会门期间,2名"点传师"被依法处决,15人被判处徒刑(其中"点传师"6人,"坛主"9人),18人被管制("点传师"4人,"坛主"14人)。②

1953年8月18日,合肥市公安局、检察院抽调干部组成检查处理反革命案件小组,检查"四错",即错捕、错杀、错判、错管的情况,发现错捕23人,及时予以平反,并纠正了一些重罪轻判和轻罪不判的偏向。同时,还取消一些不管制和已经得到改造的管制对象,对漏管

---

① 《合肥市志》,第2166页。
② 《合肥公安志》,第246页。

的重新予以管制。①

合肥镇压反革命运动,到 1953 年年底基本结束。3 年中,全市共查获五类反革命分子 1271 名,对 957 名首恶分子,从严处理(其中判处死刑和缓期执行的占 11.9%,判刑劳改的占 45.1%,交群众管制的占 43%)。② 全市有 532 人向政府自首、交出反革命证件、武器等。

合肥的镇反运动,基本上肃清了旧社会遗留的反革命残余势力,全市社会的治安状况得到彻底改善,社会秩序得以稳定。但合肥在镇反运动中,也出现一些问题,先是发动群众不够普遍深入,对反革命分子过于宽大;后又发生因工作草率,错捕、错杀、错关、错押了一部分人。

四、抗美援朝运动

1950 年 6 月,朝鲜战争爆发,美国出兵干涉。10 月初,美国军队越过"三八线",迅速向中朝边境推进。10 月 8 日,朝鲜政府请求中国出兵援助。中共中央和毛泽东主席根据朝鲜政府的请求,做出"抗美援朝,保家卫国"的决策,立即组织中国人民志愿军入朝参战。全国人民积极响应党中央的号召,掀起了轰轰烈烈的抗美援朝运动。

1950 年 11 月,合肥市成立抗美援朝分会,抗美援朝运动随即在合肥全面展开。运动分五个方面进行:

(一)发动群众,开展时事宣传教育

合肥宣传抗美援朝的形式主要有,举办宣讲会、报告会、游行示威等。1950 年 11 月 5 日,全市干部、群众举行"抗美援朝、保家卫国"大规模游行;12 月 24 日,工商界 7400 余人举行"抗美援朝、保家卫国"游行集会,订立以支援中国人民志愿军为主要内容的爱国公约。1951 年 3 月 7 日,全市 7000 多名妇女集会,会后举行了抗美援朝示威游行;3 月

---

① 《合肥公安志》,第 242 页。
② 《合肥市志》,第 34 页。

下旬,全市各行各业纷纷召开各种形式的宣讲会、报告会53场,成千上万的群众参加宣传、报告活动;4月25日,全市40个工商行业的3000多人举行集体纳税游行,支援抗美援朝;6月30日,全市各界7万人隆重集会,热烈欢迎中国人民志愿军代表来合肥作报告。肥东、肥西等地也相继掀起抗美援朝的宣传活动。1951年5月1日,肥东组织30多万人在全县各地进行抗美援朝的游行示威;肥西则有49万人参加在全县各地举行的游行示威,反对美国重新武装日本。

(二)开展和平签名活动

1950年5月,世界人民保卫和平大会和中国人民保卫和平大会发出"开展和平签名活动"的号召。合肥市在人口较为集中的街道、市区设立签名台或签名处,群众自觉前来签名,仅7月18日,全市就有4.5万人参加签名。在农村,则采取挨户访问的方法进行签名。1951年4月21日,全市开展反对美国重新武装日本的和平签名运动,计有6.8万人参加,占人口总数的95%。在签名运动中,全市的中小学生也十分踊跃。肥东中学与所在地附近5个乡中学联合开展签名活动。他们在自己签名的同时,还发动周围群众积极参加,不到3天时间就有16497人签名。[①] 和平签名运动的开展,提高了广大人民群众的觉悟,坚定了抗美援朝、保家卫国的决心。

(三)青年学生踊跃参军参战

在抗美援朝运动中,全中国广大适龄青年踊跃报名参军,奔赴朝鲜战场,掀起参军参战的热潮。1950年12月1日,中央军委和政务院联合决定,招收青年学生和青年工人参加各种军事学校学习。决定发出后,合肥青年学生积极响应,踊跃报名参加各种军事学校。12月5日,全市各中学开展"响应祖国号召,参加军事干校"的活动,是月,有600余名学生被批准入伍。合肥市第一初级中学女学生夏钟

---

① 《安徽省社会主义时期党史资料专题集》(第一集),第98页。

英在写给母亲的信中说:"我是你们的女儿,同时也是祖国的女儿,为了保家卫国,打垮美帝疯狂侵略,我要参加军事干部学校去。"许多年龄不足以参军的同学,则请求招生、招兵机构放宽报名条件,给他们报效祖国的机会。许多进步的教师及家长也鼓励自己的学生和孩子报名。合肥市高级中学教师郑志礼在给本校全体同学写的一封信中讲到:"你们是祖国的儿女,当祖国受到侵略者的威胁时,你们的责任是重大的。现在祖国已经发出号召,我希望你们勇敢地走上你们最光荣的岗位上去。"安徽大学校长许杰鼓励儿子许道乐带头报名。在他的带动下,安大成立保送委员会,不到两个小时就有41位同学报名。在整个运动中,全市先后共有2300多名青年志参加军事干校,有数千名青年参加志愿军,奔赴"抗美援朝,保家卫国"的最前线。①

在中国人民志愿军队伍中,有许多皖籍青年、学生,他们在朝鲜前线英勇作战、奋勇杀敌,有些青年战士则牺牲在战场上,长眠于异国他乡。据《安徽省革命烈士英名录》②中记载,在抗美援朝中牺牲的合肥籍烈士有31位。③

(四)开展增产节约、捐献及拥军优属活动

随着抗美援朝运动的深入,全国各地掀起支援志愿军赴朝作战的热潮。合肥开展了"推行爱国公约,捐献飞机大炮、优待烈军属"的活动。

积极开展增产节约运动。1951年3月12日,第三届合肥各界人民代表会议召开,反对美国武装日本,控诉日本侵华罪行,并讨论制订《合肥市各界人民爱国公约》,随后全市各机关、团体、各个行业、各街道,直至居民委员会和农村,都订立了抗美援朝爱国公约。下半年,全市各阶层又掀起以增产节约为中心内容的修订爱国公约的热潮。中共合肥市委要求全市的街道、工厂、学校、机关、单位及至家户

---

① 《安徽省社会主义时期党史资料专题集》(第一集),第100页。
② 因历史原因,书中的名单并不完整,许多烈士并未登记在册。
③ 有关31位烈士的详细名录及事迹,参见:《保家卫国彪炳千秋——抗美援朝中牺牲的合肥男儿》,《合肥晚报》2000年10月25日。

都参与到爱国公约的修订中去。到8月上旬,市区已有89%的市民修订爱国公约。在农村,1952年4月,为响应华东军政委员会开展农业爱国增产竞赛运动的号召,全市农村广泛开展各种形式的爱国主义生产竞赛活动,以实际行动支援抗美援朝战争。

合肥人民还积极捐款、捐物支援前线。1951年春,新华书店皖北分店向省市机关、团体、学校及各界人民募捐通俗书刊、连环画报汇寄前方。随后,市新华书店职工用业余时间为志愿军募订书刊。各机关、商店居民订赠《抗美援朝专刊》《时事手册》及《人民周报》等3000余份。6月,合肥各界人民共同决定捐献"合肥号"战斗机一架(折合旧人民币15亿元,本段下同)。其中,中国民主同盟皖北支部主任委员沈子修除一笔捐50万元外,还每月捐5万元至抗美援朝胜利止。新民戏院、皖北实验文工团以周末义演所得,为汇捐"鲁迅号"飞机筹款。各区居民纷纷订立增产计划,以饲养家禽家畜、洗衣、编织、脱土坯、纳鞋底等,增收献款。9月,合肥市工商界捐献"合肥工商号"战斗机1架。至11月,全市共捐款21.23亿元。① 其中市工商界捐款12.3亿多万元,工人群众捐款2.8亿多万元,农民群众捐款1.6亿多万元,城区干部、居民捐款4.4亿多万元。② 合肥周边各县的捐款捐物活动也同时展开。1951年7月,肥东县人民响应中国人民抗美援朝总会号召,捐款12.5亿元购买飞机大炮。③

抗美援朝期间,中共合肥市委和市政府还把拥军优属作为一项重要政治任务,动员和组织全市人民关怀和优待中国人民志愿军家属,帮助解决生产和生活中的实际困难,解除后顾之忧,让其亲属安心服役,奋勇杀敌。据1951年4月登记统计,全市共有烈军属828户,其中烈属12户。到1951年年底,全市烈军属增加到965户,3126人,其中烈属25户,77人。④ 为优待烈军属,合肥市组织了两个

---

① 《合肥市志》,第2267页。
② 《合肥市志》,第1779页。
③ 肥东县地方志编纂委员会办公室编:《肥东县志》,安徽人民出版社1990年版,第14页。
④ 合肥市人民政府民政科:《合肥市一年来的优抚工作总结》,1951年12月3日。

优抚工作检查慰问小组,对全市烈军属及荣军进行慰问,并召开烈军属代表会议,讨论解决烈军属的生活就业困难,并优先给无工作的234名烈军属安排工作。此外,还以公安派出所为单位,按先烈属、后军属,先主力部队、后地方部队的原则,分三等九级评定补助烈军属粮食。1951年7月,合肥市共拨发烈军属生产补助粮17万斤。1952年后,又将给烈军属的临时补助由发放粮食实物改为发放现金。郊区农民按照《华东区烈属军属代耕暂行办法》,为无劳力的烈属、军属、革命工作人员直系亲属的土地进行代耕、包耕。1951至1952年,郊区农民共为170户烈军属代耕土地447.34亩。[①]

在整个抗美援朝运动中,合肥人民表现出高度的爱国主义和国际主义热情,以精神和物质的支援,激励中国人民志愿军广大指战员在朝鲜战场英勇作战,为取得抗美援朝作战的胜利贡献力量。

五、农村土地改革运动

土地改革是新中国成立初期中国共产党领导广大农民开展的一场规模宏大、影响深远的历史性运动。1950年6月28日,中央人民政府委员会第八次会议讨论通过《中华人民共和国土地改革法》(简称《土地改革法》),6月30日中央人民政府主席毛泽东命令公布实施。一场轰轰烈烈的土地改革运动随即在全国各地展开。合肥农村地区和全国各地的农村一样,根据中共中央的有关指示精神和皖北区党委的统一部署,有计划、有步骤、分期分批开展了土地改革运动。

(一)1949年前土地占有状况

1. 地主阶级占有多数土地

1949年前,合肥地区的地主阶级和全国各地一样,有着根深蒂固的政治基础和经济基础,占有大量土地,掌握着基层政权和武装,

[①] 《合肥市志》,第2272页。

对广大农民进行残酷的经济剥削和政治压迫。据土地改革时的统计,合肥地区的肥东、肥西和郊区农村人口共有145.8万人,耕地388.6万亩,其中地主阶级人口占农村总人口的3.9%,却占有总耕地的33.8%;贫雇农人口约占总人口的49.7%,只有17.2%的耕地。① 长丰县(时为寿县、定远、肥东、肥西4县各一部分)的情况大致相同,如杜集区所辖戴集、宣王等13个乡,总人口5.9万人,耕地为22.92万亩,人均耕地3.88亩,其中地主1210人,占有耕地2.52万亩,人均20.8亩,超出人均耕地数4.36倍。② 同时,地主占有的土地成片又肥沃,水利条件较好,贫雇农的土地零星分散,贫瘠荒杂。

2. 地主对农民的剥削

不合理的土地占有制度,迫使广大农民只有少量土地甚至没有土地。为了养家糊口,他们只好租佃地主的土地,忍受地主的剥削。地主对农民的剥削主要有三种形式:地租、雇工、高利贷。地租有死租、活租两种。死租按预定租额丰歉不变;活租先定租率,收获前主佃双方登田估产,依据租率计算租额。其中有少数采用收获时当场核产分成的办法。地租率一般占产量的40%到60%,少数达70%。佃户实际收入只有收获量的30%左右,种子、耕牛、农具、肥料均自己负担,因此,难以维持最低生活。地主又以低工钱雇用农民种地,分为常年工(俗称长工)、季节工、日工等。工钱以米计,分为常年壮工一年400至500公斤,常年牧童一般仅50多公斤,年龄小的甚至只供伙食不给工钱。农民们生活清苦,劳动繁重,每天起早摸黑,除田间作业外,还承担地主部分家务,如砍柴草、做稻米、养牲畜、挑水等,稍有不慎还要遭地主斥责或解雇。季节工、日工多在农忙时被地主雇用,作业时间长,劳动强度大,日酬大米2.5至3.5公斤。地主常乘农民危难之机,向农民放高利贷。又因货币不断贬值,多贷放粮食,春借秋还或冬借夏还,利息一般是1石(10斗)加5斗,超过1年

---

① 《合肥农村的变革》,第1页。
② 安徽省长丰县志编委会编:《长丰县志》,中国文史出版社1991年版,第87页。

加倍。欠户如不能及时付还,则反复换算,并利转为本,本又生利,越滚越多。此外,按照习俗,佃户在逢年过节时还要向地主送礼物,请地主喝成佃、上庄、揣租等酒,奉送时鲜食品,为地主无偿劳动等。①

地主除了在经济上剥削农民外,还掌握着当地政权和武装,在政治上对农民进行欺压。如肥东县梁园乡地主童某,依仗其表兄担任国民党梁园区区长的势力,成立帮会组织,收罗地痞流氓,横行乡里,欺压百姓,无恶不作。②

新中国成立后,合肥农民在中国共产党的领导下,积极进行剿匪反霸斗争,严厉打击了土匪恶霸的嚣张气焰。接着,政府又发动农民开展了减租退押的斗争,比较有效地限制了地主阶级对农民的剥削。同时农民协会、民兵组织也陆续成立起来。这些措施打击了地主阶级的势力,减轻了农民负担,提高了农民的政治地位,却并未从根本上触动地主阶级剥削农民的封建生产关系。为了迅速恢复国民经济,发展农村生产力,农村土地制度改革势在必行。

(二)实施土地改革

1950年6月28日《土地改革法》颁布后,中共合肥市委及各县委进行认真学习,根据中共皖北区委的有关指示精神,积极进行土地改革的准备工作。1950年秋,合肥郊区和各县先后成立了土地改革委员会,领导土地改革的工作。土地改革(以下简称土改)委员会一般设有办公室和宣传部,分别负责宣传和实施上级有关土改的路线、方针和政策。各区、乡都以农会为基础成立相应的机构,具体从事当地的土改工作。市委、县委多次召开常委会、土改负责人会议,研究和制定土改的实施方案。随后抽调各级干部组成土改工作队。土改工作队队员先进行短期培训,学习有关土改的政策,研究工作方法,然后分别奔赴各区、乡、村开展土改工作。

---

① 《合肥农村的变革》,第2页。
② 《合肥农村的变革》,第2页。

按照"小心谨慎，稳步前进"的方针，合肥的土改都是先行试点，取得经验后，再分期分批全面展开。肥东县于 1950 年 10 月初至 11 月中旬在王子城区陆还乡进行试点工作，于 1950 年 11 月底至 1951 年 4 月初在各乡进行全面土改。肥西县于 1950 年 9 月上旬至 11 月上旬在上派区进行试点工作，于 1950 年 11 月中旬至 1951 年 2 月在各乡进行全面土改。郊区的土改则在 1951 年 1 月至 4 月进行。合肥北乡则于 1950 年冬，首先在下塘区金罗乡、岗集区土山乡试点，1951 年下半年全面展开土改。各县和郊区虽然进行土改的具体时间不尽一致，但土改的基本内容是相同的，一般都是按照发动组织群众、划分阶级成分、没收分配土地财产、总结验收和复查纠偏四个步骤进行。

1. 宣传土改法，发动组织群众

农民群众是土改的主体，他们只有了解了土改的意义，知晓土改是为翻身做土地的主人，才有更大的热情投身到土改运动中来。为充分发动群众，土改工作队进驻乡村以后和基层干部一道，运用多种形式开展大规模的宣传教育活动。他们每到一处便开展访贫问苦，召开座谈会、村民会、贫雇农代表会等，宣讲关于土改的路线、方针、政策和进行土改的方法、作用、意义，逐步提高广大贫农、雇农的政治觉悟和阶级觉悟。对地主分子则召开"训话会"，宣布政府的政策法令，揭发其阴谋活动，敦促他们在土改中要规矩、老实，不许转移任何财产。然后层层召开斗争大会，请苦大仇深的贫雇农忆苦诉苦，控诉恶霸地主残酷剥削农民、霸占妇女、谋财害命、侵占土地等罪行。广大农民由控诉个别恶霸地主，到痛恨地主阶级和剥削制度，及至使他们认识到要摆脱贫穷，就要摧毁封建土地所有制。贫苦农民投入土改运动热情逐渐高涨。

土改工作队还对土改的主要执行机构农民协会组织进行调整。对农民协会的成员，采取"普遍教育，个别清洗"的原则，清除一些不纯分子，纯洁阶级队伍。同时，将一些苦大仇深、作风正派的贫雇农选入农会，在实际工作中发挥骨干作用，团结和带领广大农民，对地主阶级展开斗争。

2. 划分阶级成分

划分农村阶级成分,是土改工作的关键。为了准确划分成分,土改工作队首先组织基层干部和农民学习政务院《关于划分农村阶级成分的决定》的文件,弄清各个阶级的定义、界限,掌握阶级成分划分的标准。然后选择一些典型的村、户,依据土地和其他生产资料的占有状况、生活状况,是否参加劳动和劳动时间,以及剥削方式和剥削量等进行阶级成分试点划分,使基层干部和农民学会阶级成分划分的基本方法。土改工作队还密切注意发现和打击不法地主企图逃避土改的各种不法活动;防止和纠正群众中怕得罪人、做好人,或袒护包庇地主,或泄私愤,搞报复,错划地主成分等错误倾向。

经过充分准备之后,合肥各县的乡、村正式进行阶级成分划分。地主成分一般由乡统一划定;富农、小土地出租和工商业者以村为单位,采取自报成分,群众评议的办法划分;农民中的贫农、雇农、中农,以自然行政小组为单位,采取自报成分,互相评议的办法划定。阶级成分初步划定后,由乡土改委员会审核,报区批准后,张榜公布。在划分阶级成分时,允许被划者申辩,以防一哄而过。在划分地主成分时,结合农民诉苦,选择对象,进行面对面的说理斗争。在划富农成分发生争论时,则采取说服协商的办法解决。

据统计,肥东、肥西和郊区共划分出地主 10536 户,富农(包括半地主式富农)9350 户,小土地出租 5627 户,中农 119573 户,贫农 170047 户,雇农 23839 户,其他成分 6000 多户。[①]

3. 没收、征收和分配土地财产

在划分阶级成分之后,合肥各乡村开展了土地财产的没收、征收和分配工作。根据《土地改革法》和有关政策,土改工作队协同乡、村农会没收地主的土地、房屋、耕畜、大型农具和粮食等五大财产,并责令他们交出田契、房契,同时还征收了富农和小土地出租者的多余土

---

① 《合肥农村的变革》,第 5 页。

地,但保留了其他财产。在没收、征收工作中,还结合进行反隐瞒、反分散、反破坏的斗争,严惩不法地主,以保证没收、征收和分配工作的顺利进行。据统计,肥东、肥西和郊区共没收土地165.2万余亩,房屋19.8万余间,耕畜3864头,大型农具5.3万余件,粮食474.3万斤。①

对于没收、征收来的五大财产,除保留少量作为公用外,都统一、公平、合理、无偿地分配给无地或少地及缺乏其他生产、生活资料的贫苦农民。一般以村为单位进行分配,差距过大的以乡为单位进行必要的调剂。对地主分子采取给出路的政策,分给一份等量的生产、生活资料,监督他们从事劳动生产,使其在劳动中改造自己,成为自食其力的劳动者。在分配的过程中,土改工作队广泛地开展团结互让的教育,提出"争之不足,让之有余,互让互敬"②的口号,较为有效地化解了矛盾。

4. 复查纠偏结束土改

合肥地区属于新解放区,领导和参加土改工作的大多数人员缺乏经验,群众思想觉悟较低,加上时间较短,情况复杂,土改中存在着不少问题,主要表现为错划了一部分人的阶级成分。据肥西县12个区事后统计,富农、中农成分被划高为地主的有648户,中农、小土地出租被划为富农的532户,地主成分划低为富农的221户,富农划为中农的136户,其他错划、漏划的316户。③ 在一些群众发动较差的乡、村甚至还存在着"假土改"的现象,即土改流于形式,地主的土地被分,但群众不敢去耕种,地主的房子被分,群众也不敢去居住。

为了解决土改中遗留的各种问题,彻底完成土改任务,巩固已经取得的成果,根据中共中央华东局《关于结束土改工作及争取1951年全部完成土改的指示》,1951年下半年,肥东、肥西和郊区农村都分期分批地开展复查总结结束土改工作。到1951年年底,复查纠偏工

---

① 《合肥农村的变革》,第5页。
② 《合肥农村的变革》,第6页。
③ 《合肥农村的变革》,第6页。

作基本结束,全市及各县的乡、村分别召开庆祝大会,总结土改工作,表彰先进集体和先进个人,烧毁旧的田契房契,颁发土地证书。至此,土改工作正式结束。

(三)土地改革的意义

从1950年9月开始到1952年春,合肥地区经过一年多的时间,完成了土地制度的改革工作,取得了具有历史意义的伟大胜利。

1. 废除地主土地所有制,建立农民土地所有制。在土改中没收地主阶级的土地,征收其他阶级的多余土地。这些土地都无偿地分给了无地或少地的农民,使农村的土地占有状况发生了根本性的变化。据统计,土改后,肥东、肥西和合肥郊区的地主人均占有土地2.2亩,富农人均3.8亩,中农人均2.9亩,贫农人均2.5亩,雇农人均2.5亩,彻底消灭了地主阶级土地所有制,建立起农民土地所有制,实现了"耕者有其田"。①

2. 打击了封建势力,巩固了人民民主专政。土改是一场激烈的阶级斗争,一些不法地主不甘心失去土地,千方百计地进行反抗。他们造谣惑众、拉拢群众、腐蚀干部、转移财产,甚至纵火行凶、残杀基层干部。对此,合肥各县区都采取将土改工作与镇压反革命运动相结合,坚决打击地主阶级的进攻。先后逮捕了一批恶霸地主、不法分子和各类反革命分子,经人民法庭判决,判处死刑884人、有期徒刑1243人、依法管制1791人。②

在土改中涌现出一大批积极分子,成为农民翻身的带头人,其中一些先进分子在党组织的培养下,经受了斗争的考验,被逐步吸收到党内来。此后,他们在农村的各项工作中都发挥着模范带头作用。此外,通过土改运动,农会、共青团、民兵等组织也得到发展壮大。

3. 解放了农村生产力,促进了农业生产的发展。土改后,农民

---

① 《合肥农村的变革》,第7页。
② 《合肥农村的变革》,第8页。

获得了土地,劳动者与生产资料直接结合,使生产力获得了解放。广大农民在自己的土地上劳动,生产积极性空前高涨。他们开荒种地,兴修水利,添置农具,农业生产得到迅速发展。如肥东、肥西和郊区,1949年的粮食总产量为35.43吨,1952年增加到46.73吨,棉花由2200吨增加到2560吨,油料由1.74吨增加到2.17吨。① 农民生活水平有了明显的提高。

  土地改革运动的有效开展,使得农村地主土地所有制彻底废除,巩固了新生的人民政权,解放了农村的生产力,使农村的面貌发生了翻天覆地的变化,为农村社会、经济的发展开辟了广阔的道路。但是,合肥的土改运动也有一些不足,主要是工作比较粗糙,打击面过宽,留下了一些后遗症。

第三节　建立新经济

一、战胜荒灾,安定人民生活

(一)救济灾民、贫民

  解放初期,国民党飞机频频轰炸合肥城郊。如,1949年3月15日,炸毁东门外民房20余间,3天后又炸毁55间,4月4日炸毁10余间。11月,轰毁尚武街(今蚌埠路),延烧民房182间,烧死2人;15日,轰炸东门附近的王小郢,11家25间房全被炸毁,烧死3人,重伤8人。② 为救助灾民,市人民政府号召各机关、团体、学校节约救灾,当即

---

① 《合肥农村的变革》,第8页。
② 《合肥市志》,第2301页。

拨粮1500斤救急。12月,成立市救灾常务委员会,树海为主任,刘建文、褚石谷为副主任,金稚石等8人为委员。各区设救济分会,各街道、市青年联合会、妇女联合会组织劝募小组。10日后,各界捐献3374万元(旧人民币)、米2000余斤,皖北行署拨粮1万斤赈救灾户。[1]

解放之初的合肥多次遭遇旱涝灾害。1952年5月30日至7月10日,合肥地区未下雨,造成郊区15个乡的4.42万亩田地受旱、1521口塘干涸,分别占总田亩的62.4%、总塘数的42.1%。9月17日,合肥地区突降暴雨,致使山洪暴发,南淝河水位暴涨,酿成合肥市二十多年来未遇的水灾。火车站一带地区、东市区及郊区均受水灾,尤以低洼的火车站地区受灾最为严重,除车站站台及尚武街外,其余地区全部浸入水中,低洼处水没屋顶,798户房屋倒塌,国营企业仓库全部浸水;郊区的7个半乡,58个村子全部被水浸没。合肥市区和郊区受灾户共2037户,计8172人,倒塌房屋1565间,被淹农田及菜园地2409亩,国营公司物资虽由于抢救得力,但损失仍达100亿元(旧人民币)。[2]

面对灾情,省、市两级机关当即抽调一批干部成立了市防汛抗旱指挥部,郊区成立防汛抗旱指挥所。市防汛抗旱指挥部下设救济处,分设4个灾民安置站,负担安置灾民的工作。此后,凡遇自然灾害,市救灾委员会遵照"依靠群众,依靠集体,生产自救,互助互济,辅之以国家必要的救济和扶持"的方针,积极转移安置灾民,发放救灾款物,防治疾病,动员非灾区支援重灾区,使灾区尽快恢复生产、重建家园。

合肥市在积极自救的同时,还尽力援救外地灾胞。1949年夏,皖北宿县、阜阳地区水灾,淹没田地2800万亩,受灾民众达800余万人。合肥人民响应皖北各界人民代表会议节约救灾的号召,踊跃献粮、献金(钱款)、献衣,济助皖北灾胞。1950年,皖北灾荒严重,先后

---

[1] 《合肥市志》,第2301页。
[2] 《合肥市志》,第110页。

流入合肥的灾民有1.7万余人,合肥市一方面设立外来灾民遣送站,资遣一批灾民回乡生产,一方面对不能返乡的灾民采取以工代赈的方法进行救助,另一方面又组织中西医为灾民中的病患者义务治病1300余人次。1952年4月,皖北生产救灾委员会号召捐助泗洪县灾胞。合肥市各界4天内,捐单衣1811件,棉衣、夹衣560件,鞋帽袜等21件,现金527万元。①

除政府救济外,合肥还积极组织市民群众互济。1949年6月,市人民政府号召群众之间互相帮助、借粮贷款解决生活困难。借贷以自愿为主,不摊派。至1951年5月,全市市民群众互借款3400余万元,大米4.24斤,面粉、黄豆7858斤,衣服1817件,柴草2万斤。②此后数年,冬春雪雨连绵,贫民濒临断炊,亦多依靠亲邻帮助或借贷粮款度过饥荒。

(二)解决失业问题

合肥解放之初,失业问题较为严重。1949年年底,全市总人口为5万,失业人员即达近万人。因此,解决失业人员就业问题成为人民政府的一项重要工作。1952年,合肥成立失业工人救济处,一方面负责失业人口的登记和救济工作,另一方面负责介绍安置失业人员就业。

人民政府将失业救济与市政建设结合起来,采取以工代赈等办法,组织失业人员整修街道,加固桥梁,拆除旧城墙,修筑环城马路。1951年,皖北行政公署拨发以工代赈粮食41万斤,用于合肥市东门胜利路修建工程。1950至1951年,市、区两级民政部门先后介绍5000余贫民做临时工(其中700人修筑胜利路)。临时工工资一般可维持2至3人生活。③1952年后,全市各区采取因地制宜、因陋就简、小型多样、就地取材的办法,扶持和组织一批生产自救单位。郊区以

---

① 《合肥市志》,第2306页。
② 《合肥市志》,第2308—2309页。
③ 《合肥市志》,第2309页。

行政组为基础,组织贫苦农民捕捞鱼虾、磨豆腐、贩运。西市区组织烈军属洗衣组和织袜生产组。之后,各区自救生产社、组逐年增多。这些社组将有劳动能力的贫民编成队,从事筑路、挑土、砸石子、做木瓦工等劳动。

二、稳定物价与金融秩序

(一)平抑物价

合肥解放初期,工农业凋敝,经济萎缩,物资匮乏,通货膨胀持续,加之投机商人乘机囤积居奇,任意哄抬物价,导致物价飞速上涨。1949年1月至翌年3月,主要日用工业品价格急剧上涨:煤炭价格上涨7倍,食盐价格上涨9倍,布匹价格上涨20倍,火柴价格上涨20倍,食糖价格上涨24倍,棉纱价格上涨34倍,煤油价格上涨高达60倍。[①] 大范围的物价上涨,给新生的人民政权和人民生活都带来了巨大的困难,也影响了社会的稳定。因此,稳定物价是新生人民政权面临的最紧迫任务之一。为此,中共合肥市委、市政府下决心采取一系列有力的措施,力图遏制物价飞涨的势头。

1. 调集主要物资,实行集中抛售。中共合肥市委、市政府出面组织,由皖南、皖北国营贸易总公司和各地供销社提供大量煤炭、食盐、粮油等物资,在物价上涨最猛的时候,统一行动,由国营贸易公司及其各零售网点敞开抛售,迫使物价迅速下跌,大批投机商因此破产。

2. 加强市场管理。在平抑物价稳定市场的斗争中,国营企业调运物资,丰富市场,对日用品进行挂牌、限价销售,进行市场监督;公安机关也介入平抑物价的斗争,严厉打击不法商贩;政府有关部门加紧物资调运,一方面用以缓解全市棉布、煤炭、煤油、食用盐等日用品奇缺的局面,另一方面以低于市场价格大量抛售调运的物资,打击各

---

① 《合肥市志》,第1415页。

种投机活动。至 1950 年 6 月,合肥市场主要商品价格开始基本稳定。

3. 建立与发展国营经济。1949 年 2 月,合肥市第一家国营商业企业——合兴贸易公司成立。4 月,合兴贸易公司并入皖北贸易总公司合肥办事处。10 月,国营合肥国营酒业专卖公司成立,并依据政务院颁发的《专卖条例》对酒类商品实行专卖。为抑制私商投机倒把,国营商业企业迅速组织油、盐、糖、纸、肥皂等人民生活必需品应市,并以低于市场 10% 以上的价格供应人民生活必需品,起到了稳定物价和安定人民生活的作用。至 1952 年末,合肥市陆续组建了百货、土产、石油、水产、畜产、花纱布、茶叶、盐业、信托等一批国营合作商业企业。

(二)整顿金融

解放初期,合肥地区的货币极为混乱,币种繁杂,在市面上流通的除有少量的旧人民币[①]外(本目同),还有各解放区发行的地方币,如华中币、北海币、中州币、冀南币、晋察冀币等。多种不同比值的货币混合流通,既不利于物资交流,也给人民生活带来不便。此外,受通货膨胀的影响,市民手中持有的国民党政府发行的"金圆券"已形同废纸。因此,皖北分行成立伊始,即以统一货币为首要任务。

1949 年 2 月 10 日,归属于中共领导的苏皖边区政府之华中银行在合肥成立分行。为了让人民币统一货币市场,华中银行合肥分行在合肥市人民政府部署下,首先采取收兑与排挤相结合的方法,肃清金圆券。规定自 2 月 10 日起,禁止金圆券在市场流通,并限期以华中币收兑(华中币与金圆券兑换比价先后为 100∶4,100∶6,100∶10)。2 月 13 日,华中银行颁布告示:"凡华东解放区内,限定人民币与华中、北海币以 1∶100 比例同时流通使用。"3 月 1 日,华中银行合

[①] 指中国人民银行成立后于 1948 年 12 月发行的第一套人民币,俗称旧币或旧人民币。1953 年 3 月发行的第二套人民币 1 元等值于第一套人民币 1 万元。

肥分行以华中币按比价集中收兑南下机关、部队所携带的冀南、中州、晋察冀、东北、淮海等解放区发行的货币。5月1日,华中银行改名中国人民银行皖北分行后,在合肥发出通告:"从5月1日开始,以人民币为本位币,华中、北海币与人民币以100:1作为辅币流通,其余解放区货币均用人民币按规定比价收回。"11月下旬,通告停止华中、北海币流通,并及时予以收兑,迫使纷繁杂乱的币制得到基本统一,人民币成为唯一流通货币。[1]

1949年6月5日,上海爆发"银元风暴",对合肥的冲击巨大。合肥的投机商获悉上海银元暴涨后,纷纷到沪收购银元,致使合肥的银元疯涨,当日,合肥每块银元比价由人民币660元涨至760元,7日涨至890元,8日则一日数涨,中午达到1200元,9至11日喊价不一,最高曾达到2100元,造成金融市场混乱,所有物价都随之扶摇直上。6月5日,大米每斤13元;6月12日则涨到34元。[2] 对此,合肥市人民政府及中国人民银行皖北分行发布命令,严禁金银计价流通,打击金融投机活动,以巩固人民币作为本位币的地位。一方面展开宣传,发动群众拒用银元,严禁银元、外币等在市场上流通,一律由人民银行挂牌收兑,使人民币成为唯一法定货币。另一方面提高收兑价格并进行查禁,将贩卖银元之风打压下去。12日,每块银元比价降为1450元,20日降至1180元,银元贩子被迫收敛投机活动。11月开始,合肥全面贯彻《华东区金银管理暂行办法》和《华东区私营管理暂行办法》,开始对金融业实行整顿,查处了"荣记凤宝"银楼私自出售黄金的案件;并查获、没收商人李兴禄走私银元案,取缔九狮桥、十字街、四牌楼等银元黑市交易市场。经过整顿,16家银楼、钱庄歇业或转业,金融投机活动遭到严重打击,市场物价逐渐平稳。

(三)统一财政税收

1949年合肥解放初期,合肥市军管会下设财经部,负责经费、粮、

---

[1] 《合肥市志》,第1624页。
[2] 侯永主编:《当代安徽简史》,当代中国出版社2001年版,第58页。

草供应,实行供给制。同年5月,成立合肥市人民政府财政局,负责管理全市预决算、行政、企事业财政、农业税征收、公共财产管理等财政业务。市财政收入全部上缴皖北行政公署财政处,市直单位的支出由该处下拨,收入和支出不挂钩。

三、没收官僚资本,建立国营企业

(一)没收官僚资本

1949年3月,中共七届二中全会制定了没收官僚资本的经济政策。下半年,中共中央又先后发出了《关于接收官僚资本企业的指示》《关于接管江南城市给华东局的指示》和《关于接收平津企业的经验介绍》等文件,详尽地规定了有关接收官僚资本企业的方针和政策。

根据中央指示,合肥解放伊始,立即开展接管国民党官僚资本企业的工作。市军管会及随即成立的中共合肥市委、市政府先后接管了国民党"中央交通部第四运输处合肥汽车站""合肥邮局""安徽电信局""省电话局""合肥县电话管理处"及"合肥电灯厂"等官僚资本。在金融资本方面,1949年2月10日,没收当地官僚资本银行,成立华中银行合肥分行。2月27日,接管国民政府中央银行、中国银行、交通银行、中国农民银行等在合肥设立的金融机构,并取缔了银楼业。

接管国民党官僚资本的过程大体分为三步。第一步,由军管会按照"原封不动""不打烂旧机构""保持原职原薪制度"的办法,按系统整个接收,以保持其技术组织和生产系统的完整性。对企业原有人员,除个别反革命分子、坏分子必须逮捕处理外,一律采取"包下来"的政策。第二步,由军管会交由人民政府,人民政府派出部分干部领导企业管理工作,并从企业中挑选拥护中共、拥护新生人民政权、政治觉悟高,并有一定管理能力和技术水平的职工参与企业管理。第三步,在企业中开展民主改革和生产改革,为建立国营企业打下基础。

(二)建立国营企业

官僚资本企业被接收后,合肥市政府对这些企业进行了改造。在民主改革方面:一是废除封建把头制度。1950年1月27日,市政府废除淝河沿岸码头封建把头制度,宣布码头收归国有,成立市运输工人合作社。10月29日,市政府在苗圃召开斗争封建把头大会,市人民法院院长宣判封建把头朱景熙死刑。二是成立工厂管理委员会,吸收工人参加企业管理,让职工行使民主权利,扩大企业民主管理面。1949年12月12日,合肥汽车修造厂选出7名工人参加工厂管理委员会,企业重大问题由工厂管理委员会决定,厂部执行,此为合肥市首家实行民主管理的企业。1950年,合肥新华染织厂、人民烟厂、合肥电厂、皖北日报社印刷厂等企业,亦先后建立工厂管理委员会。在生产改革方面,主要是废除旧的不合理的生产规章,建立新的规章制度等。

为发展壮大新民主主义经济,必需建立更多的国营工商业。在工业方面,建立了一批国营工业企业。1949年7月,人民解放军皖北军区烟厂随部队迁到合肥,成为合肥第一家公有制卷烟生产企业。1952年,皖北军区将烟厂移交合肥市管辖,定名为合肥建新烟厂。10月,由皖北行署财政处税务局专卖公司投资20.4万元,建成合肥酒厂。1950年,成立皖北印刷厂,为合肥解放后第一家国营印刷企业,1952年更名为合肥印刷厂,1950年,市财政投资20余万元,建成合肥第一碾米厂。同年,由市工商联牵头组建合肥市新中油厂。9月,淮南田(家庵)—合(肥)35千伏输电线路正式送电,此为皖北行署自建的第一条输电线路,对于满足合肥工农业生产和人民生活用电的需求,起着重要作用。1951年,国家投资190万元,将安庆铁工厂和皖北机械总厂合并,在合肥组建矿山机械厂。1952年4月,由4家砖瓦小厂合并组成的合肥建华窑厂开工生产。经过3年的艰苦创业,合肥的国营企业有了一定的发展。到1952年年底,先后建立印刷、制砖、碾米、粮食加工、锯木、机械、制糖、卷烟、酿酒等18家国营工厂,总产值达 778 万元,占全市工业总产值的 93.07%。国营经济的比重由 1949 年的 6.35%上升到 1952 年年底的 61.81%。①

在商业方面,1949 年 3 月,合肥市第一家国营商业——合兴贸易公司成立。嗣后,市盐业支公司、中国粮食公司合肥办事处以及粮食、花纱布、百货、土产等 9 个专业公司和合作社相继成立。国营商业力量逐年增加。到 1952 年年底,全市国营商业的批发额达 2088 万元,占全市总批发额的 76.42%;零售额达 691.5 万元,占全市总零售额的 46.27%。②

国营工商业的建立,加强了合肥的经济能力,为新政权的巩固提供了有力的经济保障,同时为克服经济困难,恢复国民经济,进而进行大规模的经济建设和国民经济改造奠定了基础。

四、恢复和发展工商业

(一)私营工商业的恢复

1949 年年初合肥解放时,有私营企业 22 个,均为小工厂作坊式生产,职工 282 人,资金 11 万余元,年产值近 81 万元;私营商业(包括摊贩)1397 户,职工 2032 人,资金 118 万元。其中资金在 5 万元以上的 3 户,1 万至 5 万元的 57 户,1000 至 10000 元 140 户,其余均在 100 元左右。③

新政权刚刚建立,合肥多数私营工商业者对中共的政策心存疑虑。有的消极经营,有的抽逃资金,有的停业观望,加之一些奸商囤积居奇,哄抬物价,造成棉布、煤炭、煤油、食盐、火柴等日用工业品价格飞涨,人心浮动。

---

① 中共合肥市委党史办公室编:《必由之路——合肥市资本主义工商业的社会主义改造》,安徽人民出版社 1991 年版,第 3 页。
② 《必由之路——合肥市资本主义工商业的社会主义改造》,第 3 页。
③ 《必由之路——合肥市资本主义工商业的社会主义改造》,第 1—2 页。

为迅速医治战争创伤,恢复和发展生产,安定民心,中共合肥市委、市政府向全市工商业者广泛宣传保护工商业的政策,消除他们的疑虑,力促全市商业恢复营业。2月5日,市军管会负责人召集工商界各业代表40余人开会,阐明党的工商业政策;7日,宣布成立合肥市商筹会,并确定当前的首要任务是,动员各会员商品开业,切实遵照人民政府法令,防止乘机哄抬物价。至25日,全市商店均已恢复营业。在工业方面,少数企业因资金、原料困难未复工,绝大多数企业恢复生产。9月,市委书记李广涛在全市各界人民代表会议上提出:"建设新合肥要贯彻发展生产、繁荣经济,公私兼顾、劳资两利的方针。对私营工商业除了对投机商以及违反政府法令应依法取缔外,均采取保护政策。"[①]同时提出建设新合肥的四大任务,即发展小型工业、发展商业、发展交通运输、沟通城乡物资交流。

但是,全市的工商业在恢复生产、营业后又面临着生产困难、经营亏损甚至倒闭的危险。因此,如何正确对待私营工商业,是一个新的亟待解决的问题。就实际情况而言,合肥解放后,私人工商业在增加工业产品以满足人民的需要、帮助商品流通以促进城乡交流、吸收职工就业、增加税收等方面,起着相当大的作用。中共合肥市委、市政府根据中央有关指示精神,以积极的态度看待私营工商业,给予大力扶持,并采取各种有效措施,帮助他们发展生产,扩大经营。

(二)鼓励私营工商业发展的措施

一是组织私私联营。合肥的私营工商业大多规模小,资金少,设备简陋,封闭式生产,不仅产品质量低劣,而且难以维持和扩大再生产。市各国营公司根据这种情况,按照自愿互利的原则,将生产品种相同、相近的企业组织起来,联营生产。先后联营的有铁工、纺织、粮食加工等。这些联营企业经过国营机构的帮助指导,不断完善,生产都有不同程度的发展。

---

① 《必由之路——合肥市资本主义工商业的社会主义改造》,第236页。

二是协调劳资关系。市劳动部门和各级工会组织根据劳资两利的原则,围绕解雇与反解雇、劳动时间、工薪待遇等问题进行调解和协商,并订立劳资合同、劳资契约等,解决劳资纠纷。经过多次努力,劳资双方主动做出让步,达成谅解。资方尊重劳方的合法权益,劳方在资方困难时,主动裁员减薪,共度难关,促进了生产。

三是银行贷款,从资金上扶持。1949年1月,合肥全市私营工商业中有40%的户数资金全部蚀光,60%的户数资金大部损失。缺乏资金成为私营工商业者的主要困难。为帮助私商工商业者克服资金上的困难,新政权的银行在资金十分困难的情况下,向私营工商业者贷款,部分缓解了私营工商业者的资金困难。[1]

四是合理调整,帮助私营工商业渡过难关。1950年上半年,国家实行财政统一后,由于国营经济和合作社经济发展速度过快,加之市区遭遇洪水浸漫,全市的私营工商业经营发生困难,仅4月和5月,就关闭500多户。[2] 为维护私营工商业者合法经营,合肥根据中央及皖北区委的有关指示,对公私关系、劳资关系、产销关系进行合理调整,国营和合作社企业让出一部分品种给私营工商业者经营,同时调整商业税收及征税办法,使私商有利可图。

在发展有利于国计民生和经济建设需要的百货、织布、纺织、文具、营造、铁业、旅栈等行业的同时,对陈旧、过时的行业,由市政府有关机构牵头,动员其转业、转行。如将120余家牙行减缩改造为4个介绍所。带有封建性和不适应经济发展的行业逐步淘汰。16家银楼全部歇业转业,70多家制香业到1951年年底大多数转业经营杂货、摊货或饮食服务等行业。68家木商因木材归为国家统一管理,购销业务受到限制,大多转业经营土产和粮食运输,剩余27家于1952年7月也全部歇业。1950年12月,皖北行署指示限制私营棉纱业,全市40余户棉纱业全部歇业、转行。另外,爆竹、黄烟店也被

---

[1] 《必由之路——合肥市资本主义工商业的社会主义改造》,第3页。
[2] 《必由之路——合肥市资本主义工商业的社会主义改造》,第4页。

淘汰。①

经过上述措施,全市私营工商业从恢复转向发展,生产经营日趋活跃。以纺织业为例,纺织机坊从解放初的120户增加到1952年的1120户,产品销路扩大到天津、济南等城市,营业额也从每月4000多元上升为4万多元。到1952年年底,全市私营企业发展到32个,职工增至368人,资金达16万多元;私营商业发展到3727户,批发额644万多元,零售额802万余元,分别比1949年增长2.5倍和9.13倍。②因此,解放初期的3年,亦被一些私营工商业者称为"黄金三年"。

五、开展"三反""五反"运动

(一)"三反"运动

"三反"运动是指在党政机关工作人员中开展的"反贪污、反浪费、反官僚主义"的斗争。

1951年12月1日和8日,中共中央先后发出《关于实行精兵简政,增产节约,反对贪污,反对浪费和反对官僚主义的决定》和《关于反贪污斗争必须大张旗鼓地去进行的指示》,强调必须把反对贪污、反对浪费、反对官僚主义(简称"三反")的斗争进行到底,要大张旗鼓地发动广大群众,形成有力的社会舆论和群众威力。由此,"三反"运动在全国各地党、政机关干部群众中迅速展开。

合肥市的"三反"运动自1952年1月3日开始,至7月28日结束,全市共有81个单位,1170人参加,大体经历了组织动员、坦白检举、打虎和追赃定案、处理及思想建设等几个阶段。

1. 组织动员阶段

1月3日,中共合肥市委召开全市干部"三反"运动动员大会,传

---

① 《必由之路——合肥市资本主义工商业的社会主义改造》,第4页。
② 《必由之路——合肥市资本主义工商业的社会主义改造》,第241页。

达中央和安徽省委指示，决定从即日起在全市范围内开展一场反贪污、反浪费、反官僚主义的运动。

在这一阶段，为加强对整个运动的领导，中共合肥市委成立了"三反"整风学习委员会。全市成立14个学委分会，具体领导各单位开展"三反"运动。

2. 坦白检举阶段

1月12日至14日，合肥市协商委员会召开全市第六届各界人民群众代表扩大会议。会后，各群众团体、各地区分别召开一系列的传达会和坦白检举会，在群众中展开宣传，发动群众检举揭发。全市掀起坦白检举运动的新高潮，运动以攻破堡垒，核对材料，组织力量重点检查账目，弄清问题为中心，进入坦白检举阶段。

3. 打虎阶段

1月31日，中共安徽省委召开省级各部门科长以上干部及各地市负责人打"虎"动员会议以后，合肥市委随即在全市进行动员部署，"三反"运动进入全面打"虎"阶段。

首先是认真收集材料，掌握证据，先打下几只"老虎"，用事实纠正错误观点。其次是纯洁各级打"虎"领导机构，撤销打"虎"不力的负责干部和一些嫌疑分子。此外，健全打"虎"组织，在各级打"虎"指挥部建立查账组、侦察组、材料组、看虎组、情报组、快报组等机构。再次，有计划、有步骤地组织召开各类会议，推动打"虎"深入下去。

在运动中，大多数单位均采取"多方收集材料，充分掌握证据，进行说服教育"的方法展开斗争，但也有部分群众出于对贪污顽固分子的义愤，少数领导和打虎队员求胜心切，情绪急躁，发生了对贪污分子捆绑、罚跪、打人等逼供现象。

4. 追赃定案、全面处理阶段

3月中旬以后，全市"三反"运动进入追赃定案、全面处理阶段。根据中共安徽省委指示，3月下旬，合肥成立"三反"运动法庭，由市委一名副书记担任审判长，各单位负责人担任审判员。

在"三反"运动中，全市共揭发出有贪污行为的706人。经法庭判处,受刑事处分共 24 人,行政处分共 150 人。在贪污总人数内有中共党员 154 人。处理完毕者 685 人,尚未处理的尚有 21 人。7 月 28 日,合肥市的"三反"运动结束。

"三反"运动是解放初期在国家机关中首次开展的反腐败斗争。经过"三反"运动,合肥市党政机关中贪污腐化、敲诈勒索等违法犯罪行为得到有效遏制,清除了一批腐败堕落分子,教育了广大干部,净化了社会风气,密切了党和政府与人民群众的联系。但是,合肥的"三反"运动也存在一些问题。如打"虎"阶段,对贪污分子采取捆绑、跪罚、打人等逼供现象时有发生。中共合肥市委发现这种情况后,很快予以纠正,并规定打"虎"四项纪律,保证运动健康发展。

(二)"五反"运动

"五反"运动是指在私营工商业者中开展的"反行贿、反偷税漏税、反盗骗国家财产、反偷工减料、反盗窃国家经济情报"(简称"五反")的斗争。

1952 年 1 月 26 日,中共中央发出《关于在城市中限期展开大规模的坚决彻底的"五反"斗争的指示》。全国范围的"五反"运动从此开始。

合肥市的"五反"运动自 1952 年 1 月底开始,到 5 月底结束,共有 51 个行业,2652 个工商户参加,整个运动分为准备发动、坦白检举、核实定案三个阶段。

1. 准备发动阶段。1952 年 1 月 31 日,按照中共合肥市委统一部署,市工商联召开有 51 个同业公会近 3500 人参加的大会,动员开展"五反"斗争。

2. 坦白检举阶段。1952 年 2 月 8 日,全市各界人民召开"五反"坦白检举大会。会后又部署各行业进一步发动群众检举揭发,敦促不法分子坦白交代问题,并从组织、策略、方法等方面采取措施。

3. 核实定案阶段。这一阶段,对不法工商业者的审查处理坚持宽大与严肃相结合的方针,明确工商业者必须过"经理关、会计关、工人关、工会关、人民法庭关",贯彻"斗争从严、处理从宽"的原则。

4月27日,合肥市召开"五反"斗争胜利大会。全市51个行业2652个工商户的处理结论为:完全违法17户,严重违法43户;半守法、半违法498户;基本守法1462户,守法632户。全市共判刑9人。到"五反"运动结束时,不法户共退补105万元。①

合肥"五反"运动进行较早,由于缺乏经验,开始打击面较宽,打击程度较重,退、罚、款较高,劳资关系较为紧张。因此,在运动后期,根据中共中央华东局和安徽省委指示,以及上海"五反"斗争经验,市委、市政府进行了善后工作。对违法户重新排队,严重违法户和完全违法户仅保留21户。②

此外,面对"五反"运动以后,一些私营工商业者对中共的政策产生怀疑,经营消极、经营比重明显下降的局面。合肥市委、市政府在工业上继续扩大加工订货范围,在商业上拿出32万元资金投放市场。国营公司在满足国营企业市场需要的前提下,给私营企业提供棉纱、牛皮等生产资料,以解决其生产原料不足的问题。同时,通过对私营工商业者的教育,扭转了"五反"后经营消极局面,到1952年6月基本恢复了"五反"前的生产水平,有20个行业还得以发展。以棉布、百货、杂货、纺织等业为例,4月份营业额分别只有10.47万元、10.7万元、7.42万元、6.88万元,到6月份分别增长到11.97万元、13.42万元、11.51万元、9.27万元。③ 此外,为配合工商业的调整和恢复,市委、市政府还努力打破地区间、城乡间、行业间的封闭状态,促进商品流通的市场格局的形成,大力开展城乡物资交流活动。1952年9月,城乡物资交流大会在合肥召开,到会共354人。交流会主要是国营公司以批发为主,适当调整批零差价,使私商有利可图,并组织私商参加华东、南京、蚌埠、芜湖、青岛、扬州等地的物资交流大会,为滞销商品打开了销路。从11月份开始,根据中共中央指示,

---

① 《必由之路——合肥市资本主义工商业的社会主义改造》,第17、18页。
② 《必由之路——合肥市资本主义工商业的社会主义改造》,第18页。
③ 《必由之路——合肥市资本主义工商业的社会主义改造》,第19页。

合肥市对商业进行第二次调整,适当调整批零差价、地区差价和季节性差价,调整公私经营范围,国营商业除保留一定数额的零售外,暂不扩大,以保证小商小贩和私营零售商的营业额不继续下降。到1953年上半年,私营工商业营业额明显回升。

在"五反"运动中,由于打击面过宽、打击程度较重,导致劳资关系一度较为紧张,有的资本家消极经营,有的甚至不做买卖了。中共合肥市委及时采取措施,着力调整"五反"后紧张的劳资关系。

第四节 倡导新文化

一、扫除"娼赌毒"

(一)禁绝娼妓

娼妓是旧社会的产物。新中国成立后,中国共产党和人民政府着力建设新社会,扫除一切污泥浊水,取缔妓院、改造妓女是其中之一。

合肥刚解放时,城市规模不大,但妓院(包括暗娼)却有20多家。为从根本上取缔娼妓,中共合肥市委、市政府一方面向社会发布告示,严令禁止嫖娼卖淫,并且对老鸨进行严惩,另一方面对妓女进行改造,让她们改邪归正、改嫁从良,重新做人;同时给予她们适当的救济,给她们治病疗伤,介绍她们参加生产劳动,学得一技之长,自谋生活出路。由于措施得当,办法有力,到1950年年底,合肥的娼妓被禁绝,旧的娼妓制度被彻底铲除。对此,人民群众称颂为"旧社会把人变成鬼,新社会把鬼变成人"。

（二）取缔赌博

赌博是旧时代滋生的痼疾。民国时期，合肥县政府曾三令五申禁赌，然屡禁不止，甚至官场赌博更加严重，以致社会上赌博之风日盛。城内设有常年赌场，县城、集镇设摊赌博者，亦举目可见。在肥东境内有"摇摊""推牌九""打麻将""摸纸牌""掷骰子"及"出宝"等赌博活动。很多集镇逢集便公开摆设赌台，有私摆，也有官摆。农村赌博多在冬、春农闲季节，有的延至农历三月。据1948年5月10日《合肥日报》报道：梁园镇每逢集日有赌台13场，赌博人有来自百里外的定远县张桥、江巷等地。每场输赢法币2亿元左右。①

赌博陋习、恶习，是一种危害严重的社会传染性病，腐蚀社会，涣散人心。有些人因赌博而倾家荡产，妻离子散，上吊自杀；有的则因赌输而偷盗抢劫，谋财害命。为扫除这一严重的社会公害，新中国成立后，人民政府着手开展大规模的禁赌活动。

1950年上半年，皖北行署公安局发出禁赌告示，要求各地立即开展禁赌活动。合肥市公安局发布命令：明令禁止一切赌博活动。肥东、肥西县亦展开大规模禁赌行动。肥东县对赌棍和窝赌者，视其情节，分别给予拘留、管制、监督劳动等惩处，迫使公开赌博转入地下。1953年，安徽省公安厅发出《关于禁赌的指示》，严厉打击赌博活动。合肥市公安局遵照上级指示，坚决取缔各类赌场，严厉打击形形色色的赌博活动，从而使积弊多年的赌博之风大有收敛，公开的赌博行为被禁绝，暗地、私下的赌博活动也基本消除。

（三）扫除烟毒

合肥地区自清末民初就出产烟土，烟毒长期流行，贻害无穷。新中国成立前，合肥地区种植和吸食鸦片现象依然十分严重。在农村，无数良田被种上鸦片；在城市，到处可见鸦片吸食馆。据统计，合肥

---

① 《肥东县志》，第442页。

解放之初，全市有烟馆 109 家，吸毒者占成年人的 20% 左右；三河镇有大烟馆 18 家、小烟馆 30 多家，烟民 500 多名，烟贩子 38 名。①

中共合肥市委、市政府十分重视禁毒工作，1949 年 4 月，市公安局在配合人民解放军剿匪反特的同时，颁布戒烟禁毒布告，结合户籍登记，对制造、贩卖和吸食毒品者进行初步清查，取缔烟馆 100 余处，破获一批制毒贩毒案件，关押处理一批罪行严重的毒品犯罪分子。同年 7 月，设立市劳教所，收容 150 名吸毒人员。② 通过劳动教育，使他们成为自食其力的新人。

1950 年 2 月 24 日，政务院颁布《关于严禁鸦片烟毒的通令》，合肥全市积极行动，在开展禁烟禁毒宣传教育的同时，查处 300 多件烟毒案，一批制毒贩毒分子停止犯罪，改邪归正。但因当时的紧要任务为剿匪反特，未能有效地持续禁毒，对毒贩打击不力，也不够彻底，制、贩毒分子转入地下，继续活动。

1952 年 4 月 15 日，中共中央发出《关于肃清毒品流行的指示》，要求同制毒、吸毒、贩毒行为作斗争。7 月，合肥市委决定成立禁毒委员会，由公安、检察、法院、民政、卫生和宣传等部门负责人组成，并在全市分三个阶段开展禁毒运动。

第一阶段是调查摸底。合肥市禁毒委员会统一领导全市禁毒工作。市公安局抽调 38 名干警对全市贩毒、制毒、开设鸦片馆的毒犯和吸食毒品者，进行调查摸底。共查出烟馆 69 家、吸食毒品者 892 人，经铁路贩运到合肥的烟土达 6500 余两，通过其他渠道从事贩毒分子有 290 人，贩入合肥的烟土达 2.1 万余两，吗啡 200 余两。③

1952 年 8 月中旬，全市组成有公安干警、检察、司法、民政和街道干部、群众中积极分子参加的 27 个行动小组，统一行动，依法逮捕、拘留贩毒、制毒和开设烟馆的毒犯 107 人，其中贩毒犯 69 名。同时，召开万人宣判大会，依法判处 12 名烟毒犯。贩毒惯犯周文祥，1949

---

① 邹淦泉主编：《走综合治理之路》，安徽人民出版社 1993 年版，第 488 页。
② 《走综合治理之路》，第 487 页。
③ 《合肥市志》，第 2070 页。

年以前曾任警长,专事贩毒,在合肥城内有20人为他推销毒品,可供300人吸食。1949年后,他又勾结毒犯宇文山制造吗啡1200两,并订立生死同盟,被公安机关查获后,抗拒交代,被依法判处死刑。①

第二阶段是宣传教育,开展强大政治攻势。为使禁毒运动家喻户晓,合肥全市各界、各行业纷纷召开座谈会、宣讲会,诉责烟毒流传造成的种种祸害,坚决拥护中共和政府禁烟禁毒所采取的措施。各条战线组织大批人员走上街头,运用墙报、广播喊话、文艺演唱等形式,开展禁毒宣传工作,用大量生动实例宣传毒品的严重危害及禁毒的重大意义,阐明党和政府禁烟禁毒的决心和"坦白从宽、抗拒从严"的政策。1952年8月下旬,全市组织629名干部、群众组成的42个规劝小组,对吸食毒品者分片包干,动员吸毒家属协助动员吸毒者交出鸦片烟;召开毒犯家属会,以及由毒犯现身说法的群众大会,使广大群众深刻认清毒品的危害。在对犯罪进行公开宣判时,一些受烟毒害较深的人,在大会上控诉了毒贩分子。东市区受害人常某控诉说:"我父母吸大烟,把家中的祖业抽光了,还把我推下火坑当妓女,好不容易逃出妓院结了婚,本该过上好日子,可丈夫吸毒把我也染上了烟瘾,结果辛勤操持的店铺被吸掉,夫妻也离了婚。合肥解放后多亏政府对我教育、改造,使我在教养院戒了烟,重新建立幸福家庭。"通过宣传教育,出现了妻子检举丈夫,父亲检举儿子,儿子检举父母亲等大义灭亲的动人场面,有137名积极分子受到表彰。②

第三阶段是处理阶段。合肥在开展禁毒运动中,严格遵照中央关于处理毒犯的方针政策,严厉惩办少数,教育改造多数,即制造者、集体大量贩卖者从严,个别少量贩卖者从宽;主犯从严,从犯从宽;惯犯从严,偶犯从宽;反革命犯从严,一般毒犯从宽;拒不坦白者从严,彻底坦白者从宽;今后从严,过去从宽。在整个禁毒运动中,全市查出烟毒犯466名,存毒户153户。依据政务院严禁鸦片通令的要求,

---

① 《合肥市志》,第2071页。
② 《合肥市志》,第2071页。

对贩毒、制毒和开设鸦片烟馆的毒贩,按照"坦白从宽、抗拒从严"的原则,依法判处死刑立即执行 1 名,判处徒刑 96 名,管制 136 名,具保登记免予刑事处分的 233 名。全市共查获烟土 3540 两,吗啡 20.5 两,缴获毒具 473 件,以及贩毒所得的黄金 5.2 两、银元 147 块。①

在禁毒运动中,市公安局劳教所先后对 311 名吸毒犯进行集训,强制他们戒掉烟瘾,重新成为自食其力的劳动者。

经过禁毒、禁烟、禁赌之后,旧社会遗留下来的各种丑恶现象,如卖淫、嫖娼、吸毒、赌博等被迅速革除,合肥的社会风气焕然一新,新风尚、新形象彰显光彩。

二、宣传贯彻《中华人民共和国婚姻法》

(一)封建制度下的婚姻与妇女地位

新中国成立前,封建落后的婚姻制度,如包办强迫、买卖婚姻、早婚、童养媳、纳妾等在合肥地区普遍存在。1950 年 7 月至 1951 年 8 月,市人民法院受理的 287 件婚姻案件中,强迫包办的有 132 件,重婚纳妾的有 23 件,买卖婚姻 21 件,虐待、遗弃的有 46 件。② 广大妇女在封建落后的婚姻制度枷锁下,身心受到摧残,"父母之命,媒妁之言""嫁鸡随鸡,嫁狗随狗"等封建观念根深蒂固,遭受丈夫、公婆虐待残害却不知如何拯救自己,只能听天由命,痛苦终身,甚至被迫走上绝路。

(二)宣传贯彻《婚姻法》

1950 年 5 月 1 日,中央人民政府颁布了《婚姻法》,这是新中国成立后颁布的第一部法律。《婚姻法》明确规定:"废除包办强迫、男尊

---

① 《合肥市志》,第 2071 页。
② 《合肥市志》,第 2212 页。

女卑、漠视子女利益的封建主义婚姻制度。实行男女婚姻自由、一夫一妻、男女权利平等、保护妇女和子女合法利益的新民主主义婚姻制度。"①

为落实贯彻《婚姻法》，皖北行署于6月10日制定发布《皖北区婚姻登记暂行规则（草案）》，随后广泛开展形式多样的关于《婚姻法》的宣传。合肥市人民政府在《婚姻法》颁布后，指定民政科负责办理全市婚姻登记和离婚登记。中共合肥市委宣传部把《婚姻法》作为主要宣传内容之一，组织干部职工开展学习讨论，并通过夜校、读报组、黑板报、图片展览、戏剧演出等进行广泛宣传。市妇联组织成立伊始，即将宣传、贯彻《婚姻法》列为首要任务，常抓不懈。各级妇联组织先后召开妇女代表大会，要求结合当时的中心工作，大力宣传《婚姻法》，宣传婚姻自主，男女平等。各县团委在青年中开展宣传教育，提倡新事新办，反对封建陈规陋习。市人民法院在党委、政府的领导支持下，结合抗美援朝、土改等中心工作，组织各级干部开展对《婚姻法》的学习宣传，并以法律武器支持和保证《婚姻法》的贯彻执行。1950年，市人民法院结合宣传贯彻《婚姻法》，对虐待、杀害妇女的案件公开审理，就地办案，依法惩办了一批虐杀妇女的罪犯，鼓励广大妇女同封建婚姻作斗争的勇气。

随着《婚姻法》的宣传，长期遭受封建制度压迫的妇女，觉悟逐渐提高，要求婚姻自主的呼声渐高。但是，延续两千多年的封建婚姻制度，影响依然存在，全国各地尤其是农村地区，粗暴地干涉婚姻自由和严重迫害妇女的案件仍不断发生。1951年9月26日，中央人民政府政务院《关于检查婚姻法执行情况的指示》（以下简称《指示》）指出，各地妇女被杀和自杀的情况严重，要求各级人民政府必须引起警惕，"对于因干涉婚姻自由而伤害、虐杀妇女或逼致妇女自杀的严重罪行，采取严肃的法律手段，予以制裁……干部中如有宽纵、袒护罪

---

① 中共中央文献研究室编：《建国以来重要文献选编（第1册）》，中央文献出版社1992年版，第172页。

犯,或干涉男女婚姻自由而促成妇女被杀或自杀者,应按责任轻重,予以应得的处分。"①皖北行署及时发出执行政务院指示的决定,并公示禁止干涉婚姻自由与反对封建婚姻制度的布告。同年11月8日,皖北人民法院做出《关于一年来执行婚姻法的情况和今后意见的专题报告》,要求各级人民法院认真学习和贯彻实行政务院《指示》和皖北行署的决定,指出:"在婚姻法公布后,对于故意违抗婚姻法,不论是干部和群众,仍敢以非法手段干涉妇女婚姻自由或寡妇再婚,因而逼死或虐杀妇女群众的,必须严格追查责任,依法严办,罪行重大的,要处以死刑。"②

合肥市人民法院遵照上级指示,深入检查执行《婚姻法》的情况,依法审判了一批妨害婚姻家庭的案件。为加强对《婚姻法》的宣传、贯彻,市人民法院实行市、乡(村)妇联代表陪审和群众代表听审制度,取得了很好的效果。1952年11月,市人民法院在西市区的三孝口、和平桥、前大街3个居民区进行贯彻《婚姻法》试点工作。当年12月,市人民法院又组织《婚姻法》问答活动,把《婚姻法》的具体内容与实际生活中存在的问题紧密结合起来。市妇联积极采取措施,依法维护广大妇女的合法权益。至1952年,市妇联先后处理离婚案件204件,复婚案件17件,解除婚姻案件101件,解除童养媳关系案件117件,寡妇改嫁案件85件,脱离姘居案件9件,虐待妇女案件24件,并为462对自由恋爱的青年男女办理结婚手续,使广大青年男女、特别是青年妇女的切身利益得到保护。③

通过对新中国第一部法律《婚姻法》的宣传和贯彻,合肥广大妇女从几千年的封建婚姻制度的桎梏中解脱出来,提高了社会地位,焕发出建设新中国的热情,妇女纷纷走出家门,走向社会,积极参与社

---

① 中华全国妇女联合会编:《中国妇女运动重要文献》,人民出版社1979年版,第210页。
② 安徽省地方志编纂委员会编:《安徽省志·司法志》,安徽人民出版社1997年版,第399页。
③ 《合肥市志》,第1868页。

会主义革命和建设,在抗美援朝、土地改革、拥军优属、发展生产等方面做出了重要贡献。

三、开展爱国卫生运动

新中国成立前,合肥卫生状况差,缺医少药,疾病流行,卫生事业落后,人口死亡率高达 20‰,人均寿命男性为 34.85 岁,女性为 34.63 岁。① 新中国成立后,中国共产党和人民政府十分重视发展医疗卫生事业,认真贯彻预防为主,防治并重的方针,保护人民群众身体健康。这一时期,合肥的医疗卫生事业处于开创阶段,并得以恢复发展。

(一)开展卫生大扫除

合肥解放之初,城内一派惨淡景象。由于没有排水设施,致使污水横流。如贯穿城内东西的九狮河,河道淤塞,污水四溢,形成污水塘、沟和洼地。蚊蝇成群,老鼠到处乱窜,病媒生物传播各种疾病,严重威胁人民健康。为改变卫生状况,人民解放军即派出官兵,清扫城区环境卫生。1950 年,合肥市成立卫生防疫大队,主要承担除害灭病工作。1951 年,市人民政府在各区相继成立卫生委员会,在居民组建立 957 个"十邻卫生小组",订立《卫生公约》,互相督促,做好爱国卫生工作。同年 6 月 1 日至 7 月 11 日,全市开展以预防霍乱为内容的清洁卫生运动,市民注射霍乱疫苗。1952 年,全市人民投入反对美帝国主义细菌战运动,开展大规模的清除垃圾、疏通水沟、平整道路、改造私厕等活动。

(二)开展爱国卫生运动

新中国成立初期,合肥城市公共卫生管理的主要方式是开展爱国卫生运动。爱国卫生运动始称爱国防疫卫生运动,其目的:一是配

---

① 合肥市政府志编纂委员会编:《合肥市政府志(1949.1—1985.12)》,第 136 页。

合抗美援朝运动,挫败美国发动的细菌战;二是改变卫生环境脏乱状况,控制严重危害人民健康的多种传染病,培养人们养成良好的卫生习惯。从1950年起,在中国共产党和人民政府的领导下,全国掀起了大规模、持续性的爱国卫生运动。

1951年夏秋,合肥卫生机关首次组织扫"五毒"(灭鼠、蚊、蝇、跳蚤、虱子)活动,有1.19万市民参加。1952年5月10日,市爱国卫生运动委员会成立。5月12日夜,合肥、肥西、六安等地发现军用飞机投下的带菌昆虫,全市人民立即掀起以反细菌战为中心的爱国卫生运动。经过5个多月的突击活动,全市共清除垃圾7000多吨,整修露天厕所3800多座,疏通污水沟3.6万多米,填平污水沟、塘1.7万平方米,修路147条约10多公里,消灭大量老鼠、跳蚤、虱子、苍蝇和蚊子。① 10月24日,市政府召开第一届爱国卫生模范代表大会,授予东市区大东门派出所等7个单位"爱国卫生模范单位"称号,并表彰一批先进个人。

大规模、持续性的爱国卫生运动的开展,改善了合肥的公共环境卫生,大街小巷面貌焕然一新。如城区的西双井巷,过去的民谣描述道:"西双井巷实在脏,中间有个臭水塘。人多地点小,锅灶连着床。若是天下雨,臭水就往家里淌。"经过爱国卫生运动,到1952年夏,西双井巷的卫生环境大有改观,《安徽日报》刊登通讯称赞其为"干干净净的西双井巷"。②

(三)组建卫生机构、发展医疗队伍

新中国成立之初,合肥全城名义上有私人诊所65家,病床30张,卫生技术人员87人。其中中医诊所46个,西医诊所11个。所谓医院仅有1家,即公办合肥县立医院,收费昂贵,住院要有"铺保",一般病人连医院大门也进不了。而一般的私人诊所,由于医疗卫生

---

① 《合肥文史资料(第十五辑)·卫生专辑》,第27—28页。
② 《合肥文史资料(第十五辑)·卫生专辑》,第27页。

条件及医者技术水平有限,只能诊治一些常见的小病小伤,稍有大病难症便束手无策。

1949年夏,皖北行署成立后,即着手于合肥市卫生事业建设。1950年代初,通过就地吸收、部队调派,省外招聘等多渠道,吸纳卫生技术人员。1951年7月,皖北行署卫生处接办合肥基督医院,更名为安徽省立和平医院。同时,合肥市组建了卫生事务所,结合成立医务工作者协会,加强对社会医务人员的领导和组织管理,进行中西医医疗工作,鼓励与扶持发展医疗卫生业务,推动基层卫生组织建设。到1952年底,合肥地区的医疗卫生机构发展到114家,医院病床达425张,卫生技术人员增至851人。①

(四)发展妇幼保健事业

1949年以前,合肥全市仅有3名儿科医生和3名助产士,儿科病床不足10张,远远不能满足妇女儿童的健康需要;加之个人行医技术落后,新生儿破伤风、产妇难产等发病率极高,妇女儿童的健康与生命受到极大威胁。②

为了迅速改变妇幼卫生落后状况,降低产妇和婴儿死亡率,1949年,合肥市卫生部门把改造旧产婆,推行新法接生作为中心任务,一方面广泛宣传普及卫生知识,一方面直接组建发展妇幼保健机构和队伍。1951年,皖北行署保健院(1954年改名为合肥市妇婴保健院)在合肥建立开诊。1951年5月,在全市建立东门区、东外区、西门实验区、郊区4个区妇幼保健站。同时,将社会分散开业的助产士动员起来,于1952年在4个区组建接生站,推行新法接生。

对旧产婆培训的方法分两种:一是在城乡挑选具有小学文化程度,热心接生工作的青年妇女,进行5～7天培训,理论联系实际,以实习为主,学习胎位判断、断脐消毒、一般性难产和新生儿假死急救

---

① 《合肥市志》,第3000页。
② 《合肥卫生志》,第221页;《合肥市政府志(1949.1—1985.12)》,第136页。

等基本接生手术。二是对旧产婆进行培训改造。受训旧产婆以自然村（街道）为单位进行集中，在区妇幼站带领下，实习新式接生法不少于10次，在符合规定和要求后，确认为接生员。至1952年，全市乡一级均设有接生组（站），配1至2名经过培训合格的接生员。1950至1952年，合肥市改造旧产婆、培训接生（保健）员共393名。

四、建立新的文化、教育体制

（一）教育事业的改造与发展

新中国成立前，合肥教育事业十分落后，全市仅有幼稚园2所，小学13所，中学9所，在校学生6000余人。[①] 各种形式的私塾仍然存在。中等师范学校和聋哑学校均已停办，没有中专和技工学校，高等教育更是空白，城乡人口中90%以上是文盲和半文盲。

1949年2月，合肥市人民政府成立后，组建教育局，领导全市教育工作，1951年改为文教科。合肥的教育事业开始进入一个新的历史阶段。

1. 改革旧的教育体制

在基础教育方面，废除旧的教育制度，改革旧的课程体系。根据中共中央关于"有步骤地、谨慎地进行旧有学校教育事业改造工作"的指示精神，合肥市逐步对旧有的公立学校和私塾进行接收和改造。1949年1月25日，市军管会文教组接收本市的8所公立小学和5所公立中学，接管5所私立小学和4所私立中学。被接管的8所公立小学原校名被取消，改为按序号排定的校名，如"合肥市立第一小学"等；对有些私立小学的校名也进行了改换，如将"崇经小学"改名为"崇今小学"等。对中学的整顿力度更大，或改名，或合并，或撤销，或改为小学。如将原合肥高级中学改为合肥市立第一中学，原省立女

[①] 汪庭干主编：《走进合肥》，安徽人民出版社2003年版，第157页。

中与县立女中合并为合肥市立女子中学,原县立初中和私立崇善初中撤销,学生并入其他中学,原私立三育中学改为小学。除了对学校名称进行更改外,还废除了学校中的一些旧制度,建立起民族的、科学的、大众的新民主主义教育雏形。在教学内容上取消了中小学的"党义""公民""童子军""军训"和私塾的"三字经""女儿经"以及教会学校的"教义""圣经"等课程。按照上级确定的"维持现状、立即开学"的办学原则,初步整顿后的各中小学于1949年秋季陆续开学。此外,收回教会学校的主导权,确立中共对学校的领导。

2. 建立新的教育体系

基础教育发展较快。根据1949年年底召开的第一次全国教育会议关于"教育必须为国家建设服务,学校必须向工农开门"和"学校安顿后师生中有效地进行思想政治教育"的决定,1950年,中共合肥市委、市政府又相继新建了多所小学和中学,并在工厂集中的地区创办2所工人子弟小学,又将51所私塾合并改为小学,以满足人民群众的需要。为使劳动人民的子女真正享有受教育的权利,除创办工农子弟小学外,还设立人民助学金、减免学费,照顾家庭困难的工农子弟。全市各中小学自1950年下半年开始,结合抗美援朝、土地改革和镇压反革命等运动,对师生进行爱国主义和国际主义教育,还在学生中开展"五爱"(爱祖国、爱人民、爱劳动、爱科学和爱护公共财产)教育及德智体美全面发展教育。

在高等教育方面。1951年8月,原由上海迁至怀远的东南医学院再迁来合肥,并于次年12月更名为安徽医学院(现安徽医科大学,下同),在校学生677人,其中本科生560名,专科生117名。专任教师93人,其中教授13人,副教授8人,讲师17人,助教55人。[①] 安徽医学院是合肥第一所高等学校,填补合肥无高等学校的空白。自此,合肥高等教育迈出第一步。

中等专业教育恢复发展。1951年,合肥卫生学校创立,这是新中

---

① 《合肥市志》,第2603页。

国成立后合肥市兴办的第一所中等专业学校。1952年,又相继创办合肥师范学校和合肥医士学校。

社会教育以扫盲为主,开办以工人、市民、青壮年为主要对象的识字班,开展青壮年的扫盲运动。1949年冬,合肥教育部门组织郊区农民利用冬季闲暇时间,开展以识字为主要内容的扫盲教育。1950年,全市各区纷纷创办职工业余文化学校和市民业余文化学校,当年秋,全市有470名职工参加学习,1年后参加学习的人数达到5000多人。[1]

这一时期,合肥的教育事业经历接收、改造后,获得了一定的发展。到1952年,全市已有幼儿园2所,入园幼儿135人;小学79所,在校学生1.31万人;普通中学5所,在校学生2329人;中等专业学校3所;高等学校1所;扫盲教育也有较大发展,初步形成幼儿、小学、中学(中专)、高等教育和成人教育等系列化教育体系。[2]

(二)文化事业的新生

合肥解放前夕,文化事业寥落凋零。全市除以费、丁、孙、董为主的四个"倒七戏"班社漂泊城乡唱戏之外,城内几乎没有什么文化机构。全市无一家电影院,只有一个露天曲艺演出场所,一个藏书不到万册的小型图书馆和一座茅草盖顶的所谓新民大戏院。艺人的社会地位低下,生活朝不保夕。人民群众更无文化娱乐可言。

1. 戏剧舞台逐步活跃

新中国成立后,合肥市对民间班社和流散艺人进行了整编和改造,于1949年成立平民剧社和人民剧社。合肥戏剧在人民政府"戏改"工作的推动下,获得新生。1949年5月,市文化馆遵照皖北行署文教处和市人民政府文教科的指示,着手对全市的戏院、民间剧团和艺人进行"改制、改戏、改人"工作(简称"戏改")。"戏改"工作首先从组织艺人们学习、思想改造、改善他们的生活待遇入手,通过对艺人

---

[1] 合肥市人民政府地方志编纂办公室编:《合肥概览》,安徽新华印刷厂印刷,皖内(87)2060号,1987年,第466页。

[2] 《合肥市志》,第2535—2536页。

的关心、关怀,将他们组织起来,编排新戏曲,并通过联营社等形式逐步过渡,走上公有化的道路。

在"戏改"工作中,合肥市文化馆戏改干部同艺人们"同审、同编、同营、同演",逐步把社会地位低下的旧艺人转变成政治上翻身、生活上新生的新文艺工作者。通过"戏改"工作,全市大多数艺人的思想觉悟和文化水平有了提高,逐步认清了戏剧为谁服务的道理,积极投身到抗美援朝等政治运动和戏改工作中去。如新民大戏院演员张福通说:"过去只知演戏,不问戏坏戏好,现在明白了。人民花钱来看戏,不能给你骂。"①

在"戏改"工作的推动下,解放初期的合肥戏剧舞台开始呈现出活跃的局面。在短短的两年时间内,各戏院上演了《小仓山》《红娘子》《木兰从军》等40多个新剧目,改编了《打渔杀家》《四郎探母》等30多个旧剧本。同时,各戏院还配合抗美援朝、镇压反革命等运动,发动艺人创作了23个大小剧本和曲艺唱本。在1951年2月上旬至3月上旬举行的"春节宣传月"活动中,全市各戏院共演出大小剧目几十个,观众达2.5万人次;在同年5月举办的"红五月"联合大演出中,各戏院联演10天。其中,新民大戏院赶排的京剧《江汉渔歌》《唇亡齿寒》《花木兰》,平民剧场赶排的倒七戏《官逼民反》和本戏班编剧的《英雄儿女》;人民剧场本戏班编剧并演出的倒七戏《江汉好人》等剧目,均轰动一时,观众累计达3万人次。②

1951年6月,皖北行署文教处根据政务院《关于戏曲改革工作的指示》的决定,接收由民间班社自行组成的合肥平民剧社,建立私营公助的地方戏曲改革试点单位,成为全省第一个国家直接管理的地方戏曲剧团。业务上暂由合肥市文化馆代管。1952年3月,皖北行署文教处为加强剧团的改造和建设,将合肥平民剧社改组为合肥地方戏实验剧场,先后从皖北文艺干校、滁县地委文工团、巢湖宣教团,

---

① 刘浩主编:《合肥群众文化50年》,中国文联出版社2007年版,第119页。
② 《合肥群众文化50年》,第115页。

阜阳地委文工团,皖北青年文工团等单位调入文艺工作者42人,增设导演、音乐、舞美设计等专业人员,为建立新型的戏曲剧团打下坚实的基础。是年,合肥地方戏实验剧场新文艺工作者与艺人合作移植新剧目《梁山伯与祝英台》,在合肥演出80余场,引起广泛影响,被省内文艺界、新闻界誉为"一次有创造性的成功演出"。①

在业余戏剧舞台上,合肥市文化馆组织的3个业余剧团,创作、演出活动也十分活跃。上演的剧目,除少量的古装戏外,主要是反映新中国成立后开展各项运动的节目,如配合抗美援朝运动演出《美帝暴行图》及《打击侵略者》;在宣传《婚姻法》期间,演出《婆媳间》及《美满姻缘》等。

2. 群众文化的兴起

(1)建立群众文化活动点

1949年3月,皖北行署合肥文化馆设立,1950年,更名为合肥市人民文化馆,划归合肥市领导。1951年11月,华东军政委员会发出通知,要求在整顿、充实、巩固的基础上加强对各地文化馆的领导,认真抓好"识字教育、时事宣传、文化娱乐与普及科学"4项任务,结合中心工作,抓好冬春两季大好时机积极开展群众文化活动,使文化馆成为本地文化活动的中心。其间,合肥市文化馆运用展览、广播、图书、画刊、墙报、读报、黑板报、文艺演唱、幻灯、报告会、座谈会等形式,在配合生产自救、治淮、土改、抗美援朝、镇反、增产捐献等运动中发挥出重要的宣传教育作用。

合肥市文化馆成立后,1950年又相继建立西市文化站、郊区张洼文化站、金斗(十里庙)文化站、城南(余岗)文化站,1952年11月,再建立合肥车站文化馆。由此,全市群众文化活动点基本建立。

(2)群众文化活动的开展

新中国成立后,合肥人民群众自编自演、自娱自乐的文化活动逐步开展起来,群众文艺舞台上呈现出欣欣向荣的景象。一个以歌唱

---

① 《合肥市志》,第2845页。

《东方红》《没有共产党就没有新中国》及《解放区的天是明朗的天》等革命歌曲为内容的群众性歌咏活动很快形成高潮。学生在课余练习唱歌,工人、农民在识字班、夜校学唱歌,歌唱新生活蔚然成风。每逢节日或喜讯传来,全市各学校里的腰鼓队、机关干部中的秧歌队、民间的文艺班社、社会上职业剧团的演出活动特别活跃,热闹非凡。

3. 创建新的宣传文化事业

新中国成立后,合肥各宣传部门向人民群众宣传中共和新政权的方针、政策,培养宣传干部、文艺青年和积极分子,迅速创建新的宣传文化机构。1949年2月5日,中共合肥市委机关报《新合肥报》创刊,这是新政权创办的第一份报纸。4月,该报与《江淮日报》合并,改称《皖北日报》,为中共皖北区委机关报。1950年6月,合肥人民广播电台正式建成播音,1951年1月改为皖北人民广播电台,1952年改为安徽人民广播电台。1950年年底还创建了合肥市图书馆。

4. 电影事业

1949年9月,合肥第一家公立电影院肥光电影院开业,内设座位880个,放映员4名。1952年,解放电影院建成,肥光电影院随即停业,工作人员和放映设备全部转迁到解放电影院。放映《民主东方》《百万雄师下江南》《新中国的诞生》及《中国人民的胜利》等新中国拍摄的影片,并举办合肥市首届"苏联电影展览月",放映苏联电影12部,平均上座率达98%。①

5. 宗教界的革新运动

1949年合肥解放后,广大教徒的宗教信仰和正常的宗教活动受国家宗教政策及法律保护。政府多次拨款整修寺庙教堂,使离散的宗教执业人员各得其所。各宗教团体先后成立新的组织机构,广大教徒经常开展宗教活动,并参加各项社会活动。基督教和天主教,自发开展了爱国革新运动。1950年7月,全国基督教爱国人士吴耀宗等发表《中国基督教在新中国建设中努力的途径》的宣言,发起以"自

---

① 《合肥概览》,第483页。

治、自养、自传"为主要内容的"三自"运动。合肥宗教界积极响应，1951年4月，合肥基督教"三自"革新运动委员会成立。同年8月初，由汪其天、潘钧祥牧师等发起，开展有200多名教徒、教友参加的爱国签名运动。"三自"运动的开展引起一些外国反动宗教分子的不满，对各地的革新运动进行破坏。为保护革新运动的成果，爱国宗教人士纷纷控诉反动宗教分子的罪行，并请求政府把他们驱逐出境。1951年8月6日，合肥市天主教徒在天主教堂举行"控诉帝国主义分子陈兴华（墨西哥籍）大会"，与会教徒和神职人员500余人，一致通过《驱逐帝国主义分子陈兴华出境的决定》。会后，会同合肥基督教徒共800多人，举行了反帝爱国示威游行。从此，合肥地区的天主教和基督教，进入自传、自治、自养和独立自主、自办教会的新阶段。与此同时，佛教、道教和伊斯兰教也开展了以民主改革和实行民主管理为内容的整顿，摒除混杂在宗教中的一些迷信现象，革除家长制的束缚弊端，彻底更新了宗教面貌。

（三）体育

新中国成立后，合肥市的人民体育开始起步。1950年，合肥市举办首届以田径、拔河、球类项目为主要内容的"红五月"职工运动会，全市有350名职工参加。1951年5月，全市第一届人民体育运动会召开，参加比赛的有机关、学校、工人、部队、社会青年等上百个单位30多个代表团，共1000余名运动员。比赛内容有田径、拔河、男子篮球3大项。此次运动会为合肥有史以来第一次全民运动会。1952年，市政府发文，在全市普遍推广广播操、工间操、工后操，并有计划地宣传和提倡开展民族形式的体育活动。

五、虢季子白盘的献出与晋京

1950年，合肥发生一件轰动全国文化界的大事，即虢季子白盘的献出与晋京。

虢季子白盘是已知的中国历史上最大最古老的青铜器之一，与毛公鼎、散氏盘并称为西周时期三大青铜器。虢季子白盘长约137厘米，宽约86厘米，高约39厘米，总重量为215千克，形状与现代的浴盆相似，古色斑斓，声响清越，内底铸有古篆铭文共111个字。铭文讲述了此盘的来历：春秋时期，虢国的子白奉周王之命出征，抗击猃狁，荣获战功，周王为其设宴庆功，并赐弓马钺之物，虢季子白因而铸盘以作纪念。盘上的释文如下：

惟十有二年，正月初吉，丁亥，虢季子白作宝盘。不显子白：庸武于戎工，经纬四方；搏伐猃狁，于洛之阳；折首五百，执讯五十，是以先行。桓桓子白，献馘于王。王孔嘉子白义。王各周庙，宣榭爰飨。王曰："白父，孔显有光。"王赐乘马，是用左王；赐用弓，彤矢其央；赐用钺，用政蛮方。子子孙孙，万年无疆！

清道光年间，虢季子白盘出土于陕西宝鸡虢川司，被当地一农民搬回家中，因不知它的珍贵，用其盛水饮马。后此盘为宝鸡虢川司刘燕庭所得。辗转又为当时陕西郿县的县官、江苏常州人徐傅兼（燮钧）所得，当他卸任返乡时，又将此盘带回常州家中。清咸丰十年（1860），太平军攻入常州时，虢盘又易主护王陈坤书。1864年4月，淮军将领刘铭传攻克常州，进驻护王府，无意中发现了放在马厩里的虢季子白盘，经识者鉴定，方知为稀世珍宝。刘铭传旋即命人不惮千里运回合肥西乡故里刘老圩收藏。刘铭传特令人在老宅中修建了一座盘亭，作为陈设宝盘之用。刘铭传极为珍惜此盘，平时用红绸缎包裹着此盘，不轻易开启，每逢过年，才在亭内张灯结彩，铺以绒垫，供亲友们欣赏。同治十年（1871），刘铭传聘请了金石学家吴云，将铭文诠释出来并撰出考订文字，又由英翰、徐子苓及刘铭传本人相继作序，遂成《盘亭小录》一书。刘氏还将盘底的铭文拓出多份，分赠密友，而能目睹实物者极少。

虢季子白盘收藏于家中，给刘铭传及其后裔带来诸多麻烦甚至灾难，刘氏后裔为保护这件国宝也历经曲折。刘铭传在世时，即有朝廷高官索要此盘，被婉言拒之。刘铭传去世后，刘家子孙不忘先人遗训，把保护虢盘作为重要的任务。每当政局不稳之际，刘家人即将该盘深埋地下，借以保护。民国年间，时局动荡，一些人开始打虢季子白盘的主意，国民政府安徽省主席刘镇华对虢盘觊觎已久，多次派人以种种理由到刘府搜劫，刘家将国宝悄悄埋藏于地下，使其阴谋未能得逞。一些外国人也都垂涎这件国宝，寻求各种门路收买，但刘家子孙始终不为所动。如曾有美国人托人找到刘铭传的后人刘肃曾，说愿出一笔可观的金钱购买虢盘，答应事成后帮刘氏举家迁居美国。日本人也称愿意把浴缸大小的虢盘填满黄金，能装多少就出价多少。但这些都没能打动刘肃曾。抗战爆发后，合肥沦陷，刘家怕虢盘落入日军手中，再次将虢盘深埋地下，并在上面种树种草作为掩盖，然后全家外逃避难，躲过了日寇的多次搜掠。抗战胜利后，国民政府安徽省主席李品仙威逼利诱，要刘氏后人交出虢盘，刘氏再次举家出走避祸。在此间，李品仙让自己的亲信，合肥县长隆武功，带人到刘家老宅，将几十间房的地板全部撬开并挖地三尺以寻虢盘，终亦未果。

1949年1月合肥解放，同年8月，华北高等教育委员会具呈华北人民政府，请皖北行署查明虢季子白盘下落。中央人民政府文化部文物局成立后，又和皖北行署函商进行调查，回复政务院称虢盘有可能仍在刘铭传老家后人手中。12月间，中央人民政府政务院给皖北区党委和行署发电报，请刘肃曾将虢盘献给国家。皖北区党委书记曾希圣和行署主任宋日昌接到政务院请刘肃曾献盘的急电后，立即指示肥西县政府派人到刘肃曾家做动员工作。肥西县人民政府根据政务院和皖北行署的指示，责成官亭区潜山乡（乡政府即驻在刘老圩）迅速查找虢盘的下落，促成国宝归国。接到任务后，潜山乡乡长吴桂长三次上门拜访劝说刘肃曾。此时，由于刚刚解放，刘肃曾对共产党和新政权还不太了解，因而迟迟不愿说出真实情况。与此同时，政务院的催促电报相继而至。时任行署文教处长兼皖北政协秘书长的戴岳，便请皖北政协副秘书长郭崇毅前往刘老圩，动员刘肃曾献出国宝。郭崇毅来到刘家后,婉转陈词,向刘肃曾宣传了人民政府保护文物的政策,并说明宝盘献出后,绝不是共产党干部私人占有,而是由国家珍藏保护。经过耐心细致的宣传,刘肃曾打消了顾虑,同意将虢盘献出,连同世代珍藏的三国铜鼓,一并献给国家。

1950年1月19日,在刘肃曾的指点下,吴桂长带着当地农民,将深埋在地下的虢盘掘出,随后将虢盘送往肥西县政府所在地上派镇。之后,被送往合肥市。1月21日,正值合肥解放一周年之际,献盘大会在合肥隆重召开,皖北行署主任宋日昌主持大会,接受刘肃曾献出的虢季子白盘。这一天,文化部专门致电皖北行署:"国宝归国,诚堪庆幸!"而合肥城内更是万人空巷,争着一睹国宝丰姿。虢盘在合肥展出期间,前来一睹国宝"尊容"的群众络绎不绝,对这一国宝的珍贵价值感叹不已。2月28日,皖北行署派人并请刘肃曾同行,护送国宝进京。3月3日起,文化部在北海公园团城承先殿举办虢季子白盘特展。为表彰刘肃曾献出虢盘的爱国之举,文化部给他颁发了"褒奖状":

安徽合肥县刘肃曾先生,于中华人民共和国成立后,将其家藏历史名物周代铜器虢季子白盘一件、铜鼓一件,献交人民政府,供学术界研究及广大人民观览,化私为公,殊堪嘉尚,特此褒扬。此状。

不久,政务院副总理郭沫若在北京饭店宴请刘肃曾,并赋诗一首:

虢盘献公家,归诸天下有。
独乐易众乐,宝传永不朽。
省却常操心,为之几折首。
卓卓刘君名,传颂妇孺口。
可贺孰逾此?寿君一杯酒。①

---

① 参见戴健:《虢季子白盘重光始末》,《江淮日报》2009年9月22日。

虢季子白盘曾藏于北京故宫博物院，后成为中国历史博物馆镇馆之宝。如今，它是中国国家博物馆中的一件重要展品，位列国家文物局所颁发的"64件不准出境文物"名单之中。虢季子白盘自1864年与刘铭传结缘，风雨兼程86载，传承4代人，终归国家收藏。刘铭传及其后人，为保护这件珍贵文物，付出了巨大代价。

李广涛与虢季子白盘合影

六、知识分子思想改造运动

1951年11月30日，中共中央发出《关于在学校中进行思想教育和组织清理工作的指示》，要求在学校教职员和高中以上学生中普遍开展学习运动，在进行初步的思想改造、培养干部和知识分子的基础上，组织"忠诚老实、交清历史"的活动，清理其中的反革命分子。翌年5月，又发出《关于在高等学校进行思想改造与清理中层工作的指示》，要求彻底打击学校中的封建买办、法西斯思想；暴露和批判教师的资产阶级思想，划清工人阶级和资产阶级的思想界限，初步树立工人阶级的思想指导；肃清学校中的贪污浪费现象，以打好进行清理中层和教改的基础。

1952年7月20日，中共安徽省委根据中央的指示精神，做出在

"全省教职员集中进行思想改造运动"的决定。合肥市遵照上级指示和决定的精神,分批对教职员进行思想改造运动。其中,高等学校教职员和中学教职员参加省委及教育主管部门统一开展的全省思想改造运动。搬迁合肥不久的东南医学院于1952年秋季开展思想改造运动。此外,按照中共安徽省委指示,合肥市委领导了从1952年冬至1953年年初的第二批中学教职员思想改造运动。

合肥市的小学教师思想改造运动集中在本市进行,由中共合肥市委宣传部、团市委和教育工会以及校长和教师代表组成的13人"学委会"直接领导。首先,由"学委会"组织"合肥市小学教师暑期教师研究会",为思想改造运动打下基础。研究会从1952年7月20日开始,8月14日结束,共有400多名小学教师参加。采取的学习方法是:听报告、漫谈报告、阅读文件、结合报告和文件精神联系自己实际进行讨论、暴露、分析、归纳、批判(典型交流),提出改进办法或订立具体计划。接着,于1952年11月集中组织全市小学教师进行思想改造学习。在思想改造中,坚持以正面教育为主,贯彻"争取、团结、教育、改造"的方针,强调政策感人,"启发自觉""不追不逼"、小组互助、典型推动、批评与表扬相结合的方法,从批判资产阶级思想到批判反动思想,由思想批判到组织清理。因此,思想改造学习取得了较好的效果。

小学教职员经过思想改造运动,对旧社会遗留下来的封建思想、奴化思想、资产阶级思想以及"崇美恐美"思想进行批判,其政治觉悟和业务水平得到了提高,一支有志为新社会做贡献的教师队伍开始形成。

在开展教师思想改造运动的同时,中共安徽省委宣传部根据中共中央和华东局关于进行一次有计划、有步骤的文艺整风的指示,制定《安徽省文艺整风计划》,要求广大文艺工作者在参加"三反"运动的基础上,进行思想改造学习,批判资产阶级和小资产阶级思想,使文艺工作更好地为工农兵服务。据此,省直文艺部门及合肥市文艺界的领导干部首先进行整风学习。1952年6月5日,省暨合肥市文艺界整风委员会成立,并通过关于合肥文艺界整风的要求、步骤和统一领导等事宜。

合肥文艺界的整风分两个阶段进行,第一阶段,从6月10日开始至7月16日结束。参加这一阶段整风的有省文化局、省文联、省文工团、《安徽日报》社和安徽广播电台文艺部的领导成员,以及合肥市戏曲艺人150人,共320人。这一阶段的整风学习,主要解决文艺工作领导思想问题,提出改进方案,以此带动全省文艺界的整风学习。第二阶段,从7月22日至9月5日,省文化局在合肥举办"安徽省暑期艺人训练班",有黄梅戏、倒七戏、泗州戏、花鼓戏等主要地方戏曲演员265人以及戏曲改革工作干部82人参加。这一阶段整风学习的重点对象是戏曲改革干部与戏曲艺人,对他们分别提出不同要求:对戏曲干部,要求进一步批判轻视民族艺术遗产和艺人的错误观念,明确戏改政策,提高业务水平,树立群众观点和专业化思想;对戏曲艺人,要求通过学习,提高政治觉悟,树立为人民服务的人生观和艺术观,正确认识民族戏曲和对待戏曲改革。通过学习,使戏改干部与戏曲艺人的思想认识、业务水平有所提高,初步树立了为人民服务的艺术观。

第五节 新安徽的政治行政中心

一、从皖北区行政中心到新安徽的省会

(一)中共安徽省委、省政府的成立与撤销

1949年1月,合肥解放,中国共产党领导的新政权着手安徽全境的重建工作,拟在合肥成立中共安徽省委、省人民政府。1949年2月

9日,淮海战役总前委为中共安徽省委成立事宜请示中共中央:"为适应紧迫的作战要求,安徽省委必须立即建立",或者将"豫皖苏分局,移至合肥,统一领导皖西、江淮两区及豫皖苏之安徽部分……究应如何,请早示复。"①11日,中央军委复电指示:"江淮、皖西必须统一,究以立即建立安徽省委为宜,还是以豫皖苏分局移至合肥统一江淮、皖西两区及淮北安徽部分为宜,请你们在此次会议上解决,并立即施行报中央备案即可。"②总前委和中共中央华东局、中原局负责人当即进行了研究。2月16日,中共中央华东局发出通知:经中央批准,成立中共安徽省委。

2月下旬,中共豫皖苏分局书记宋任穷在合肥召集曾希圣、张劲夫、汪道涵、曹荻秋、彭涛、桂林栖等开会,宣布中共安徽省委、省人民政府、省军区成立,宋任穷任省委书记,谭启龙任副书记;省政府主席宋任穷,副主席张劲夫;省军区司令员曾希圣,政治委员宋任穷。省委的中心任务是集中全力在安徽长江以北地区开展渡江支前工作,同时筹建省委工作机构。安徽省委隶属华东局领导,辖江淮区委、皖西区委、皖南地委和淮北各地委。省委机关驻肥市。

由于解放战争形势迅猛发展,华东地区急需集中主要干部负责城市工作,又因安徽省地跨长江两岸,而江南此时尚未解放。中共安徽省委成立不久便又撤销。1949年4月3日,华东局为此向中央回复:"由于要集中主要干部负责城市工作,由于主要干部仅够配备,因此决定,暂不成立安徽省委,而分开成立皖北区党委和皖南区党委。"③

---

① 《刘伯承、陈毅、邓小平、粟裕、谭震林关于渡江作战意见致中央军委等电》(1949年2月9日),中共蚌埠市委党史研究室编:《剑指江南:总前委在蚌埠孙家圩子》,中国文史出版社1999年版,第115页。

② 《中央军委同意3月底渡江作战的计划致刘伯承、陈毅、邓小平等电》(1949年2月11日),中共蚌埠市委党史研究室编:《剑指江南:总前委在蚌埠孙家圩子》,第120页。

③ 安徽省地方志编纂委员会编:《安徽省志·建置沿革志》,方志出版社1999年版,第455页。

(二)中共皖北区委、行署、军区成立

渡江战役之前,地理上位于长江以北的淮北、江淮地区(统称皖北)已经先后获得解放。渡江战役后,长江以南的皖南地区亦获解放。鉴于解放的时间有先有后、战争形势瞬息万变等原因,中共中央决定在原安徽行政区域内分设皖北行政区和皖南行政区。

1949年4月6日,根据中共中央指示,江淮、皖西、豫皖苏3个临时行政区撤销,成立中共皖北区委和皖北军区,驻地设于合肥。曾希圣任区委书记、皖北军区司令员兼政治委员。4月15日,皖北人民行政公署(简称皖北行署)成立,驻地设在合肥,宋日昌任主任。合肥为皖北行署直辖市。中共合肥市委、市政府分别改由皖北区委、皖北行署领导。同年5月,中共皖南区委、皖南人民行政公署(简称皖南行署)在屯溪成立,7月迁至芜湖。自此,直到1952年8月,安徽被分为皖南、皖北两个行政区。合肥则为皖北行政区的政治、行政中心。

(三)新安徽的省会

1951年11月,华东军政委员会第四次会议通过《关于皖南人民行政公署与皖北人民行政公署合并成立安徽省人民政府的决定》,将皖北行政区、皖南行政区管辖的区域合并,恢复安徽省建制并成立安徽省人民政府。《决定》指示,为便利统一工作部署,在中央人民政府明令公布成立安徽省人民政府之前,两行署先行在合肥合署办公。12月9日,华东军政委员会办公厅通知皖南行署,将驻地由芜湖市迁往合肥市,与皖北行署合署办公。19日,皖南、皖北行署联名发出通知,在安徽省人民政府成立前,两行署先行在合肥合署办公。根据华东军政委员会办公厅发出的《通知》,中共皖南区委、皖南军区及各区的团体、司法机关等同时迁往合肥市,与相对应的单位合署办公。29日,皖北、皖南行署召开第一次联合行政会议,正式合署办公。

1952年1月2日,经中共中央批准,中共安徽省委员会在合肥成立,中共皖北区委和中共皖南区委同时撤销。8月7日,中央人民政

府委员会第十七次会议决议:正式成立安徽省人民政府,撤销皖北、皖南行署;恢复安徽省建制,撤销皖北行政区、皖南行政区。25日,安徽省人民政府委员会第一次全体会议在合肥召开,宣布安徽省人民政府正式成立。合肥成为新安徽的省会。

二、"为皖之中"得先机

1949年的合肥,只是一个消费型小城市,城市模样、城市规模、基础设施建设等,都极为简陋、落后,并非省会城市的最佳选择。在安徽省内,芜湖、安庆、蚌埠3座城市,无论在人口数量、经济水平,还是商业流通、交通设施等方面,都比合肥先行一步。

芜湖,是近代安徽最大的水陆交通城市,交通极为便利。早在1877年,芜湖就已正式开埠对外通商。近代安徽的纺织、机械、粮食、化工等工业皆起源于芜湖。1949年,芜湖人口已达20多万,其教育、文化及卫生也有相当的基础。

蚌埠,1912年津浦铁路通车后,逐渐成为人口密集的皖北第一都会和商贸中心。1926年全市人口已达到15万。北洋军阀统治时期,蚌埠一度成为全省的政治、经济和军事中心。

安庆,长期为安徽省会,经过100多年断断续续的建设,各类商业机构、行政衙门齐全,工业也小有基础。安徽第一所高等学校——安徽高等学堂(后改为安徽大学)设在安庆。1932年《安徽省会建设规划》发布,为省会第一个较系统全面的近代城市建设规划。此后,安庆的市政道路交通、供排水、电气化设施兴建、通讯设施、医疗卫生等均有所进展。尽管在日伪统治时期规划终止实施,且城市因经受战乱而逐步衰落,但城市规模及各类基础设施仍远好于合肥。

合肥之作为新安徽的省会,是多种因素聚合作用的结果。其一,合肥地处皖省中部、江淮要冲,既融汇皖北、皖南,又聚结大别山区、长江圩区,有"淮右襟喉,江南唇齿"之称,地理位置比较重要。其二,合肥曾两度作为安徽省省会,一是清咸丰三年(1853)至咸丰十一年

(1861),因太平天国占领安徽省省会安庆,清廷不得不将省会迁往庐州(今合肥);一是抗日战争胜利后的 1945 年 10 月至 1948 年 12 月,安徽省政府从立煌县(今金寨县)迁至合肥,合肥成为安徽省省会。其三,中国共产党领导的新政权,处处都要显示出与国民党旧政权的不同,即便是在安徽省省会的选定上,也要与旧政权区别开来。这就是安徽省省会选定在皖北行署所在地的合肥而没有延承于安庆的重要因素之一。

随着中共安徽省委、省政府、省军区及各部门机关的陆续建立,大批外地干部及家属来合肥工作、生活,合肥人口快速增加,各项经济建设逐次展开,合肥作为省会城市存在的先天不足日趋显露。因此,合肥确立为安徽省会后,直到 1958 年的几年时间内,人们对安徽省会的选定仍有不少争议。其中,在省委、省政府等机关工作的部分干部职工更倾向于将省会搬迁至条件相对较好的芜湖。

1958 年 9 月,毛泽东主席视察安徽,中共安徽省委第一书记曾希圣请他为筹建中的"合肥大学"(后改名为"安徽大学")题写校名,并请定夺是否将安徽省会迁往芜湖。毛泽东给曾希圣的回信,写道:

曾希圣同志:

校名遵嘱写了四张请选用。沿途一望生气蓬勃,肯定是有希望的,有大希望的,但不要骄傲,以为以为如何?合肥不错,为皖之中,是否要搬芜湖呢?从长考虑,似较适宜,以为如何?

毛泽东
一九五八年九月十六日①

毛泽东对合肥"为皖之中"的论述,道出的是客观事实,蕴含着的却是长远谋略。

---

① 《安徽大学简史》编写组编:《安徽大学简史》,安徽大学出版社 2008 年版,插图第 3 页。

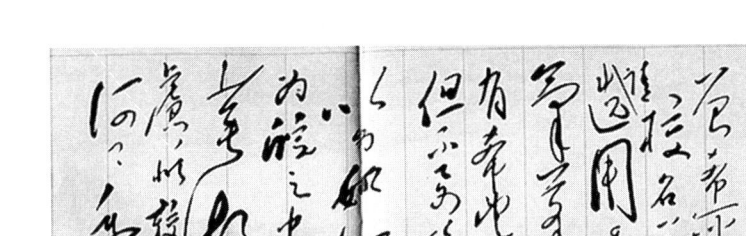

此后，关于选定安徽省省会的争议，渐渐偃息。

毛泽东写给曾希圣的信

三、城市建设迈出第一步

1949年1月，人民政权从旧政权接收过来的合肥，是一个仅有5万多人口，城区面积仅5平方公里的小县城。城区内房屋低矮破旧，道路狭窄不平，缺水少电，没有公共交通。至于旧时所谓的"庐州八景"，也早已湮没殆尽，一片荒芜景象。整座城市只有一条宽20米的东大街；全市只有两幢两层小洋楼，一栋是一个资本家的私人住宅，一栋是国民党民政厅厅长私宅；全市只有一家草棚子戏院、一家教会医院，没有一座像样的建筑。有一首歌谣："一条马路三盏灯，一个喇叭全城听，小小河流穿城过，一座小楼才两层"，形象地反映出当时合肥城市建设的落后。

（一）行政区划

1949年1月21日，合肥解放。2月1日，中共江淮区委决定，撤销合肥县，将原合肥县划设合肥市、肥东、肥西县3个独立的行政区划。同日,合肥市取代合肥县旧名,正式建市。全市共设3个区、2个镇,即第一区、第二区、第三区和第一直属镇、第二直属镇。同年4月1日,撤销2个直属镇,改设第四区。全市辖4个区,32个街政府。

新中国成立前的前大街(今长江路)

第一区:辖9个街政府,辖区在城内九狮河以北至双岗街。街名为:东岳街、教弩街、十字街、四湾街、县桥北街、新华街、北油坊街、拱辰街、双岗街。

第二区:辖9个街政府,辖区在城内东南隅,九狮河以南、洗马桥至小南门以东。街名为:东门街、中山街、南门街、古楼街、龙门街、县桥街、太平街、四牌街、柳树亭街(包公祠)。

第三区:辖9个街政府,辖区在城内西南隅,九狮河以南、洗马桥至小南门以西。街名为:城隍庙街、四古巷街、横街、菜市街、德胜街、官盐街、西门街、二里街、南油坊街。

第四区:辖5个街(乡)政府,辖区在东门外,北至火车站,南至孝肃桥。街(乡)名为:坝上街、尚武街、崇德街、车站乡、隆岗乡。

1950年4月,按照华东军政委员会"关于十万人口以下城市不设区的决定",撤销区街政府,实行警政合一,由派出所统管基层行政工作,全市共分设大东门、车站、西门、北门、南门5个派出所辖区。

1951年1月,合肥市进行区划调整,将肥东县的城东、东外、张洼3个乡和肥西县的城南、卫岗、德胜、金斗、北外5个乡,共计8个乡划入合肥市区,成立郊区。此后,郊区几次向四周扩展。同年11月,警政分离,恢复区建置。原第一、二区范围,设立东市区;原第三区范围,设立西市区;原第四区范围,置车站区,区域数次向东扩展。至此,合肥设有3个市区1个郊区,共辖26个居委会、8个乡政府。

1952年8月,郊区分为东、西两个城郊区。东郊区辖里店、张洼、东外、三塘、官塘、城南、城东7个乡。西郊区辖卫岗、于岗、德胜、洪岗、金斗、十里庙、四里河、北外8个乡。

这期间,因行政区划的调整,到1952年年底,合肥市国土面积已达131平方公里,人口增加到13.86万人。

(二)城市规划

城市规划是一定时期内城市发展的计划和各项建设的综合部署,是城市建设和管理的依据。1948年,国民政府于曾草拟一份极为简单的规划。合肥解放后,城市规划重新起步。1949年2月,负责城市规划的建设科成立,隶属于合肥市军事管制委员会公用事业部,主要负责营建管理、道路与下水道工程建设。同年5月,该科隶属于市人民政府。年底,改属市人民政府市政局。1950年6月,增加城市测量、规划、绿化等管理业务。建设科成立后,即于1949年11月,绘制出《合肥市区图》。1950年7月,市人民政府颁布《皖北区合肥市政建设管理法规》,这是合肥市城市规划、建设、管理的第一部地方法规。1951年,合肥市在《合肥市区图》上做出市区总体规划草案,将道路街巷宽度分别标定为25米、20米、15米、9米、5米、3米。1952年10月,按省会城市要求,绘制出《合肥市街道计划草案图》,以老城区为中心,在城内建设井字形,在城外建设环形、放射形干道系统。此后的历次规划,尤其是道路规划,基本上循此思路演进。

(三)市政建设

合肥解放之时,市政建设极为落后,城区有泥结石和条石道路6.9公里,99万平方米房屋,大多是土墙草顶或砖墙小瓦平房。没有自来水,没有公共交通,没有下水道,到处垃圾成堆,污水横流。解放初期,市政府考虑到财政和市民的负担能力,在城市建设中确定了缓急择要的建设原则,选择一些急需而又较小的整修工程,采取以工代赈的办法进行建设。

1. 道路

合肥解放初,仅有铺装道路总长度14.3公里,铺装道路总面积8.42万平方公尺。主要道路平均宽5.87米,均为条石、碎石、碎砖和土路,且坎坷不平。1949年合肥解放后,中共合肥市委和市政府采取以工代赈等办法,对老城区的大街小巷,作一些维修、拓宽或翻建。至1952年,市政道路建设工程以恢复为主。市政府建设科发动临街市民翻修东大街、映典路、小东门街、前大街、西门大街、南门大街、横街、德胜街等市区街道,先后修复、拓宽了胜利路、文昌街、横街、北大街、后大街等5条道路。与此同时,为适应城市建设发展需要,1951年8月16日,合肥市协商委员会(合肥市政协的前身)做出决定:拆除已残缺颓废的老城墙,改建成环城马路。于是,始建于宋、复修于明的古城墙被拆除,遵照"谁拆城砖,谁修好马路"、不另开支的原则,在原城墙地基上修建了全长8774米的环城马路。①

2. 城市排水

合肥解放前,城内没有排水设施,仅有少量砖砌暗沟通向九狮河,大部分雨污水顺地势流入九狮河及沟塘,再由九狮河及沟塘分别自流小东门,入南淝河。解放后,根据合肥城市规划,市政府明确了兴建城市道路,必需同步铺设城市排水设施,铺设管道,并实行分期

---

① 1980年,以环城马路为基础,开始建设环城公园。后来,合肥教育学院许有为先生为合肥环城公园代拟过一篇《碑记》,内有一句话:"昔日环城,郭也;今日环城,公园也",准确地道出合肥老城郭和今日环城公园的位置以及沿革。

建设,逐步完善,先老城区、工业区、主次干道,后小街小巷。

(四)园林绿化工作逐步展开

合肥城区先后曾有龚家、段家、洪家、季家等私家花园,因迭遭兵变,多数无存。抗日战争前,西郊大蜀山林木葱郁,日军侵华后将其破坏殆尽。1949年合肥解放时,城内仅有树木30余种13000余株,且大部分集中在基督教会所辖的和平医院、三育中学、基督教堂和牛奶厂内。[①]

1949年6月,皖北行署决定将龚家花园扩建为逍遥津公园,这是解放后合肥建设的第一座人民公园,也是新合肥园林绿化建设的开始。1950年,合肥市开始了马路绿化,即栽种行道树。在市委书记李广涛的努力下,南京无偿赠予合肥一大批梧桐等树苗。随后,在今天的淮河路、安庆路、宿州路栽植第一批行道树计1071株梧桐。1951年,安徽省和合肥市人民政府号召开展群众性的大蜀山植树造林运动,两年营造马尾松林3500亩。1952年起,动工营造环城路两侧的防护林带,并在南淝河两岸植树。

从1949至1952年的三年恢复时期,中共合肥市委、市人民政府在医治战争创伤的同时,着手对老城区进行整建,采取以工代赈等办法,组织市民整修街道,加固桥梁,拆除旧城墙,并在此基础上修筑环城马路,营造环城林带,修建公园,翻修道路。到1952年,合肥城市建成区面积扩大到9.8平方公里,道路总长度增加到27.2公里。[②]合肥的城市建设终于迈出了第一步,初步改善了城市面貌,为后来的城市建设奠定了一定的基础。

---

① 《合肥市城市建设志》,第74页。
② 厉德才、李碧传主编,合肥市城市建设志编委会编:《合肥市城市建设志》,皖内(95)0026号,1995年,第2页。

第二章

向社会主义过渡

1953年,中共中央提出过渡时期的总路线,确定了实现国家工业化和对农业、手工业、资本主义工商业实现社会主义改造的总任务。合肥市委、市政府遵照总路线的精神和安徽省委、省政府的部署,学习、宣传总路线,带领全市人民开展了对农业、手工业和资本主义工商业的社会主义改造。到1956年年初,合肥市的三大改造任务胜利完成,标志着社会主义制度在合肥基本确立。

从1953年起,全国进入国民经济第一个五年计划建设时期。合肥也开始有计划的经济建设。按照中共安徽省委、省政府的指示精神,合肥市确定了"由消费城市为生产城市"的总体发展目标,开始启动大规模的经济建设。"一五"时期,合肥市始终把大力发展工业作为经济工作的重点,通过投资建设、对私改造、接受上海援助等,兴建了一大批工业企业,初步奠定了机械、轻纺、化工等工业基础。与此同时,积极发展科、教、文、卫等各项社会事业,开展城市基础设施建设。兴办中、小学校和开展职工业余教育、扫除文盲等活动。加强共产主义教育和思想政治工作。挖掘整理人民群众喜闻乐见的传统文艺曲目,全面发展文化艺术事业。贯彻以预防为主、防治并重的方针,开展群众性爱国卫生运动,逐步建成医疗和疾病预防网点,保护人民群众的身体健康。普遍开展群众性体育活动,增强人民体质。城市建设贯彻为生产服务、为人民生活服务的方针,重点建设城市道路、桥梁、工业区道路网和防洪工程,并着手城市总体规划的编制。

随着"一五"计划的完成,合肥市初步建立社会主义的计划经济管理与运行体制,统一的计划市场开始形成。与此同时,合肥市国民经济和各项社会事业获得全面发展,一座新兴工业城市粗具规模。

第一节 宣传贯彻过渡时期总路线

一、宣传贯彻总路线

（一）总路线的宣传与贯彻

1953年6月,中共中央提出过渡时期总路线(以下简称总路线),即要在一个相当长的时期内,逐步实现国家的社会主义工业化,并逐步实现国家对农业、手工业和资本主义工商业的社会主义改造。总路线的基本内容是"一化三改造",把社会主义工业化当作"主体",把个体农业、手工业和资本主义工商业的社会主义改造作为"两翼",两个方面互相联系、互相促进。在1953年12月的宣传提纲中,毛泽东简洁明了地把总路线的实质概括为"改变所有制"。

总路线公布后,中共安徽省委于10月21日召开扩大会议,学习党在过渡时期的总路线、总任务,布置开展总路线的宣传教育活动。合肥市委按照安徽省委的部署,在全市广泛深入地开展对总路线的学习、宣传和教育活动。12月,合肥市全面开展总路线的学习贯彻工作。在城市,首先召开干部会议,然后举行各界人民代表会议,再分系统举行报告会,厂矿企业还采取上课、讲座等形式对工人进行宣传。通过新旧社会生产和生活状况的对比,提高工人对总路线的认识和生产的积极性。在农村,以县或区为单位,训练基层干部和积极分子,通过群众大会、电影、幻灯片、收音机、广播、图片或实物展览等形式,讲述新中国成立4年来合肥市的建设成就和农民得到的实惠,宣讲总路线将要给农村和农民带来的美好前景,讲解小农经济的脆弱性和实现工业化的必要性,使农民群众切身感受党的决策的正确性。此外,市委组织报告员94人,分别向全市各阶层群众报告200余场,听众达14.7万人。

中共合肥市委通过对总路线的广泛宣传教育,使党员干部和广大群众统一了认识,总路线成为团结和动员全市人民共同为建设新合肥而奋斗的新纲领。广大干部群众明确认识到:过渡时期的历史任务,就是要在中国建立社会主义社会,完全消灭资本主义成分;而完全消灭资本主义成分,可采取和平过渡的方式方法;党在过渡时期的总路线是逐步实现国家工业化和逐步完成对农业、手工业和资本主义工商业的三大社会主义改造同时并举的路线;全部没收官僚资本、建立社会主义的国营经济之后,对民族资本采取利用、限制、改造的政策,进行和平改造;对农业、手工业个体经济的改造,不能采取剥夺方式,只能把农民、手工业者一步一步引向走集体经济的道路,这是一个由量变到质变的过程。同时,在学习、宣传总路线中也积累了一些经验,如学习宣传好党的路线方针和政策,关键是抓好带头人的工作,做到常抓不懈,持之以恒;从实际出发,针对不同层次和不同对象,制订不同的教育计划,用典型带一般,用骨干带群众;把总路线的学习宣传同发展社会生产结合起来,用总路线的精神来武装干部群众,以推动互助合作、统购统销等各项工作的开展。这些学习宣传措施都极大地扩大了社会主义思想阵地,提高了全市人民走社会主义道路的信心,激发了全市人民为建设社会主义而奋斗的愿望。

(二)贯彻粮油统购统销政策

随着党的过渡时期总路线、总任务的提出和第一个五年计划的实施,全国城镇和工矿人口猛增,对商品粮食的需求量急剧增高。与此同时,由于粮食自由流通,私人粮商投机猖獗,企图操纵全国粮食市场,加之东北等粮食产区受灾,造成1953年国家粮食收购量减少,出现了粮食供应不足的局面。

为缓解粮食购销的紧张形势,并为国家工业化提供长期的粮食保障,1953年10月16日,中共中央做出《关于实行粮食的计划收购与计划供应的决议》(这一做法简称"统购统销")。11月19日,政务院发布《关于实行粮食的计划收购和计划供应的命令》,决定对农村余粮户实行计划收购,对城市居民和农村缺粮户实行计划供应,由国家严格控制粮食市场,禁止私商自由经营粮食。12月初,全国城乡开始实行粮食统购统销。随后国家又部署食用油和棉花、棉布的统购统销。

根据中央的决议,1953年11月26日,安徽省人民政府颁布《安徽省粮食计划收购暂行实施办法》《安徽省农村和集镇粮食计划供应暂行实施办法》及《安徽省城市及工矿区粮食计划供应暂行实施办法》,并自即日起对粮食实行计划收购和计划供应。

1. 计划收购

1953年11月,合肥市开始对粮食实行计划收购。规定将农户除其口粮外的多余粮食和私营粮商的全部现粮,与公粮一同入库。收购品种有稻米(包括糙米)、小麦、大麦、玉米、黄豆、绿豆,等等。1954年,合肥市执行国家对油脂油料实行统购统销的指示。收购的品种有油菜子、芝麻、花生(仁),等等。从此,粮油及其主要制品由国营粮食部门统一经营。同年,市粮食部门为贯彻中央"多购余粮"的方针,对粮食实行预购,并适当调整了稻麦等主要品种的收购价格,使当年收购工作进展顺利,在遭受严重水灾的情况下,郊区仍收购9715吨粮食和1615吨油脂。①

1955年3月,国务院决定在全国范围内试行粮食定产、定购、定销政策,8月,国务院颁布了《农村粮食统购统销暂行办法》。据此,合肥市在郊区农村实行了粮食"三定"政策,即定产、定购、定销。② 当年,市粮食部门对郊区15个乡的户数、人口、牲畜、耕地面积、种植面积进行调查,核实粮食常年产量、应征公粮、定购标准及定销户数、人

---

① 《合肥市志》,第1294页。

② 定产:根据农户的土地质量和自然条件,评定单位面积产量。在正常年景下,定产3年不变;定购:从定产中扣除种子、口粮、饲料及应缴公粮以后,所剩余粮食部分,按一定比例计算定购数量;定销:对农村缺粮户实行定销。

口、数量。"三定"办法明确规定,常年产量3年不变,统购任务也3年不变,粮食部门按年产量计算后的余粮统购80%～90%,留下部分余粮让农民自行安排。通过"三定",核实了常年产量,统一了计算标准,政府进一步掌握了粮食产量、常年留用粮及粮食余缺情况,农民对出售余粮也心中有数。自此,合肥地区的粮食统购体制基本形成。

2. 计划供应

1953年11月,合肥市开始对粮食实行计划供应。市粮食部门根据合肥实际,采取以下粮油供应办法:对机关、团体、学校、工厂等企事业单位,实行有组织的预决算方法供应;对市民口粮采取一次评定用粮数量,划段定点凭证分批分期供应;对农村集镇中的缺粮农民、灾民、手工业户及一切需要粮食的居民,一律按规定价格供给其需;对熟食业、食品业、旅栈、食堂及其他工业用粮,参照历史用粮水平定额供应。取消粮油自由市场,将全市私营粮行组建成13家粮食代销店,将粮油交国营粮食部门统一经营。

1954年1月21日,《合肥市人民政府关于食油计划供应实施办法(草案)》出台,这是继实行粮食计划供应后的又一重大经济决策。同年夏,合肥发生百年不遇的洪灾,市粮食一库水深没腰,市民唯恐粮源不济,尽数购买计划粮。为防止粮食脱销,国营粮食部门迅速从东北调进糙米加工成熟米供应市场,稳定人心。是年,市粮食管理局颁布《粮食划片定点供应办法(草案)》。

1955年6月,鉴于粮食统购统销初期出现的浪费现象,合肥市成立节约粮食办公室,在全市开展了第一次整顿统销活动。压缩供应量,节约粮食,反对浪费,将居民月人均用粮由30.5斤降至27.6斤。10月,实行"以人定量,凭证供应"的制度。市民每人每月粮食定量标准为:特重体力劳动者45至55斤,平均49.93斤;重体力劳动者36至44斤,平均39.83斤;轻体力劳动者28至34斤,平均31.5斤;职员及其他脑力劳动者,平均28斤;大中学生34至38斤,平均34.52斤;无业居民和10岁以上儿童25至27斤,平均26.66斤;未满10岁儿童9至22斤,平均14.41斤;食油每人每月4两,僧尼高于此标准。① 11月,合肥市城乡粮油供应一律实行按计划凭票供应。与此同时,全国通用粮票、安徽省流通粮票、安徽省定点粮票和安徽省料票(饲料票)及购粮通知书,在合肥发行使用。12月10日,经合肥市人民委员会财粮贸办公室批准,市粮食交易市场成立。规定在不违反国家粮油价格的原则下,允许农民到市场内出售自产多余的粮食、薯类、饲料、油脂、油料等产品,允许机关、团体、粮油制品生产单位和居民到交易市场购买计划外粮食。1956年11月,合肥开展核实人口、核定工种、按实供粮、杜绝浪费的工作,市区月人均供粮由11月份的30.11斤降至28.85斤,基本上符合政务院提出的人均供粮下降1斤和省委、省政府提出的月人均供粮不高于28.77斤的要求。② 1957年,合肥市采取"划片定点""以点管户"的方法管理居民用粮用油。各基层粮店以户立卡,建立档案随时记录供应范围内人员口粮的变动情况,并按月(季)核对,做到人、粮、户相符。自此,合肥市的粮食统销体制基本形成。

3. 其他农产品的统购统销

在粮油统购统销后不久,政务院又进一步对棉花、棉布实行统购统销,禁止棉花进入自由市场买卖。1954年9月,合肥市开始对棉花、棉布实行计划收购、计划供应。按行政区划分配用布指标,按经济区划调拨货源,按居民人口定量凭票供应生活用布。1956年棉布定量供应标准为:职工48市尺/人,城镇居民30市尺/人,郊区农民25市尺/人。③

1955年,合肥开始对生猪实行派购,并将派购任务逐级落实到农户,同时对蔬菜实行产销计划管理。

统购统销政策的实行,初步缓解了合肥市粮食等重要农产品供需矛盾,保证了市场物价的稳定和"一五"的顺利进行,是合肥解放以

---

① 《合肥市志》,第1296页。
② 《合肥市志》,第1296—1297页。
③ 《合肥市志》,第1241页。

来在财经战线上打击投机资本,稳定市场物价的第二次大战役。实行统购统销后,无论灾年、丰年,粮价均保持稳定,在大灾之年亦未发生粮价上涨的现象。如1954年全省遭受百年未有的水灾,国家从东北等地调来粮食支援安徽,合肥市粮食供应始终未断,灾民能随时买到粮食。

但是统购统销是高度集中的计划经济产物。在这以后,社会供给需求增加,物资供应不足,凭票供应面不断扩大,人民生活水平较长时期徘徊不前。统购统销的弊端主要在于:限制了价值规律在农业生产和农产品经营中的作用,影响农民生产积极性的发挥和工商企业经济核算的实施;隔断了农民同市场的联系;农民对自己的产品无自主处理权,即使有余粮,也不能拿到市场去卖。此后,随着生产的发展和人民生活的变化,这些弊端日益表现出来。

二、明确建立生产型城市发展目标

合肥解放之初,工业基础极为薄弱,现代工业更无从谈起。全市工业仅有几家小型工厂,且设备简陋,生产单一。1949年,全年完成总产值245万元,其中全民所有制工业企业总产值为12万元,占全部工业总产值的4.9%,工业固定资产累计不足一千万元。[1] 经过3年恢复发展,到1952年,全市工业总产值(包括手工业)936万元。[2] 社会商品零售额1805万元,比1949年增长94.6%。[3] 这期间,合肥市的工业仍然以小型企业及数百家手工业为主体,现代工业还未建立,生产力还很落后,消费型的城市面貌依旧。

为了尽快改变合肥工业基础薄弱的状况,1953年2月,中共合肥市委、市政府按照安徽省委、省政府指示精神,提出了"变合肥市由消费城市为生产城市"的总体战略构想。这是新中国成立后合肥市首

---

[1] 《合肥解放五十年纪事》,第31页。
[2] 《合肥市志》,第1367页。
[3] 《合肥市志》,第4页。

次确定自己的城市功能类型和发展方向,也是合肥市实施工业强市战略的先声。

合肥在实施这一战略的进程中,采取了两条腿走路的方针。一方面,通过对资本主义工业和手工业进行社会主义改造,组成一批公私合营的工厂和生产合作社、生产合作组,提高原有企业的劳动生产率,促进工业经济的发展。另一方面,加大投资力度,大规模兴建、扩建、改建一批具有一定规模和水平的工业企业。

合肥地区的工业投资从1951年开始。同年6月,国家投资108万元在合肥建立矿山机器厂,并将该厂列为第一机械工业部生产矿山机器的重点企业。1953年,中共合肥市委、市政府按照将合肥市由消费城市变为生产城市的总体战略思想,着手工业建设投资,当年用于购置设备的资金达2000万元,占当年全市全部投资额的11.65%。[1] 同年,安徽第一家电子工业企业——合肥无线电厂建成投产。年底,国家计委确定在合肥兴建棉纺织工业,并列为"一五"时期国家重点项目。该项目1954年7月开始实施,由纺织工业部和上海申新纺织厂、上海永安纺织印染股份有限公司等私营工商业共同投资。1954年,合肥市决定兴建搪瓷、针织两厂和扩建榨油、印刷、卷烟3个厂,总投资近183.4万元,随后即增加到214.9万元。是年,全市新建搪瓷厂、针织厂、砂轮厂、农具厂及汽车修理厂等,扩建改建合肥油厂、建新烟厂、合肥印刷厂、建华窖厂等。自此以后,合肥市工业投资建设项目和投资额逐年有所增加。1954年3月,安徽省治淮委员会模型工厂(合肥无线二厂前身)正式建立。1956年,合肥兴建第一家化工企业——合肥综合化工厂。1957年6月,公私合营的安徽第一纺织印染厂在合肥正式投产,这是新中国建立后,国家在安徽兴建的第一个中型纺织企业,年生产能力为棉纱856万公斤、棉布138万匹。至"一五"计划末,合肥市累计投资兴建工业企业57家(包括上海内迁合肥工厂数),总计投资额5112万元,占合肥市同期实际

---

[1] 《合肥市志》,第402页。

完成全部投资的 28.69%。①

安徽第一纺织印染厂

1957 年,合肥工业总产值达到 1.43 亿元,比 1952 年增长 14 倍。② 这一时期,由于加强了基础工业建设,轻重工业总产值比重发生较大变化,重工业总产值由 1952 年占全部工业总产值 8.5% 上升至 23.29%,增长近 15 个百分点,工业结构趋向合理,生产的产品也由人工动力为主的缝衣、制线、纺纱、篾编等 40 余个行业,发展为以机器动力生产的农药、电器、电子、印染、搪瓷、化学等 60 多个行业。③ 1957 年年底,全市工业企业发展到 518 家,初步形成以机械、轻纺、食品、化学为主体的工业的框架,为合肥工业的深入发展和合肥市由消费城市向生产城市转变奠定了基础。

三、1954 年抗洪救灾

(一)空前严峻的洪水灾情

1954 年是"一五"计划的第二年。然而,天有不测风云,是年夏,

---

① 《合肥市志》,第 402 页。
② 《合肥市志》,第 1367 页。
③ 《合肥市志》,第 413 页。

安徽地区遭受百年不遇的特大洪涝灾害,合肥市的灾情也十分严重。自入梅以来,合肥地区连降暴雨,雨量大、强度高且雨期集中。5月至7月共降雨1071.8毫米,其中7月份累计降雨量677.5毫米,为历年月降雨量最高值;雨水强度大,在7月10日20时许,猛降特大暴雨,势如倾盆,2个多小时即降雨220.9毫米;雨情连绵不断,7月共有24天为雨天。加之上游肥西降雨量大,巢湖水位上升,水位持续不退。南淝河出现洪峰,合肥北门外河段,水位猛涨至16.9米,比洪水泛滥的1931年同期水位还高出1米多。由于水量过大,低处的村庄被洪水淹没,只能看见树梢,如东郊区沿河一线城南、城东、官塘3乡有20多个村庄水没树梢。城区因排水不畅,也造成短时间内积水成灾。全市5个市辖区大多数地面漫水,车站区除尚武街外,其余都被水淹。市区人家房舍进水,东大街(淮河路)一段水齐腰深;水西门、杏花村一带,洪水淹没了屋顶。郊区田地原有圩堤大多低下,或因大水浸泡时间过长过多,先后溃破,并因水位高,积水无法排出。此次洪水泛滥,造成合肥被淹田亩1.41万亩,倒塌房屋1.45万间,20多家工厂、国营公司以及合作社系统损失达50多万元。[①]

(二)全力救灾

面对如此严峻的灾情,中共合肥市委、市政府紧急动员,迅即成立市防汛指挥部,全力指挥全市党政军民投入抗洪斗争。指挥部从全市挑选干部、工人1000人,组成127个抢险队。全市动用汽车41辆,平板车1033辆。参加抗洪斗争的干部、工人、居民和解放军指战员达10余万人。[②] 市委、市政府严令各有关单位领导干部亲赴抗洪第一线指挥。在抗洪中,市委、市政府明确指示各单位,除尽量抽出人员参加抢险外,对于能用上的物资器材,随用随调拨。期间,全市共动用麻袋5892条,木桩290根及其他大批器材,土产、五金部门为

[①] 中共合肥市委党史研究室编:《合肥解放五十年纪事》,皖非正式出版字(99)第096号2000年版,第33—34页。

[②] 《合肥市志》,第1214页。

抗洪抢险提供大量毛竹、芦席、草袋、扁担、竹杠、稻草及抽水机械设备。在抗洪中,为筑堤、堵口、开挖泄水道和填平水毁路面,还做了大量土石方工程。

在抗洪救灾中,解放军指战员奋勇争先,全力投入到抗洪抢险斗争第一线。6月下旬,安徽省军区领导机关发出紧急指示,要求所属部队立即投入抗洪救灾。合肥市人武部除留1名干部在机关值班外,其余人员均投入抗洪。他们挖渠、排水、运物资、搭窝棚,从6月27日至7月底,共投入抗洪288个整工。驻合肥的公安部队成为抢险救灾的突击队,哪里险情大,公安部队就奔赴哪里。省直属公安大队班长徐公认因抢救灾民英勇牺牲。合肥市公安干警全力以赴投入抗洪抢险斗争和汛期安全保卫工作,先后组织200余名青年突击队参加防洪抢险和灾民的转移安置工作;带领民兵、治保人员放哨护堤,维护治安;及时侦破乘机造谣惑众、毁坏堤桩以及盗窃、抢劫等50余起案件,有力地打击了趁灾打劫的现行犯罪活动。全市各机关、单位、工厂企业的普通职工也纷纷投入到抗洪救灾中。7月11日是抢险最紧张的一天,抢险队员们在滂沱大雨中一身泥水,奋战整日,将受困灾民和物资财产转移至安全地带。

为组织抗洪救灾,安置救济灾民,合肥市政府于7月成立生产救灾委员会。救灾委在市内高地建收容所,动员倒房户投亲靠友,无可投靠者则临时安置于机关、学校。另外,在三里街等处盖草棚200间,安置烈军属和特困户。通过多项举措的实施,使32552灾民得到安置。① 饮食行业及部分机关、学校在灾民集中点为其供应饭菜。医务工作者到灾区各村为灾民注射防疫针,预防霍乱、伤寒、脑炎等疾病,组织人员加强饮水消毒和饮食卫生管理,确保大灾之后无大疫。

合肥市政府还遵照安徽省政府1953年颁布的《受灾农户农业税减免实施办法》,减免灾区农业税:歉收6成以上者,全免;歉收不到2成者,不减征。省政府又拨发合肥市灾民口粮救济款6103元、倒房

---

① 《合肥市志》,第2302页。

修复补助款 2.15 万元、棉衣 310 件。① 除省市政府救助外,政府还积极组织群众进行生产自救。如郊区政府扶助 163 户灾民用木机织布,500 人磨豆腐,2064 人做木瓦工、挑土方、贩青菜、开荒种植、打草鞋,并帮助他们解决原料问题、销路困难问题。②

除要安置本地灾民外,外地流入合肥市的灾民情况也比较严重。8 月 3 日第一次调查登记时,全市共有外地流入城内的灾民 3384 人。市政府抽调人员动员灾民回乡生产,前后动员 1293 人回乡。但由于回乡后未能得到妥善安置,又陆续返回。至 9 月 6 日第二次登记时,灾民人数增至 4570 人。9 月 18 日前后,合肥市组织人员对流浪街头的老弱妇孺又进行一次收容,并动员回乡共计 500 人。流入合肥城区的灾民一般以挑土、锤石子、拉砖、做散工、卖零食谋生,一部分无依无靠的老弱妇孺则以流浪乞讨为生。他们主要分散在交通要道附近和水西门、环城路、雨花桥附近,部分搭棚居住,未搭棚的住在下水道管及大桥下为生。有些灾民甚至连猪都带来了,严重影响了城市秩序和城市管理的困难度。市政府几次动员灾民回乡,但灾民一般都不愿回乡。由于遣返困难,合肥市政府决定以区为单位成立灾民管理站,由区长任站长,抽调干部专管,划定水西门窑厂附近、北门双岗、雨花桥等 3 处灾民集中供应点,对妨碍交通和影响市容的炊棚一律拆除,动员灾民至指定空地搭棚居住,以便集中管理。

是年冬季,合肥地区连降大雪,很多靠做临时工维持生活的市民、郊区受水灾的农民、外县流入的灾民和部分肩挑小贩等濒临断炊,生活难以为继。中共合肥市委、市政府决定把生产救灾当做压倒一切的中心工作,要求做到不出现冻死、饿死人的现象,并从市属各单位抽调干部深入各灾区查灾救灾。1954 年冬,全市共发放救济款 5141 万元,棉衣 309 件,棉花 50 公斤,救济灾民 1254 户 4941 人,其中外来灾民 469 户 1754 人。113 名流落街头无处安身的灾民和乞丐

---

① 《合肥市志》,第 2303 页。
② 《合肥市志》,第 2305 页。

被送到临时教养院。① 组织人力、物力加固棚户,发放粮食,给外来灾民临时居住,使贫困市民和灾民安然度过了雨雪冬季。

1954年的合肥抗洪救灾,涌现出大批的积极分子和英雄模范。1955年元月31日,市公安系统召开庆功大会,表彰在抗洪救灾和维护社会治安中做出贡献的181名有功人员。②

第二节　社会主义三大改造运动

一、农业的社会主义改造

(一)农业社会主义改造的背景

农业社会主义改造运动亦称农业合作化运动,是新中国成立不久、继土地改革之后,中国共产党在农村开展的以废除个体农民所有制,引导农业走集体化道路为主要内容,以发展农村生产力为目的的又一场重大社会变革。

土地改革以后,合肥农村地区和全国其他农村地区一样,以土地私有制为基础的小农经济成为农村经济结构中的基本形式。一方面,广大农民分到土地和其他财物,但仍有不少农户因缺乏农具、耕牛和生产资金,导致各户在独立生产上普遍存在一定的困难,一部分缺乏劳动力的农户甚至不得不变卖土地、借高利贷来维持生计,农村中开始出现新的两极分化。另一方面,一家一户的小农经济缺乏兴修水利、抵御自然灾害的能力,不利于生产力的进一步发展。根据这

---

① 《合肥解放五十年纪事》,第34页。
② 《合肥市志》,第2157页。

种情况,中共中央号召广大农民组织起来走互助合作的道路。

(二)农业社会主义改造的进程

合肥农村地区的农业合作化运动,和全国其他地区一样,经历了一个由点到面、由少到多、由低级到高级、循序渐进、逐步发展的过程。农业社会主义改造运动按照自愿互利原则分三步进行:第一步,广泛发展以生产资料私有制为基础的带有社会主义萌芽的农业生产互助组(简称互助组);第二步,在互助组的基础上,发展半社会主义性质的初级农业生产合作社(简称初级社),第三步,由初级社发展为完全社会主义性质的高级农业生产合作社(简称高级社)。

1. 组织农业生产互助组

(1)互助组的建立

1951年9月,中共中央召开第一次农业互助合作会议,制定《关于农业生产互助合作的决议(草案)》,指出:要在农民自愿互利和典型示范原则的基础上,以组织互助组为主,在条件较好的地区,应有重点地发展农业生产合作社。合肥市委立即组织各级干部认真学习《决议(草案)》,并抽调得力干部赴郊区农村帮助开展互助合作运动。

合肥市除城区外,下辖8个乡级政府,有农户1.02万户,人口4.7万人,土地7.7万亩。[①] 1951年冬,中共合肥市委首先在城郊区的卫岗乡陈夹衖进行互助合作试点工作。经过数月的宣传、发动和筹备,1952年2月,合肥郊区成立第一个互助组——陈以春农业生产互助组。当年,该组120亩水稻均产由350斤提到470斤,实现了增产目标。[②] 市委对陈以春互助组的经验及时进行总结推广。随后,郊区各乡村各种类型的互助组迅速发展起来,到5月份,共成立12个常年互助组,参加的农户有170户;233个临时互助组(又叫季节性互助组),参加的农户有2278户;其他旧式变工或换工的组织992

---

① 《合肥农村的变革》,第81页。
② 《合肥市志》,第996页。

个,参加的农户有6859户。① 是年,全市农业总产值1.58亿元,比1949年增长25.4%。②

(2)互助组的整顿与发展

1953年2月15日,中共中央正式通过第一个《关于农业生产互助合作的决议》(简称《决议》)。在这个《决议》的指引下,全国农业生产互助合作运动得到加快发展。1953年上半年,合肥郊区各类互助组的数量进一步增加。

1953年9月,中共合肥市委制定《合肥市1953年互助合作训练计划(草案)》。根据《计划(草案)》,11月份分两期训练了一批区乡干部、互助组组长、互助合作积极分子等,培养一批互助合作的骨干力量,以促进互助合作运动的进一步发展。1953年年底,郊区常年互助组发展到89个,参加的农户有846户,占郊区总农户的7.82%;临时互助组发展到537个,参加的农户有4756户,占总农户的43.97%。与此同时,郊区试办2个初级农业生产合作社,入社农户32户。全郊区组织起来的互助组织共628个,参加的农户有5634户,占总农户的52.08%。③ 1954、1955年,在重点发展初级农业合作社的同时,互助组也得到了进一步发展,并逐步转并为初级社和高级社。

2. 建立初级农业合作社

1953年10月,中共中央召开第二次农业互助合作会议,做出《关于发展农业生产合作社的决议》。合肥郊区创办初级社的工作由试办阶段进入到全面发展阶段。到1954年春,郊区共办起7个农业生产合作社,1个蔬菜生产合作社。至此,合肥郊区共有10个农业生产合作社,入社农户129户。④

1954年下半年,全国的农业合作化运动出现新的高潮。中共合肥市委根据中央发展农业合作社要"积极领导、稳步前进"的方针和

---

① 《合肥农村的变革》,第81页。
② 《合肥市志》,第996页。
③ 《合肥农村的变革》,第82—83页。
④ 《合肥农村的变革》,第83页。

安徽省委对"大城市郊区发展互助合作先行一步"的指示,结合合肥的具体情况,于10月5日制定《今冬明春发展农业生产合作社的计划(草案)》,拟在1954年冬和1955年春分三批办65个农业生产合作社,亦即在郊区356个互助组中,每5个组中选择1个办社,争取做到乡乡有社,使入社的农户达到17.9%。①

10月8日,中共合肥市委组织干部下乡,掀起了一股办社的高潮。到1955年春,合肥郊区实际办社达75个(内含一个高级社),加上原来的10个社,总计有85个农业社,入社农户达3415户,占郊区总农户的31.3%;入社土地为3.6万余亩,占总土地的37.7%,实现了乡乡有初级社的目标。②

由于时间紧、任务重,发展初级社的速度过快过猛,存在着一哄而起的现象,加上办社干部缺乏经验,基层干部领导能力较弱等,因而出现了一些问题,甚至出现一些农户闹退社、宰杀耕牛、变卖农具的现象。

根据中共中央、安徽省委的有关指示精神,1955年春夏两季,合肥郊区开展了一次全面的整社工作,市委从农工部及各区、乡抽掉了90多名干部参加整社工作,对各农业社进行整顿。一是从思想上进行整顿,稳定闹退社社员的情绪;二是健全农业社的组织机构,充实领导力量,并在有三个社以上的乡建立联社委员会;三是加强生产管理,修订生产计划,开展生产竞赛,以提高社员生产积极性;四是普遍地推行小包工制,纠正生产上的混乱状况和评记分不合理的现象;五是培训会计、健全账目,建立了账务管理和会计制度;六是按政策处理办社中遗留的土地、农具、耕牛等评产估价不合理的问题。

通过整顿,农业生产合作社得到巩固,并有新的发展。到1955年秋,合肥郊区农业生产合作社发展到了102个(包括一个高级社),入社农户4514户,占总农户的41.37%。③

---

① 《合肥农村的变革》,第84页。
② 《合肥农村的变革》,第85页。
③ 《合肥农村的变革》,第86页。

3. 成立和巩固高级农业生产合作社

1955年10月,中共中央七届六中全会通过《关于农业合作化问题的决议》。同年冬,农业合作化运动迅速发展,全国农村掀起由初级社向高级社发展的高潮。

早在1955年4月,合肥市郊区已经试办第一个高级社:常青蔬菜生产合作社。由于这个高级社带有试办性质,并未向全郊区推广。1955年11月,中共合肥市郊区区委扩大会议召开,重新制定郊区农业合作化的规划。接着,又召开郊区农村全体党员、团支部委员大会,要求郊区各乡分别制定农业合作化的规划,拟在1955年冬将农业合作社的社员发展到1.03万余户,占总农户的95%。其中高级社发展到17个,入社农户7264户,占组织起来农户的70%。①

同年12月初,合肥郊区各乡、村展开大张旗鼓的宣传教育活动,进行农业合作化方针、政策的宣传教育。接着,立即开展高级社的搭架子工作。至12月下旬,全郊区共成立28个高级农业社,入社农户10510户,占总户的96.33%,顺利完成建社规划,实现高级形式的农业合作化。②

1956年3月,包括于1956年初划归合肥市郊区管辖的肥西县大蜀山乡,合肥郊区高级社数量达到29个,入社农户1.3万余户,占总农户的99.82%,未入社的农户仅剩26户。社的规模30至40户的2个,70户的1个,100至200户的2个,200至300户的5个,300至500户的7个,500至960户的11个,2333户的大社1个。③

高级农业生产合作社的土地从私有转变为集体所有,取消土地入股分红,耕牛、农具折价入社。社内实行"按劳分配""男女同工同酬"。高级社的行政机构有生产管理委员会和监察委员会。管委会的任务是管理社内的一切生产事项,监委会的任务是监督检查管委会的工作。管委会和监委会都是在中共乡级组织统一领导下开展工

---

① 《合肥农村的变革》,第87页。
② 《合肥农村的变革》,第87页。
③ 《合肥农村的变革》,第87页。

作。为了便于管理，各社下设若干生产队和副业组织，从事农业和副业生产。

由于高级社是在较短的时间内仓促办起来的，建立后暴露出不少问题。一是大部分社缺少具体周密的生产计划和措施，直接影响到包工包产责任制的落实；二是有部分社员对农业合作化政策不了解，存有思想顾虑，甚至出现宰杀耕畜、砍伐树木、变卖家具的现象；三是高级社的劳力多，经营范围大，许多干部却仍然沿袭小农经济的习惯来组织和领导生产，造成劳力支配不当，出现窝工怠工的现象。

针对高级社建成后存在的问题，根据中共中央和安徽省委的指示精神，1956及1957年，合肥市委多次对郊区的高级社进行整顿。整社工作采取先重点后全面，先整党后整社的步骤进行。1956年11月上旬至12月上旬，中共合肥郊区区委抽调各乡党总支书记及青年团、妇联等有关部门19人，重点整顿江淮农业高级社，以取得整社经验；12月25日至29日，又训练整社干部218人，然后分两批在郊区推广整社工作。① 通过整社，初步解决了高级社中普遍存在的一些问题，减轻了社员的抵制情绪，稳定了生产秩序，使高级社逐步趋于巩固。

二、手工业的社会主义改造

（一）手工业社会主义改造的背景

手工业的社会主义改造亦称为手工业合作化运动。1949年年初合肥解放，个体手工业经过短时间的纷乱后，开始逐步恢复发展。同年年底，陆续恢复生产的有铁器、木器、竹器、缝纫、土烛、翻砂等38个行业，开业店铺1145户，从业人员数达2934人，产品有112种。次年，全市手工业店坊增至1296户，从业人数增至3220人，年产值

---

① 《合肥农村的变革》，第88页。

增至 194 万元,比上年增长 60% 以上。① 但是,当时手工业基本上是个体经营,存在着技术落后、资金缺乏、各自为战、分散经营等弱点,发展极为缓慢,有些手工业困难重重,有的甚至濒临破产。因此,若加快发展手工业,就必须对个体手工业进行社会主义改造,引导他们走合作化的道路。

(二)手工业改造进程

早在1950年,中共合肥市委、市政府就成立了"市委财经委员会",指导全市的手工业合作化改造工作。1951年6月,根据中共中央、皖北区委和皖北行署关于对个体手工业进行改造的精神,合肥市政府采取加工订货、收购包销等方式,分手工业生产小组、手工业供销生产社和手工业生产合作社三种形式,由小到大、由低级到高级逐步地对手工业进行改造,取得了有益的经验。

1951年10月,合肥市13名失业铁匠,以两套半打铁工具和凑集的63元资金,成立全市第一家手工业生产合作社——爱国铁器生产合作社,率先走上合作化道路。同月,市合作总社又组建成立合肥针织生产合作社。这两个合作社的成立,开创了合肥市个体手工业者走社会主义合作化道路的范例。次年,合肥市又相继组织建成被服、棉织2个生产合作社。到1953年年底,全市共组织铁器、棉织、针织、被服、木器、皮革等6个生产社22个生产小组,社员533人,占整个手工业从业人员的16.8%。②

1953年,中共中央提出过渡时期总路线,明确逐步对手工业进行社会主义改造后,合肥市委立即在全市引导和推广建立手工业生产合作社(组)。1954年4月,市委召开全市手工业者代表会议。11月,成立合肥市手工业管理局,加强对手工业的领导。1955年3月,

---

① 安徽省合肥市第二轻工业局编:《合肥市二轻工业志》,中国文史出版社1991年版,第2—3页。

② 吴世宏主编,《合肥工业五十年》编委会编:《合肥工业五十年》,黄山书社2000年版,第9页。

又成立合肥市手工业生产联合社,并抽调一批干部、工人骨干,组成合作化宣传队,深入各社各组,宣传中共的合作化道路政策,在工人自愿联合的基础上组社建社。10月2日,合肥市第一届手工业合作社代表大会召开。至年底,全市共组织生产合作社(组)57个(其中生产社31个,生产小组26个),社(组)员1781人,占总人数的43.27%;资金25.86万元,占总资金的37.7%。到1956年1月中旬,合肥市手工业基本实现了合作化。参加合作社的人数达4080人,占全市手工业总人数99.12%,实现了手工业由个体经济向集体经济的转变。[1]

合肥的手工业实现合作化后,为集中生产,便于管理,又将性质相同的社、组进行合并,将全市原有的57个社、组,合并为28个社,此后,五金、木器、纺织、被服等4个行业还成立了专业联社。

(三)手工业社会主义改造的成败和整社改组

手工业生产合作社(组)一般为集体所有制,实行按劳分配,经营机制灵活,劳动者积极性高,加上政府的扶植,生产发展很快。合肥的手工业实现合作化以后,由分散生产转为集体生产,解放了生产力。生产大大发展,显示出合作化的优越性。一是生产力逐年提高。据1954年铁、木、竹3个社统计,社员平均年产值1024元,比个体生产者861元高18.9%;1955年,社员平均年产值达到1437元,比个体手工业者975元高47.39%。二是提高了管理水平,产品质量显著提高。生产率提高10%以上;产品正品率达到95%以上;生产成本平均降低6.22%,并逐步实现半机械化和机械化生产。三是社员的物质文化生活也得到进一步改善。通过工资调整,90%以上社员比合作化以前增加了收入,并有4900多名社员享受了医药补助待遇;文盲、半文盲社员都参加了文化学习。[2]

---

[1] 《合肥市二轻工业志》,第3页。
[2] 《合肥市人民委员会关于一年多来工作情况和今后任务的报告》,1956年10月。

合肥的手工业社会主义改造也存在一些问题,主要表现在以下几个方面:第一,合作化后,由于缺乏生产管理经验,出现某些产品质量低、价格高、样品不全甚至粗制滥造的现象。第二,对手工业社会主义改造有关政策掌握不稳,左右摇摆。第三,在供销方面也存在问题。有关生产组织协调部门对扶植手工业生产不明确,不能按技术标准供应原料和有计划加工订货,因而影响了生产。

为纠正手工业社会主义改造中出现的问题,1957年3月9日,合肥手工业联社抽调45名干部组成工作队,以爱国铁器社、被服一社、木器三社、篦器社、针织社5个社为试点,开展民主整社工作。在取得经验的基础上,向其他社推开。

到1957年,全市手工业生产企业发展到151家,职工人数发展到9766人,当年完成工业总产值2544.1万元,实现利润138.6万元,上缴国家税金69.82万元,积累资金106.43万元,固定资产原产值达116.83万元。① 至此,合肥市的手工业已发展成为具有一定经济规模的产业系统。

合肥手工业社会主义改造的顺利完成,不仅提高了手工业生产能力,培养和造就了一批技术力量和干部队伍,而且壮大了全市集体经济成分和实力。有的生产合作社后来发展成为合肥工业的骨干企业。如1954年由17名铜匠和失业工人组成的五金翻砂组,后来发展为合肥洗衣机厂,一度为安徽最大轻工集团企业。爱国铁器生产合作社,后来发展为年利润百万元以上的合肥锅炉厂。

三、资本主义工商业的社会主义改造

对资本主义工商业的社会主义改造亦称为资本主义工商业的全行业公私合营。

1953年春,合肥市着手对全市私营工商业户进行全面调查登

---

① 《合肥市二轻工业志》,第3页。

记,以掌握私营工商业户的资产情况。中共过渡时期总路线提出以后,中共合肥市委统战部分别召开工商界头面人物和同业公会负责人座谈会。11月9日,市长丁继哲向全市私营工商业户1100余人作《关于爱国守法,接受社会主义改造才有光明前景》的专题报告。12月5日,市委成立对资本主义工商业社会主义改造领导小组,下设办公室。自此,全市开始有计划、有步骤地实施对私营工商业的社会主义改造。

(一)改造私营商业

据1953年统计,合肥市共有私营商业1825户,从业人员3770人,资产净值168.65万元。[①] 同年10月,国家对粮食、主要农产品实行统购统销后,市政府首先对全市52家私营粮商做了处理,改为国家代销。同时,制定管理措施,加强对代销店的管理。不久,国家又相继对食油、棉布实行统购统销,合肥107户棉布商全部转行、歇业,私营的粮、油、棉等主要农产品经销商从此不复存在。

对私营批发商的改造。1954年年初,市有关部门对全市私营批发商进行全面摸底调查,重新确认批发商77户。8月,合肥按照华东局的指示,对批发商采取排挤政策。具体实施办法包括:对有条件的私营工业实行公私合营,帮助百货、棉布、新药3个行业中的27个商业户走上国家资本主义道路,引导帮助13户商业户转向工业生产。对颜料、纸张、锅瓷、新药实行全业处理,并为国营商业所代替。9月,国家对棉布实行统销后,全市107户棉布商全部转业、歇业。[②] 至1955年,全市私营批发商全部处理完毕。

对私营零售商的改造。1954年年初,合肥全市私营商店和个体摊贩共有1397户,总资金1000万元,年销售额约2800万元。[③] 同年,全市私营零售商的社会主义改造运动有计划地展开。至年底,在

---

① 《必由之路——合肥市资本主义工商业的社会主义改造》,第6页。
② 《必由之路——合肥市资本主义工商业的社会主义改造》,第6页。
③ 《合肥解放五十年纪事》,第35页。

5个自然行业中,共发展了378户代销、经销、批购合约、承销、计划购货5种形式的国家资本主义商业,其中粮油、棉布等业因属于统购统销而采取全行业改造。1955年春,合肥对全市零售商业逐户进行改造。经过一系列改造,全市私营商业各行业之间,户户之间大体保持平衡,私营零售商业基本得到维持。

(二)改造私营工业

1953年12月,中共合肥市委根据本市私营工业的实际情况,决定从1954年年初起,对私营工业分别对象、采取不同方法进行改造。1954年上半年,市财委、市工商局抽调人员首先对10人以上的私营工业企业进行为期2个月的调查。调查结果显示,全市10人以上的私营工业企业共13家。其共同特点是资金少、设备差、技术水平低、成本高、质量差、非生产人员多、经常发生事故。13家私营企业共计资金12.44万元,其中大部分为固定资产。13家私营企业在业务上主要是为国营工厂服务,其中修配、铁器、印刷对公营业额占95%以上,棉织、针织、油坊、猪鬃加工业等均为国家加工订货,光明胶木厂由百货公司订约包销。这些私营企业仍具一定程度的投机性,在经营业务上也存在着暴利抽资等违法行为。①

在调查结果出来后,市有关部门开始对这13家私营企业进行改造。第一,派干部进厂指导生产,了解厂内情况,提高产品质量和技术水平,改善经营管理,严格产品规格,建立各种规章制度。第二,动员资金多人员少的私营批发商转办工业,以充实私营工业的资金,扩充机器设备,扩大原料和产品种类,发展生产。第三,基本维持加工业务,继续与国营公司进行加工订货,逐渐过渡为国营公司加工厂。第四,针对印刷业中出现的生产过剩现象,动员农村职工返乡从事农业生产,缩减非生产人员,缩减劳资双方工资,紧缩开支,维持企业现状,同时进行私私合并。第五,符合合营条件的实行公私合营。1954

---

① 《必由之路——合肥市资本主义工商业的社会主义改造》,第8页。

年,成立公私合营服装店,运输业全行业成立公私合营汽车运输公司。连同从上海迁入的公私合营搪瓷厂、针织厂、金笔厂等,1954年公私合营企业总产值为457.5万元,职工总数为598人。①

1955年,中共合肥市委确定对私营光明胶木厂和新华机器修配厂实行公私合营,市有关部门对两厂资金、人员、生产设备、劳资关系、思想状况及存在的问题进行了摸底调查,并对两厂的发展前景做出评估,提出政府需投资的股额。在此基础上,经过劳资协商,正式申请公私合营,市有关部门派干部下厂,进行清产评估,最后签订公私合营合约,订立生产计划。11月,两厂宣布公私合营。是年,印刷业全业成立"公私营印刷业统一业务管理办事处",统一安排生产,其余尚未合营的较大私营企业分别纳入加工和包销形式,为下一步改造打下基础。

对10人以下的小型私营企业和作坊的改造。由于国家粮食、棉花统购统销和"一五"计划的大规模实施,合肥的这类私营企业生产原料普遍发生困难,资金短缺,产品滞销。为维持其生产,市有关部门一方面派人指导,一方面继续以银行贷款、扩大加工订货、收购其产品等方法给予扶持。到1954年,加工订货的任务扩大了86.66%,加工金额12万多元,比上年增长56.85%。②

(三)实行全行业公私合营

1955年下半年,全国农业合作化运动再掀高潮,城市资本主义工商业的全行业公私合营步伐亦日趋加快。是年12月,在中共安徽省委召开的干部扩大会议上,合肥市委书记傅大章提出合肥市要在1956年内对61家私营工业企业全部实行公私合营;对38个行业中的私营商业全部完成公私合营;将粮油等业转入国营;将小商贩及摊贩的95%分别组织到合作商店、合作小组中去,或者转为国营商店店

---

① 《必由之路——合肥市资本主义工商业的社会主义改造》,第9页。
② 《必由之路——合肥市资本主义工商业的社会主义改造》,第9页。

员。随后,合肥市委成立了由一位市委副书记牵头,市有关部门参加的领导小组及办事机构,再从有关部门抽调干部,组成工作组。工作组被派往私营企业、商店,组织资方人员进行学习、传达省市负责人关于私营工商业进行社会主义改造的报告,以及省工商联合会第一届执委会第三次扩大会议精神,对公私合营作广泛深入的宣传。随后召开厂、店务会议,股东会议和家属会议,促使劳资双方、股东及家属在自愿的原则下申请公私合营。

1955年,合肥市制铁联合会欢庆合肥公私合营暨合作化的庆祝游行

1956年1月10日,合肥市人民委员会(简称市人委)发出布告:(1)所有资本主义工商业的社会主义改造工作必须在政府的全面规划和统一领导下,有计划、有步骤地分批分期进行。严禁擅自并厂、并店、停产、停业。(2)所有生产资料、账册必须严加爱护,不得挪移损毁。(3)已进行改造的各行各业,必须积极协助政府做好生产和经营上的必要改组工作,不得借故抗拒和破坏。(4)没有改造的各行各业,必须照常生产、营业,所有实职人员不得解雇,不得乘机虚设人员或提高薪给。(5)所有店员、职工和爱国工商业者,必须提高警惕,加强对抗拒改造的不法分子进行斗争,严厉打击造谣破坏活动。12

日，市人委批准私营印刷、铁工、皮革、猪鬃加工、被服、油漆、药棉、冰棒和棉布等10个私营行业的32个工厂全部实行公私合营。至此，全市私营工业全部实行全行业公私合营。16日，市人委又批准五金、颜料、饮食、竹木等23个私营商业实行全行业公私合营，并批准粮油等5个私营商业行业的175户坐商转为国营公司门市部。至此，全市私营商业实行全行业公私合营。工人、店员、资方及家属760余人在逍遥津公园举行集会，庆祝全市私营工商业全部实行公私合营。17日，全市各界人士在苗圃广场举行联欢大会，庆祝社会主义改造的伟大胜利。

全市私营工商业实行全行业公私合营以后，开始转入清产核资、经济改组、人事安排等工作。清产核资工作，由公方、私方和工人代表组成工作机构，利用业余时间进行。仅用3天时间，全市公私合营企业和商业中棉布、医药、食盐、粮油等行业的清产核资和估价工作宣布结束。全市核定资金为2223万元。定息方面，根据中央规定，绝大部分是年息5厘，少数是年息6厘，每年付息一次，每年约付息112.66万元。在人事安排上，对私方人员采取"包下来"的政策。在1847名私方人员中，安排为正副厂（场）长49人，国营公司和公私合营商店正副经理47人，其余一般人员均作了安排，并安排附属劳动力370人，对他们的工资待遇高的不变，低的参照国营企业同等技术和职位适当调整。[①]

合肥市私营工商业社会主义改造以后，生产力得到解放，生产出现新气象。工业中，印刷、油漆、胶木和卫生材料厂1956年1至6月份比上年同期上升59.36%；商业中，百货、棉布等4个行业营业额份比上年同期上升134%。1957年，全市国营、公私合营和合作社60个企业全年工业产值比1956年上升42.68%；全市商业市场营业额较1956年增长15.73%，纳税营业额增长30.57%。[②]

---

① 《必由之路——合肥市资本主义工商业的社会主义改造》，第11页。
② 《必由之路——合肥市资本主义工商业的社会主义改造》，第11页。

但是，不可否认，合肥市的资本主义工商业社会主义改造运动也存在一些失误。如整个运动开展得过快过急，把一些不属于资本主义工商业的小手工业、小商小贩、夫妻店等也一并改造，以至造成市场单调，商业网点减少，给市民生活造成不便，同时，由于此后长时期内未将这些小商小贩、小手工业者从资产阶级队伍中区别出来，而被当作资本家一样进行改造，混淆了剥削者和劳动者的界线，挫伤了这部分劳动者的积极性。直到1979年，根据中共中央84号文件指示精神，对原工商业者重新进行区别，结果原可定为工商业者仅304人，其余皆为劳动者。①

在中共合肥市委的领导下，经过各行各业的努力工作，完成了对农业、手工业和资本主义工商业的社会主义改造，标志着合肥市基本消灭了资本主义剥削制度和资产阶级，全市的经济所有制结构发生了根本变化，社会主义公有制经济占据绝对地位，社会主义制度在合肥初步建立。

第三节 "一五"时期的经济建设

一、56家上海企业内迁合肥

（一）沿海企业内迁的动因

中国近代工业大部分集中在沿海地区。新中国成立初期，沿海工业总产值约占全国的70%以上。20世纪50年代，为防御敌对国家可能发动的侵华战争，并较快地改变内地工业极为落后的状况，配

---

① 《必由之路——合肥市资本主义工商业的社会主义改造》，第12页。

合国家"一五"计划的实施,中共中央做出了动员沿海部分企业内迁的战略决策。108家沿海企业内迁安徽的举动,就是在这样的背景下发生的。而在内迁安徽的108家企业中,有56家企业迁入合肥,占入皖企业数的一半。

1949年的合肥是一座消费城市,工业基础极为薄弱。1952年,合肥成为安徽的省会,经济发展仍然落后。特别是工业经济,全市仅有55家小型工业企业,且大多为手工动力,生产能力低下,远远不能满足把合肥建设成为全省经济、政治、文化中心的需要。由此认识出发,中共安徽省委、省政府和合肥市委、市政府达成共识,必须发挥合肥的优势和潜力,采用各种途径,克服困难,尽快兴办和发展合肥经济尤其是工业经济。

然而,要迅速发展合肥工业,仅仅依靠自己的力量远远不够,必须尽可能争取外援。此时,恰逢国家号召沿海企业内迁的机会和"一五"计划正式实施,安徽及合肥市的领导审时度势,抓住机会,向中央提出了沿海企业来皖来肥的要求,以利用迁入企业的人才、技术、设备、资金和生产管理经验以及已有的供销关系等,启动和发展安徽及合肥的工业。

新中国成立之初的沿海地区,尤其是上海,也希望迁出一部分企业到内地。第一,上海是全国最大的工业城市,集中了全国五分之一的工业,显得过于集中。同时,上海又处在海防前哨,工业集中于此,不利于战备要求。第二,上海远离原料产地和

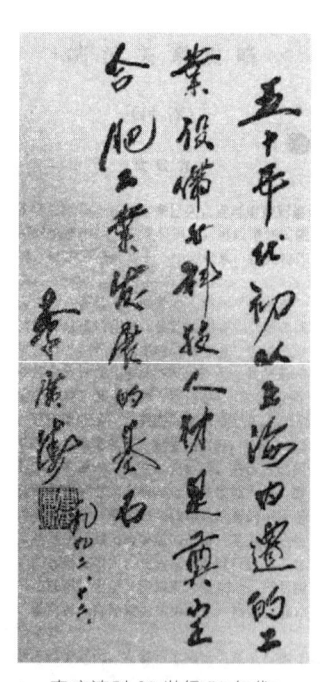

李广涛对20世纪50年代上海工业内迁合肥的评价

销售市场,原料与成品相向运输,与国家经济发展布局不太相符。从这个基本战略考虑,迁出部分企业到内地去是正确的选择。第三,1954年年底,上海有工业企业8.7万余家,职工93万人,企业

大小悬殊，不足10人的小型企业达7.6万家，职工21.7万人，生产分散，原料供应不足，设备利用率低。① 从上海迁出一部分企业到内地，不仅可以支援内地经济建设，同时也有利于自身经济建设。因此，为缓解上海市的压力和支持内地工业建设，国家决定动员上海市部分企业迁往内地。

安徽和上海两地的上述情况，构成了互补需要。因此，从工业集中的上海动员部分工厂内迁安徽，成为促进安徽及合肥地方工业发展快速而有效的途径。

（二）沪企内迁入皖入肥

中共安徽省委和合肥市委对内迁工作十分重视，积极组织和督促有关部门，争取上海工业企业的内迁。1953年春，乘着国家"一五"计划实施的东风，安徽省委决定，派省委工业部副部长李广涛前往上海，与上海市委工交部取得联系，商讨迁厂事宜。同年秋，省委再度派人赴上海洽谈。此时，恰逢党的过渡时期总路线颁布，大大推动了沪企内迁安徽的步伐。1954年春，安徽省赴沪迁厂工作组前往上海。同时，合肥市委抽调30多名有文化、懂工业的干部，组成以市委工业部部长杜炳南为主任的迁厂建厂筹备处。筹备处兵分两路，一路赴上海落实内迁厂事宜，一路在合肥负责迁厂建厂基建工程。

为确保内迁工厂符合安徽经济发展的需要，安徽方面提出，凡内迁的工厂，应符合几条原则：首先是要人才和技术；其次是要设备和资金；第三是要安徽急需办而且又有条件办和有发展前途的企业；第四是要小型企业，便于搬迁和建厂。

根据安徽方面的要求，上海市提供了部分私营工厂名单，让安徽迁厂工作组选择。合肥迁厂代表到沪后，分别深入各厂参观考察，详细了解各厂机械设备、技术、生产及劳资双方情况，根据需要与可能，并报经皖沪双方有关部门审查批准。

---

① 《合肥文史资料（第八辑）·上海内迁企业专辑》，第2页。

拟内迁的上海企业,绝大多数是建于解放前私营企业,中小型规模,资本最多的达62万元,最少的只有300元,职工最多的有219人,最少的仅5人;多数工厂设备简陋,产品简单,工厂生产、生活条件较差。① 新中国成立初期,经过上海市政府的大力扶持,企业得到一定的恢复和发展。但旧社会遗留下来的畸形工业布局和企业内部生产经营方式没有从根本上得到变革,致使这些企业在生产经营中屡遭挫折,有的甚至陷于困境,只有实行公私合营,迁往内地,或许可能获得新的发展。

内迁企业名单选定后,经上海市有关部门批准,沪皖双方联合派出公方代表进驻各厂,开展公私合营和内迁工作。对于内迁企业职工存在的种种疑虑,沪皖驻厂代表与之积极沟通,做他们的思想工作,并组织他们派代表到合肥参观考察,确定企业内迁后,资方和工人的工资、福利待遇不变,政府将优先安排和解决内迁职工的家属工作及生活困难等。经过宣传教育,内迁企业职工的顾虑渐消。

随后,内迁企业先后向上海市政府提交了公私合营申请书,并得到批准。接着,又都先后成立由皖方迁厂代表和内迁企业劳资双方代表共同组成的清产核算委员会(或资产清估小组),按照"公方领导,私方自报,职工监督,公私双方充分协商,报经上级批准"的原则,公平合理地评估、核定企业财产,确定私股资金。然后,双方签订公私合营协议书,报上海有关部门批准。1954至1956年,合肥与上海拟内迁企业实行公私合营的有43家,其中1954年5家,1955年13家,1956年25家。(详见上海内迁企业一览表)

公私合营后,企业准备迁往合肥。在充分协商的基础上,公私双方就内迁的设备、人员及其福利待遇等问题达成一致意见,签订《内迁协议书》;由合肥、上海两市有关部门达成协议,对内迁厂的财务、

---

① 中共安徽省委党史工作委员会中共安徽省委统一战线工作部编:《中国资本主义工商业的社会主义改造·安徽卷》,中共党史出版社1992年版,第366页。

固定资产、内迁费用、损失等问题的处理做出具体规定;在两市分别成立各内迁厂迁厂委员会(或迁厂小组)和各内迁厂新建筹备处,由皖沪双方公方代表与各厂私方代表组成,共同承办工厂外迁及新建过程中的具体事务,协调解决有关问题;组织内迁厂劳资双方代表到合肥实地考察,对新厂建设工作直接提出建议,进行指导。在各方努力下,上述措施得到有效执行。

合肥的新厂基建完成后,上海内迁企业按《内迁协议书》,于1954至1956年间,陆续迁到合肥。其中,1954年内迁1家,1955年内迁5家,1956年内迁34家。1957至1960年,上海又有一批公私合营企业迁到合肥,计1957年3家,1958年1家,1959年7家,1960年5家。1954至1960年,上海内迁到合肥的工厂共有56家。(详见上海内迁企业一览表)

与此同时,合肥还引进上海的私方资金和技术力量,在合肥兴建新的企业,如先后创办了公私合营安徽第一纺织厂、安徽淮委模型工场、公私合营长江饭店、公私合营三八百货商店、浪淘沙洗染店和绿杨邨酒家等。

上海企业内迁合肥有两种方式:一是全厂内迁,即原厂的钱、材、物全部迁到合肥。如组成公私合营合肥动力电机厂的原上海元泰电机厂等5家私营工厂,1956年将他们在上海的52.12万元私股资金、178名职工、49台设备、45.09吨材料及815只轴承全部迁来合肥。二是部分内迁,即将原厂的人、财、物三项中的某一两项或三项各自的一部分迁往合肥。如私营上海茂昌塑胶厂1956年内迁厂里全部的机械设备,但只迁来6名工人。[①]

[①]《中国资本主义工商业的社会主义改造·安徽卷》,第368页。

上海内迁企业一览表

内迁企业名称	合营时间	迁厂时间	建厂类型	迁肥后企业名称	企业现名
私营上海振丰棉织厂	1954	1954	独建	公私合营合肥针织厂	安徽针织厂
私营上海同庆袜厂	1956	1956	并入		
私营上海勤丰袜厂	1956	1956			
私营上海立兴搪瓷厂	1954	1955	独建	公私合营合肥搪瓷厂	合肥搪瓷厂
私营上海金马金笔厂	1954	1955	独建	公私合营合肥金笔厂	合肥金笔厂
私营上海正谊笔尖厂	1956	1956	并入		
私营上海有信笔厂	1956	1956			
私营上海建成塑料工业社	1956	1956			
私营上海华丰面粉厂	1954	1956	独建	公私合营合肥华丰面粉厂	合肥面粉厂
私营上海美光染织厂	1954	1956	独建	公私合营合肥印染厂	安徽印染厂
私营上海好华食品厂	1955	1956	合建	公私合营合肥好华食品厂	合肥好华食品厂
私营上海太古糖果厂	1955	1956			
私营上海中华面包厂	1955	1956			
私营上海谊义蛋糕厂	1955	1956			
私营上海洽龙冰厂	1955	1956			
私营上海中农杀虫剂化工厂	1955	1955	合建	公私合营合肥农药厂	合肥农药厂
私营上海信记石粉厂	1955	1955			
私营上海中光化工厂	1955	1955			
私营上海元泰电机厂	1955	1956	合建	公私合营合肥动力机电厂	合肥电机厂
私营上海华丰翻砂厂	1955	1956			
私营上海斜桥铁工厂	1955	1956			
私营上海民华铁工厂	1955	1956			
私营上海利民电焊厂	1955	1956			
私营上海同茂昌塑料厂	1956	1956	并入	公私合营合肥胶木厂	合肥塑料厂

(续表)

内迁企业名称	合营时间	迁厂时间	建厂类型	迁肥后企业名称	企业现名
私营上海三鑫铁工厂	1956	1956	合建	安徽省农机具研究所	合肥高压开关厂
私营上海明华铆焊厂	1956	1956			
私营上海福昶木模厂	1956	1956			
私营上海吕金记制革厂	1956	1956	合建	公私合营合肥制革厂	合肥制革厂
私营上海李万记皮革厂	1956	1956			
私营上海申大皮件厂	1956	1956			
私营上海大用皮件厂	1956	1956			
私营上海益民电池厂	1956	1956	合建	公私合营合肥电筒电池厂	合肥电池厂
私营上海正兴电筒厂	1956	1956			
私营上海电珠厂	1956	1956			
私营上海康信锁厂	1956	1956	合建	公私合营合肥五金厂	合肥开关厂
私营上海陈荣兴五金厂	1956	1956			
私营上海勤工拉链厂	1956	1956			
公私合营上海大南洋电器厂		1959	并入	公私合营合肥开关厂	
公私合营上海合众电器厂		1959			
公私合营上海复兴慎电器厂		1959			
私营上海冠申皮鞋作坊	1956	1956	合建	公私合营合肥皮鞋厂	合肥皮鞋厂
私营上海合众文具厂	1956	1956	合建	公私合营合肥文具厂	合肥电缆厂
私营上海兴大文具厂	1956	1956			
公私合营上海亚大电业厂		1960	并入	公私合营合肥电线厂	
公私合营上海丽华橡胶电业厂		1960	并入		
私营上海裕兴纸盒厂	1956	1957	合建	公私合营合肥丽华日用品化工厂	合肥日用品化工总厂
私营上海春生纸盒厂	1956	1957			
私营上海永和实业公司化妆品车间	1956	1957			

(续表)

内迁企业名称	合营时间	迁厂时间	建厂类型	迁肥后企业名称	企业现名
公私合营上海达华橡皮印刷厂		1958	并入	安徽合肥印刷厂	
公私合营上海奎记印刷厂		1959	合建	公私合营安徽印刷厂	安徽新华印刷厂
公私合营上海振兴装订厂		1959			
公私合营上海孟福记装订厂		1959			
公私合营上海浦协记装订厂		1959			
公私合营上海恒兴印刷厂		1960	并入	安徽合肥印刷厂	
公私合营上海胜泽旅行袋厂		1960	并入	公私合营合肥制鞋皮件厂	合肥塑料一厂
公私合营上海龙海雨衣厂		1960	并入	合肥服装厂	

资料来源:《合肥市志》。

56家上海工厂迁到合肥,迅速生根、开花、结果。其建(并)厂形式大体有3种类型:一是单独建厂型。原生产能力比较配套的企业内迁合肥后单独建立新厂,如上海振丰棉织厂、立兴陶瓷厂、金马金笔厂、华丰面粉厂、美光染织厂内迁合肥后,分别建立了公私合营的合肥针织厂、合肥搪瓷厂、合肥金笔厂、合肥华丰面粉厂和合肥印染厂。二是合并建厂型。产品相近但生产能力不配套的几个小厂合并组建一家工厂,如公私合营的合肥农药厂、合肥动力机电厂、合肥制革厂、合肥好华食品厂、合肥电筒电池厂、合肥五金厂、合肥文具厂、合肥电线厂、合肥丽华日用品化工厂、安徽印染厂、安徽农机具研究所等。三是申合共建型。这一类型又可细分为两类:其一是将上海内迁厂和合肥现有厂合并组建成一个新厂,如私营上海冠申皮鞋作坊和合肥新美、恒兴祥、勤生3家私营制鞋厂合并,建成公私合营合肥皮鞋厂;其二是上海内迁厂并入合肥有关厂,如私营上海同茂昌塑胶厂并入合肥胶木厂,上海龙海雨衣厂并入国营合肥服装厂,公私合营上海达华橡皮印刷厂并入合肥印刷厂,上海胜洋旅行袋厂并入合肥制鞋皮件厂,上海正谊笔具厂、有信笔厂、速成塑料社并入了合肥金笔厂,等等。

合肥还对内迁企业职工落实相关政策。在经济上,内迁人员的工资标准原则上不变,高于合肥的不降低,低于合肥的,可参照国营企业同等技术和职务适当调整,伙食补助标准仍按上海标准发给,对内迁职工无工作的家属就业及子女就学问题均做妥善安排。在人事安排上,根据"量才使用"原则,并适当考虑原有职务,对资方人员作了适当安排。

但是,在内迁工作中也存在一些问题:如对少数资方人员的部分资产未核实清楚,留下了后遗症;对个别资方人员和少数内迁职工安排使用不当;在动员内迁过程中,宣传合肥好的一面多,困难的一面少,致使有些内迁职工到合肥遇到困难后因缺乏思想准备而情绪低落,其中有少数人要求返回上海,而合肥方面却采取以处理敌我矛盾的方法去处理这部分人,因而产生一些消极影响。

(三)沪企内迁的作用

上海部分企业内迁合肥,填补了合肥乃至安徽的针织、印染、搪瓷、制笔、面粉、农药、机电、灯泡、电池、制锁、日用化工、彩印、西服、饮料等工业生产的空白,为合肥工业发展播下了种子,奠定了基础。

此后,合肥依托上海内迁企业,先后组建了一批大中型企业。如合肥日用化工总厂,1991年总产值达到2.3亿元,是建厂初期的885倍。[①] 安徽纺织印染厂、合肥电机厂、合肥金笔厂、合肥华丰面粉厂、合肥搪瓷厂、合肥好华食品厂、合肥电池厂、合肥开关厂等,都是在内迁后得到更快发展,成为合肥乃至安徽省内的骨干企业,在合肥工业发展史上占有重要的地位,为合肥经济建设做出了重大贡献。

上海内迁到合肥的企业虽不足60家,但它在以后的发展过程中,又以"母鸡下蛋"的方式,分建和援建了合肥制锁总厂、合肥制锁二厂、合肥拉链厂、合肥灯泡厂、合肥大兴电筒厂、合肥变压器厂、合

---

① 《合肥文史资料(第八辑)·上海内迁企业专辑》,第7页。

肥模具厂、合肥自行车厂、合肥轴承厂、合肥仪表总厂、合肥广播器材厂、合肥无线电一厂、合肥精密铸造厂等一大批企业,这些企业经过数年的艰苦奋斗,大多成为合肥市的骨干企业。

上海内迁企业对合肥工业发展起作用最大的是人才与技术。在上海内迁的人员中,无论是工厂技术人员、管理干部,还是技术工人,均为合肥工业发展立下了汗马功劳。他们中不少人不仅是企业生产的骨干,解决技术难题的能手,而且为合肥培训了一大批技术和管理人才。这些技术和管理人才,后来分布到全市各企业,为合肥经济的发展起着重要的作用。如1955年从上海绿杨邨酒家来肥的方乃根,后成为合肥第一位特级厨师,多次出任安徽省及合肥市厨师培训班、徽菜进修班负责人和主要讲师,桃李满天下;印刷技术专家俞光华,对安徽新华印刷厂的发展功劳很大;日用化工专家姚焕新,后来领衔试制出芳草牙膏。

二、"一五"计划的实施与成就

中共中央在确定过渡时期总路线的同时,提出了发展国民经济的第一个五年计划。这个计划是根据党在过渡时期的总路线而编制的,是实现总路线的一个重大步骤。根据中央的路线、方针、政策,合肥市委、市政府为加快经济发展,制定了全市国民经济发展第一个五年计划。

"一五"时期,是合肥经济建设大发展的时期。五年间,全市基本建设投资总额达17819.3万元,其中工业占28.80%,农田水利占6.43%,文教卫生占22.58%,交通运输占4.46%,公用事业占8.96%,财粮贸易占4.90%,行政建设占6.41%,其他非生产性投资占17.46%。[①] 所有这些投资,都为把合肥建设成生产型城市打下了坚实的基础。

---

① 《合肥市志》,第1366—1367页。

(一)以工业为主导

"一五"时期,合肥把发展工业作为经济建设的重点。全市在完成对资本主义工商业改造的同时,展开了大规模的经济建设,新建、扩建一批骨干企业,重点发展重工业,轻工业也得到加强。到1957年年底,合肥工业企业达518家。其中,全民所有制独立核算工业企业71家,集体所有制独立核算工业企业24家。按轻重工业分,轻工业企业490家,重工业企业28家。[①] 这些企业的建立和发展,初步形成了以机械、轻纺、食品、化学为重点的门类比较齐全的工业体系。合肥工业的总体架构基本形成。

至1957年年底,全市工业总产值(包括手工业)实绩1.43亿元,较1952年的936万元增长14倍,年均增长70.2%,超额完成"一五"计划确定的目标。[②]

(二)以农业为基础

"一五"时期,全市人民在中共合肥市委、市政府的领导下,大力发展水利事业,改善了农业生产条件,农业生产发展较快。至1957年,粮食种植面积由原来的638.2万亩扩大为794.1万亩,其中水稻田由289.8万亩增加到367.3万亩。[③] 全市农业总产值2.13亿元,比1952年增长34.8%,年均递增6.2%。粮食总产84.4万吨,比1952年增长35.5%,年均增长7.1%,平均每亩单产突破100公斤;棉花总产2258吨,单产皮棉13公斤;油料总产45795吨,比1952年油料总产增长58.1%,年均增长9.6%,单产突破87公斤;生猪年末存栏49.1万头,比1952年生猪增长45.7%;水产品总产2086吨,年均增长24.4%,比1952年增长1.68倍。[④]

---

① 《合肥市志》,第397页。
② 《合肥市志》,第1367页。
③ 《合肥市志》,第994页。
④ 《合肥市志》,第997页。

（三）商业、交通、邮电的发展

随着工农业生产的发展和基本建设规模的扩大，合肥有计划有组织建设的商业网逐步形成。1957年，全市社会商品零售额达8842万元，为"一五"计划指标的126.03%，经营商品品种3.2万多种，保证了人民生活必需品的供应，并保持物价的基本稳定。①

交通运输事业得到发展。首先，公路运输得到稳步发展。"一五"期间，新建公路148.23公里，并改建了合六、合浦、合蚌、合淮、合安、合芜等重要干线公路。到1956年年底，合肥市有货运汽车769辆，是1949年的42.7倍。1957年，客运量达189.1万人次，是1949年的82倍。② 其次，航空运输开始起步。新中国成立前，安徽省内无民用航空运输。1956年，安徽省政府投资修复合肥三里街机场，但机场设施简陋，晴通雨阻。1957年1月1日，合肥三里街机场首次开通"上海—合肥—徐州—北京"第一条国内过站航线，结束了安徽没有民航运输的历史。是年，省政府又投资98万元扩建三里街机场。11月24日，三里街机场正式开办民用航空业务。

邮政通信事业有所发展。1956年，合肥邮电局开通新中国成立后省内第一条自办汽车邮路（合肥至安庆）。1957年，首次使用航空班机代运邮件，并先后对皖北（阜阳）、皖南（宣城）等地区实行空运、空投报纸，使省报当日到县。

电信事业发展较快。"一五"时期，合肥开通了全省第一条省际长话电路，在"合肥—北京"的报路上最先使用电传机，开始改装供电式长途电话交换机。合肥电信业务总量和业务员收入年均增长率分别为10.6%和14.1%。市内电话户数由1953年的394户增加到1957年的1322户，使百人拥有率由解放初期的0.19部提高到0.43部。1957年年底，全市有电信局所4处，平均服务人口7.6万人，平

---

① 《合肥市志》，第1367页。
② 《合肥市志》，第635页。

均服务面积2.2平方公里。[①]

三、计划经济体制的确立

(一)全市经济管理机构的建立

1951年,合肥市财政经济委员会始设计划科,负责全市计划管理工作。1954年7月,成立市计划委员会。1957年3月,市计划委员会与财粮贸办公室、工业办公室、统计科合并成立市经济计划委员会(简称市计委)。市计委在中央和省计划部门的领导下,编制五年计划和年度计划,计划体系初步形成并逐步健全,计划经济体制也随之逐渐建立起来。

(二)高度集中统一的计划经济体制的形成

随着第一个五年计划的实施,合肥亦与全国各地一样,逐渐建立起计划经济体制。

1. 物资供应管理方面

1953年起,国家对重要物资实行统一分配制度。物资管理分为统配、部管和地方管理三种形式;物资分配有申请单位和非申请单位之别;物资供应实行计划供应和市场供应两个体系;物资价格则实行调拨价和市场牌价两种价格。合肥市管理的物资,由合肥市计划委员会物资科负责平衡。

1956年后,随着社会主义改造工作的完成,合肥私营经济基本上被国营和集体经济所取代,列入"申请单位"的数量急剧上升,计划分配物资的范围亦越来越大。1953年国家统配和部管的物资有227种,1957年增加到532种,增幅134%。与其相反,商业市场直销物

[①] 《合肥市志》,第922页。

资,1954年为销售总量的25.8%,1956年下降到5.8%。[①]

2. 财政管理方面

1953年,随着国民经济的恢复,国家的财政状况逐步好转,中央决定实行"统一领导、分级管理"的财政体制,把财政划分为中央、省(市)、县(市)三级。这样,一方面可以加强中央的统一领导和统一计划,集中资金,保证重点建设;另一方面也逐步扩大地方权限,充分调动地方组织收入、节约支出的积极性。是年,合肥开始建立市一级财政。合肥市工商各税及农业税等项大宗收入全部上缴,印花税、个人所得税、屠宰税、牲畜交易税、城市房地产税、契税、文化娱乐税、车船使用牌照税、企业收入与其他收入,作为市级财政收入,预算收支差额由省补助。

1954年,国家对财政体制作进一步改进,根据"统一领导、分级管理"的原则,又重新划分中央与地方收支范围。当时把地方收入划分为三类:一是地方固定收入;二是固定比例分成收入;三是调剂收入。支出大体上按照企业、事业和行政隶属关系来划分各级财政支出范围。是年,合肥市实行"分级管理、收入分类分成"的财政管理办法。市属企业收入、其他收入、事业收入、印花税、城市房地产税、契税、文化娱乐税、车船使用牌照税列为固定收入。工商营业税、工商所得税,列为固定比例分成收入。农业税和公债收入全部上缴。调剂收入不按税种确定比例,而是按预算收支差额,由省拨款补助。

3. 劳动和工资管理方面

合肥解放后,市政府劳动局成立。人民政府对失业人员采取"包就业"的政策,一方面对国民政府遗留下来的公教人员和官僚资本企业职工,采取"包下来"政策;另一方面,通过介绍就业、以工代赈、生产自救、还乡生产、社会救济等多种措施,对失业人员积极救助和安置。1952年,成立合肥市失业工人救济处,负责失业人口的登记和救济,介绍安置失业人员就业。1954年,失业工人救济处撤销,成立劳

[①] 《合肥市志》,第1312页。

动介绍所。其主要职责是介绍失业者工作或办理录用正式工手续、救济失业工人、组织失业人员以工代赈、组织失业人员生产自救等。到"一五"时期末,合肥的劳动就业体制基本形成,即以招工为主、统包统配的就业形式。

"一五"时期,随着国民经济的恢复和"一五"计划的实施,按照计划经济的要求,合肥市对在职职工的劳动报酬分配,逐步实行由供给制向工资制过渡。到1955年7月,全市党政机关、企事业单位全部实行工资制。1956年,全市党政机关、企事业单位实行较大规模的工资改革。改革的主要内容是取消职工工资分配制度和物价津贴制度,首次实行直接按货币规定工资标准的制度。市属国家机关、事业单位和少数企业的国家工作人员,统一实行职务等级工资制度。国家行政管理人员分30个等级,工程技术人员分18个等级,大多数企业的领导人、工程技术人员和经济管理人员实行职务工资制。企业工人则实行八级工资制、七级工资制。普通工和学徒工基本上按地区统一规定工资标准。是年,全市参加工资改革的职工2.16万人,增加工资人数2.05万人,占职工总数的95.08%。全年增加工资额153.8万元。工资改革前,每人每月平均工资为38.73元,改革后为46.33元,平均每人增加月工资7.57元,比工资改革前提高了19.53%。[1]

第四节 "一五"时期的社会发展

一、文教卫生事业的发展

"一五"计划期间,合肥文教卫生事业的发展正式纳入国家计划

---

[1] 《合肥市志》,第2039页。

轨道。1956年,贯彻"加速发展,提高质量,全面规划,加强领导"的方针,社会发展的各项计划顺利完成。

(一)文化

"一五"时期,合肥贯彻"百花齐放、百家争鸣"的方针,戏曲艺术开始呈现兴旺局面,群众文化活动非常活跃,图书、电影等事业一派兴旺。

1. 戏曲艺术的发展

庐剧是发祥于合肥、流行于江淮及皖西地区的地方戏,原名倒七戏,俗称小倒戏。1952年,安徽省文化局为了对倒七戏进行实验改革,接收私营平民剧社全部艺人,派进了党的干部和新文艺工作者;经过文艺整风、艺人培训班学习后,建成皖北合肥地方戏实验剧团,1953年更名为安徽省地方戏团,同年10月又更名为安徽省倒七戏剧团。1955年,经安徽省人民政府批准,倒七戏被正式定名为庐剧。同年7月,安徽省倒七戏剧团更名为安徽省庐剧团。次年9月,合肥市人民庐剧团成立。

"一五"时期,庐剧在表演艺术、服装道具等方面都有较大改进和发展。庐剧《梁山伯与祝英台》大胆借用其他剧种的艺术表现形式,在戏曲改革上取得突破,新唱腔广为流传。1954年,省庐剧团赴上海参加华东地区第一届戏曲会演,演出经过整理、改编的庐剧传统剧目《借罗衣》《打芦花》《打桑》《讨学钱》和《观画》等,共获得2项演出奖、2项音乐改革奖、7个演员奖,其中演员丁玉兰、王本银获一等奖。1956年7月,在安徽省首届戏曲观摩演出大会上,演出整理、改编的传统剧目《双丝带》、创作现代戏《李华英》,共获创作、导演、表演、舞美、作曲、演奏、乐师等28项奖励。

庐剧的发展造就了许多颇有才华的演员,著名演员丁玉兰是其中较为突出的一个。丁玉兰,1931年出生于肥东武集户村。1949年秋,她应邀来到合肥平民剧社。1951年夏,剧社改为国营,丁玉兰成为国营剧团的主要演员。1954年春,丁玉兰参加了华东地区举行的第一届戏曲会演,主演《借罗衣》,荣获演员一等奖。1956年夏,参加安徽省首届戏曲会演,主演《双丝带》,荣获一等奖。1957年春,丁玉兰与剧团同仁参加了"安徽省地方戏赴京汇报演出",她主演的《借罗衣》及《休丁香》受到首都文艺界的重视。艾芜、戴不凡等著名戏剧评论家,在同年4月25日的《人民日报》上发布评论文章,高度赞扬了丁玉兰的表演艺术。艾芜说他比看《欧根·奥涅金》的歌剧还要感动,说他看到丁玉兰在《休丁香》"叹十里"一场的表演时,感动得留下了眼泪。艺术大师梅兰芳看了演出,亲到后台探望,并谦虚地说:"跑驴的舞蹈演得很好,我要向丁玉兰同志学习。"田汉说丁玉兰是"眼残艺不残的表演艺术家"。1957年5月6日,丁玉兰主演的《借罗衣》,王本银主演的《讨学钱》,在中南海怀仁堂向中央领导人做专场演出。结束后,毛泽东主席等中央领导与丁玉兰等一一握手,周恩来总理还与演员交谈,询问剧团情况,勉励大家戒骄戒躁,多为人民演出好戏。此次赴京汇报演出,是庐剧史上光辉的一页。

除庐剧获得发展外,还增加新的剧种。1953年5月,安徽省黄梅戏剧团在合肥成立,由此,黄梅戏成为合肥艺术表演园地的一个颇负盛名的剧种。次年,安徽省黄梅戏剧团参加华东地区戏曲会演,获奖多项。著名演员严凤英、王少舫主演的《天仙配》及《夫妻观灯》,先后被拍成电影,在国内外放映后,获得广泛好评。1953年,安徽省话剧团成立,1956年演出独幕剧《归来》,荣获全国第一届话剧观摩演出一等奖。1956年2月,新民京剧团改建为国营合肥市京剧团,同年秋参加安徽省第一届戏曲会演,演出《初出茅庐》《齐姜遗夫》及《画皮》等剧目,获得演员、唱腔、导演、舞台美术及乐师等20多项奖励。1956年,安徽省徽剧团成立。1957年10月,接收蚌埠社(壮)艺越剧团,成立合肥市越剧团。

随着戏曲艺术的不断发展,演出场所也逐渐得到改善。1953年11月,由新民大戏院翻建的"合肥剧场"正式建成,为合肥市第一家国营剧场,建筑面积1145平方米。1954年12月,合肥江淮大戏院建成使用。这是合肥解放后由国家投资修建的安徽省第一座具有民族古典建筑风格的大型剧院,建筑面积3590平方米。1955年,市政府拨专款在文昌宫建设简易曲艺场,改善了说唱艺人的演出条件。次年,市文化局接收私营人民剧社,翻建成淝滨剧场,作为市庐剧团主要演出场所。

2. 群众文化获得发展

"一五"时期,群众文化的发展主要表现在:一是群众文化机构的改制及活动网点的增多。1953年12月8日,国家文化部发出《关于整顿和加强文化馆、站工作的指示》,明确文化馆、站的性质、任务、业务范围和开展工作的基本方法。据此,合肥市文化馆对其工作任务做重新规定。1956年,合肥市将原中心文化馆与车站文化馆合并成立市文化馆,同时设立东市、西市、中市、郊区四个文化分馆。此外,各工厂、街道、农村生产大队也分别建立俱乐部、业余剧团、工人业余文艺队、街道文娱组等。二是群众文化活动的增多。1953年2月,市文化馆为配合"婚姻法运动月"宣传,共组织戏剧演出90余场。同年,文化馆举办"全市相声大会串",连演5场,场场爆满。此外,全市群众性京剧、话剧、庐剧演出也十分活跃。

3. 电影

"一五"时期,合肥市的国营电影放映单位有所发展,先后建成了光明电影院、长淮电影院两家新型的设备齐全的专业电影院。同时,各工厂、机关、学校的电影俱乐部、电影队也纷纷建立。

总之,"一五"时期,合肥文化渐呈全方位、多层次、多品种、多样式发展格局。至1957年年底,合肥市共有图书馆近20家,各类书店17家,专业文化艺术和表演团体9个,文化艺术队伍人数达到300名,剧团8个,影剧院(队)9个,观众达435万人次,社会主义文化逐步发展起来。[①]

(二)教育

"一五"时期,合肥市的各级各类教育根据政务院文教会议制定

[①] 《合肥市志》,第1366页。

的"整顿巩固,重点发展,提高质量,稳定前进"的方针,开始做到有计划、按比例的发展。

幼儿教育有新的发展。到1957年,全市幼儿园由1953年的5所增至58所,入园儿童总数达到3642名,其中公办5所,私立1所,其余为街道、厂矿、部队所办。①

普通教育发展较快,初等教育基本普及,学龄儿童入学率达到83%。1953年2月,市政府决定:接管私立小学并转为公办,并根据情况分别进行合并、扩建或增添设施,使全城小学的学生容量大大增加。是年,全市小学数量68所,在校学生1.57万人,教职工667名。到1957年,全市小学有81所(其中合肥一中1955年被确定为省级重点中学),在校学生3.38万人,教职工1225名;普通中学则发展到10所,在校生1.12万人。②

中等专业学校教育步入快速发展的轨道。1953年7月,安徽省政府将巢县黄麓师范学校迁来合肥,与合肥师范学校合并,成立了规模更大的合肥师范学校。到1956年,合肥师范学校发展到20个班级,并开办速成班和幼师班,师资质量也有较大提高,一举成为全省享有盛名的中等专业学校。1953年,紫蓬山林业学校迁来合肥,在西郊大蜀山建校,改名为合肥林业学校。1954年,安徽体育运动学校在肥成立。1956年3月,安徽省中医进修学校由芜湖迁来合肥,后来改名为安徽中医学院(现为安徽中医药大学,下同)。同年,又相继成立了合肥农业学校、安徽艺术学校、安徽交通学校、农业机械化学校、电影学校等。到1957年,合肥中等专业教育,发展到拥有工、农、林、医、师范、财经、体育、艺术等各类学校11所,在校学生5433人。③

高等教育获得长足发展。1954年夏,安徽农学院(现为安徽农业大学,下同)由芜湖迁肥;1956年暑期,淮南煤矿专科学校改建为合肥矿业学院后,迁来合肥,1958年改名为合肥工业大学。到1957年,合

---

① 《合肥市志》,第2565页。
② 《合肥市志》,第2573页。
③ 《合肥概览》,第458页。

肥地区有普通高等学校3所,在校学生5026人。[①]

成人教育得到快速发展。"一五"时期的合肥成人教育以业余学校为主要形式,分为职工业余学校、市民业余学校、农民业余学校和机关业余学校四种类型,分别对企业职工、市民、农民和机关干部进行业余教育。各类业余学校的任务主要是扫除文盲,其次是开展业余小学、业余初中教育。到1956年下半年,各类业余学校的领导关系、教室、教师、经费、课本、教学管理等都走上了正常的发展轨道,取得了很大的成绩,其中以扫除文盲取得的成绩最大。

除了各级各类学校获得发展外,教学方法和教学质量也显著改进和提高。这一时期,合肥市各级各类学校重点开展社会主义和共产思想品德教育,把劳动教育列入普通教育的内容,并在合肥一中、合肥师范学校重点试验了综合技术教育。从1955年起在中小学实行劳卫制。1956年,成立中小学教学研究室,具体指导中、小学的教育和教学研究工作,抓教师业务进修。此外,为加强党对教育工作的领导,1955年,中共合肥市委成立文教部。从1956年起,市委有分管文教的书记,政府有分管文教的市长,又在较大的学校设立党支部,使党的各项方针、政策得以贯彻执行。

总之,"一五"时期,合肥把新建扩建各级各类学校作为发展合肥教育事业的首要之举,不但建立了从幼儿园、小学、中学到大学,从普通教育、专业教育到业余教育的比较完整的学校教育体系,形成了一支人员够用、质量日趋成熟的教师队伍,而且办学经验和教育思想也逐渐成熟。

(三)卫生与体育

1. 妇幼保健事业继续发展

"一五"计划时期,合肥的妇幼保健事业继续发展。首先,妇幼保健网逐渐形成。1953年2月11日,由卫生、工会、妇联等有关部门组

[①] 《合肥市志》,第2603页。

成的合肥市妇幼保健委员会成立,首次在全市推行妇幼保健地段责任制。同年,国家卫生部拨专款5.5万元兴建合肥市儿童保健所,也是全国首批兴建的18个儿童保健所之一。至1957年,全市共有妇婴保健院1所、儿童保健所1所、妇幼保健站8个、接生站和接生组54个。其次,大力推广了新法接生。到1957年,全市经过训练的接生员有278人,新生儿的新法接生率达到99.5%,破伤风已基本消灭,产妇的产褥病也大为减少。①

2. 医疗机构逐年增加

"一五"时期,除原有的安徽医学院附属医院、省立医院、妇幼保健院等有所扩建和改建外,还陆续增加了一些医疗机构。1954年2月15日,合肥市人民医院建成开诊,为合肥市首家市级综合医院。5月,安徽省精神病医院在合肥建成开诊。1955年2月,市传染病医院正式建成开诊。1956年,正式设立市级卫生防疫站。1957年,成立市属区卫生所。到1957年,合肥市卫生机构总数达145家,医院病床达1539张。②

这一时期,各医疗机构贯彻预防为主的方针,建立传染病报告制度,门诊时进行讲卫生、防疾病的候诊教育,在医院中还推行了保护性医疗制度等。防疫工作取得一些成绩,每年都进行大规模的预防注射。1956年各种预防注射达19.21万人次。③ 霍乱、天花等已经基本绝迹,乙型脑炎、伤寒、白喉、麻疹等各种流行疫病的发病率也大大降低。医疗质量和技术不断提高,如心电图测定、小脑延髓池穿刺、肺叶切除、食道癌切除、肾脏摘除、腹膜外剖腹等,已能够掌握和解决。

3. 爱国卫生运动深入开展

"一五"时期,爱国卫生运动在全市更加广泛、深入、持久地开展,推动了卫生防疫工作全面发展,预防为主的思想深入人心。

---

① 甘正国:《我市卫生保健事业如旭日东升》,《合肥日报》1957年12月31日。
② 《合肥市志》,第4页。
③ 甘正国:《我市卫生保健事业如旭日东升》,《合肥日报》1957年12月31日。

1954年大水灾后,全市人民在中共合肥市委、市政府的领导下,奋起抗灾,迅速清理水患带来的环境污染。全市共组织2340人的突击队处理污水和垃圾,组织358个灭蝇队灭蝇,在短短的半个月中,共清除垃圾、淤泥1.7万多担。① 卫生部门在街头设立疾病医疗站和巡回医疗组,进行预防注射,为灾民治病;组织人员加强饮水消毒和饮食卫生管理。这些措施,有效地避免了灾后大规模疫病的发生,打破了"水灾之后必有瘟疫"的历史常规,爱国卫生运动首次在救灾防病中显示出巨大作用。

1955年之后,全市爱国卫生运动以消灭病媒生物、除害防病为中心。1956年,在《全国农业发展纲要》中,明确提出以除"四害"(消灭苍蝇、蚊子、老鼠、麻雀)和消灭疾病的要求。全市爱国卫生运动转入以除"四害"为中心任务的新阶段。由于消灭了大量"四害",各种以"四害"为媒介的传染病(如乙脑、伤寒、痢疾等)发病率明显下降。

4. 中西医结合

1954年12月,合肥市政府召开中医、西医人员座谈会,推行中西医结合医疗。1956年10月,合肥市西医学习中医班正式开课,有287名西医参加听课,西医脱产学习中医高级班也同时开班。1957年10月17日,市卫生局首批招收中医学徒20名,采取中医传统方式签订带徒合同,三年出师。

"一五"时期,全市个体开业中西医积极响应政府号召,组织起来走集体化道路,纷纷成立中医、中西医联合诊所,或被安排进入公立医疗机构。1953年2月1日,由名老中医金容甫、杨新吾等发起组织合肥市中医联合诊所正式开业。这是合肥市历史上第一家具有集体性质的中医医疗机构。1955年1月19日,该中医联合诊所被接纳并入公立的市人民医院,并以此为基础组建了该院中医部,成为全省综合医院中第一个功能齐全的中医科室。此后,各综合医院也相继成立中医科,各机关、学校的门诊部、卫生所乃至厂矿医院也广泛吸收

---

① 《合肥文史资料(第十五辑)·卫生专辑》,第28页。

中医人员参加工作。1956年,全市又有70余名个体开业和坐堂中医先后走上了集体联合办医道路,共组建中医或中西医联合诊所26个。①

5. 体育事业的兴起

"一五"时期,合肥的体育事业获得了发展。首先,群众性体育运动兴起。到1957年,全市80%以上的职工参加广播体操活动,各种职工业余球队发展到150余个,职工体育骨干达2500余人,并组成代表队,参加省、市级运动会的各项比赛活动。②农民体育也得到较快发展。1954年,合肥郊区农民开展的体育活动,仅篮球一项就举办比赛200多场,参加活动的农民队员达1200余人次。③ 1955年以后,农民体育活动结合民兵军事训练展开。其次,竞技体育有所发展,运动技术水平有所提高。1953和1954年,相继举办了第二、三届人民体育运动会,并组织合肥市体育代表团参加安徽省第一届运动会的各项比赛。1954年,合肥市体育运动委员会成立。合肥市运动员还参加了全国性的比赛,并取得了较好的名次,如1957年4月,陈惠英在全国一级、健将级游泳比赛中,获女子200米自由泳冠军;韩秋霞获女子400米混合泳第三名。④

二、城市规划与建设

"一五"时期,合肥城市建设以自力更生为主,以老城区为基础,依托老城,在靠近铁路、公路、航道的东区逐步向外发展,以利用已经有的交通、水电条件和老城区简陋的公共设施。1954年,为开辟和平路工厂区,合肥市采取统建方式建设道路网。为开通长江路,建设部门因地制宜地避开房屋密集的后大街,沿着前大街、小东门街沿线改

---

① 《合肥概览》,第510页。
② 《合肥市志》,第3080页。
③ 《合肥市志》,第3081页。
④ 《合肥市志》,第3224页。

造年久失修的危房。这一时期,省市行政机关及一些主要文化、商业设施得到比较妥当的规划和建设。

(一)行政区划

"一五"时期,合肥的行政区划变动不大,唯一的变动就是郊区的恢复与扩大。1955年1月,东郊区、西郊区合并,恢复郊区。1956年3月,肥西县的大蜀山乡划归合肥城郊区,使城郊区的范围进一步扩大,共辖16个乡。同年9月,结合基层选举将郊区的16个乡合并为7个。

(二)城市总体规划

1956年,合肥编制《合肥市城市总体规划》,确定并巩固已形成的东郊工业区规划布局,充实北郊工业区的规划内容,明确"重点改造老城,逐年向外扩展"的城市建设方针。"一五"时期,由于城市规划工作处于学习和摸索阶段,因而在规划中有片面追求轴线对称的倾向,过于迁就原有道路走向,没有规划贯通市区南北的干道,对一些建设项目未能做到通盘规划,给工厂发展预留空间过少。

(三)路名规划

1952年,合肥正式成为安徽省会之后,城市发展速度加快,在改造发展老城的同时,向东向南扩展了大片新区,拓宽和新增了不少道路。原有的街路名称已与城市飞速发展的形势不相适应,亦不够用了,有必要对全市已有及新建的道路进行全盘命名。

1953年,合肥市首次对道路进行全面命名。时任市建设局局长陈衡等人向市政府提出了以安徽省地名为主的合肥市道路网命名方案。这个方案提出了以下几条命名原则:第一,以安徽省内各市、县及重要的河、湖、山脉的地名作为合肥市道路名称;第二,道路与实际地理方位相对应;第三,争取用带"水"的地名作为东西向名称;第四,不再改动个别已经用习惯了而其含义仍可沿用的路名;第五,对城里原有巷道名称,除个别外,基本上不改动。① 市政府在略作变动的基础上,基本同意上述所提命名原则。从此,合肥市城区内便出现了长江路、淮河路、徽州路,等等。

　　这次道路命名反映了合肥市的地位特征,基本上符合尊重历史、照顾习惯、体现规划、好找好记的要求,为广大市民所称道。但这次道路命名亦有一些不足。如有些与公路衔接的道路起讫点没有具体加以明确;巷道名称没有变动等。

(四)市政建设

1. 道路

　　1953 至 1957 年,合肥的市政道路建设以改建市区干道,新辟东郊工业区道路为主。1954 年 7 月,市政府建设局分别对小东门街、四牌楼街、前大街、西门大街 4 条东西向相连道路进行畅通拓宽,在此基础上,修建了合肥市第一条横贯老城区的东西向主干道。1955 年,这条主干道被正式命名为长江路。道路宽度由原 5 至 7 米拓宽到 25 米②,车行道两侧铺有预制水泥混凝土人行道板,下敷排水管道,并在沿街建设一些大中型商店和公共建筑,逐步成为城市的繁华地段。1956 年又在快车道上铺浇了沥青路面,这是合肥乃至全省的第一条沥青路面干道。此外,扩建的东西向干道还有:以东门大街、文昌宫街为基础,扩建成淮河路;以后大街等街道为基础,扩建成安庆路。扩建的南北向干道有:以兴仁里、尚节楼巷、南门大街为基础,扩建成徽州路;以南土街、映典路、鼓楼街、北大街等为基础,扩建成宿州路。同期,在老城区结合下水道修建工程,新建六安路、庐江路、舒城路、逍遥津路,改建九狮桥街、格物街(今巢湖路)等。在市区东部工厂

---

① 陈衡:《新中国成立初期合肥市道路全面命名的回忆》,合肥市政协文史资料委员会编:《安徽文史资料》(第 14 辑),皖内部图书(96)—199,第 90 页。

② 在当时长江路修整规划中,最初将路面拓宽为 50 米,但遭到了部分人的强烈反对,最终新修的长江路宽度为 25 米。这真是历史的遗憾。因随着城市发展、人口的增加和车辆的增多,25 米宽的长江路到 20 世纪 80 年代末已不堪重负了。

区,配合工厂建设,新建东西向的和平路、大通路;南北向的明光路、铜陵路;将崇德街、尚武街、三里街扩建成蚌埠路。在市区南部,新建南北向的宁国路,东西向的屯溪路,改建了芜湖路。在市区西部,改建梅山路等。在市区北部,新建南北向的亳州路,东西向的濉溪路。这些道路多数为泥结碎石路面,也有部分道路为沥青路面。

2. 路灯

合肥解放前夕,全市有路灯数十盏。新中国成立后,特别是"一五"时期,路灯数量增加较快,到1957年增至920盏。①

3. 排水

合肥解放前,全市没有城市排水设施。1954年7月,合肥在兴建城市道路的同时,同步铺设城市排水设施。排水管道铺设采取先老城区、工业区、主次干道,后小街小巷。这一时期,老城区铺设了北门闸上游排水管网、西陈小巷(今阜南路)排水管网、中菜市排水管网、桐城路排水管网等,并开始建设东区排水管网工程。这一时期,为治理九狮河②这条"龙须沟",市政府发动全城市民将其填平,在故道上修建了淮河路(西段)和中菜市,彻底改变了往日九狮河的面貌。

4. 防洪

合肥解放前,全市没有防洪能力和防洪措施。合肥解放后,合肥地区曾在1952年和1954年两次遭洪水袭击,损失严重。为防止洪水对市区的危害,1955年8月,合肥确定在市区南淝河上游正源兴建董铺蓄洪水库。1956年11月,董铺水库破土兴建,总库容1.7亿立方米,1958年12月建成后,提高了城市防洪能力,并为城乡提供了丰富的水源。

---

① 《合肥市城市建设志》,第168页。
② 九狮河又名金斗河,因唐杜刺史作斗门引肥水入金沙滩而得名。金斗河原来水源充沛,河面宽阔。明正德年间,农民刘六、刘七起义,庐州知府徐钰因起义军从水路攻打庐州城,于是将西门水关封堵,从此金斗河成了无源之河,渐渐淤积,至合肥解放前夕,已经是一条臭水沟了。

（四）城市供水

合肥解放前，全市人民生活用水和生产经营用水，均靠人力提汲井水或南淝河水。1952年，合肥市成立上下水道工程处，着手筹建自来水厂。1954年11月，合肥一水厂建成送水，日供水能力6千立方米，市民第一次用上自来水。① 投产后的一水厂，供水量逐步上升，1955年全年供水77万立方米。②

（五）公共交通

合肥解放初，仅有几辆破旧不堪的老爷车跑周边的城郊，因为城门的原因，这种汽车进不了城。一直到解放初期，合肥城里都没有公交车，市民出行的交通工具只是为数不多的人力黄包车。1956年2

1956年合肥公交车开通

---

① 《合肥市志》，第309页。
② 《合肥市志》，第311页。

月1日,合肥市公共汽车公司成立,正式开通全市第一条公交线路,即由火车站发车,经胜利路、淮河路、徽州路、庐江路、梅山路至农学院(现安徽农业大学,下同)的1路公共汽车,全程8公里,沿途设15个停靠站,共有7辆公共汽车投入营运。[1]

(六)园林绿化

"一五"时期,合肥还修复了包河公园,扩建了逍遥津公园、河滨小游园和九狮河林荫道,并在大蜀山建立烈士陵园。又将破败不堪的包公祠修复一新,还整治了护城河。1955年,扩建的逍遥津公园将季家花园并入。全市公园数量达到4个。

1956年,合肥成立园林绿化施工队,负责街道绿化施工与管理。同年,开始建设史家河、南淝河、板桥河及董铺水库防护林。1957年,市绿化委员会成立,负责指导全市园林绿化工作,并要求各单位把辖区、厂内空地全部绿化。

(七)重点建筑

一个城市的建筑,是构成城市历史的重要元素,是一定时期城市经济发展水平和文明进步程度的体现。这一时期,合肥建成了一批有代表性的建筑,包括民族风格建筑和苏联式建筑(简称苏式建筑)。1954年12月建成的江淮大戏院,是新中国成立后安徽省由国家投资建设的第一座大型剧院,建筑面积3590平方米。它是较早探索新中国民族形式建筑的案例,是20世纪50年代合肥的标志性建筑。安徽农学院主教学楼,安徽省地质博物馆(安庆路原址)陈列楼,以及后来的安徽省图书馆主楼,都是合肥"民族形式"建筑的代表。此外,1956年建成开业的长江饭店,有五层大楼一幢,建筑面积1.3万平方米,经营配套齐全,技术力量比较雄厚,在当时全国同行业中具有较大的影响。

这一时期,因受中苏友好关系的影响,合肥乃至全国都建起了一

---

[1] 《合肥概览》,第42页。

大批苏式建筑。1956年11月建成的安徽省博物馆,即按照苏联模式兴建的,是典藏安徽历史的重要文化建筑。安徽大学主教学楼于1956年开始规划建设,1958年建成,占地1.84万平方米,亦是一幢典型的苏式建筑。1958年开工兴建的合肥工业大学主教学楼,也采用了苏式风格。此外,省委办公大楼、省政府办公大楼、光明电影院、中苏友好馆等都是合肥当时有名的苏式建筑。

"一五"时期,合肥在整修利用老城的同时,开辟了东郊、北郊工业区。到1957年,累计完成城市建设投资1777万元,城市建成区面积发展到20.7平方公里,城市道路、排水等市政设施逐年增加,城市供水、公共交通等公用设施从无到有,省会城市的雏形逐渐显现。[①]

三、社会结构与社会变迁

(一)人口变迁

1949年1月,合肥解放之初,市区仅有5万人。随着全市各项建设事业的发展,从部队、农村和外省市吸收大量人员,市区人口迅速增加。加之多次因区划调整而划拨的人口,到1957年末,合肥市区人口达到30.4万余人,9年间人口净增25.4万人。由于国民经济的恢复发展,文化教育事业的不断进步,医疗保健条件的改善,人民物质、文化生活水平的提高,合肥的人口规模、质量和结构组成都发生了变化,主要表现在几个方面:(1)人口增长速度快。合肥市人口由1949年年初的5万人增加到1952年年末的13.8万人,4年净增8.8万人,人口数量第一次呈现翻番。1953至1957年的5年,全市人口数量迅速增加,1957年为30.4万人,5年净增16.5万人,增长119.26%,年平均增长速度14.94%,人口呈现第二次翻一番。[②](2)以外来人口增加为主。

[①] 《合肥市城市建设志》,第2页。
[②] 《合肥市志》,第121页。

1949年年初至1957年年末,合肥市人口共增加了24万余人,其中外来人口增长21万余人,本市自然增长人口仅为2.8万余人。① 合肥外来人口增长较快的原因,一方面由于合肥为新兴城市和全省政治、经济、文化中心,调入和吸收公职人员较多;一批上海企业迁入合肥,随厂迁肥的职工家属较多;兴办的高、中等院校面向全国招生,也吸收了大批学生入肥;这些都促进了市外人口向合肥迁移。另一方面由于郊区设置及其区域变更带来的人口划拨。1951年肥东3个乡共1.8万人和肥西5个乡共2.8万人划入合肥郊区;1956年又有1万余人从肥西、肥东划入合肥郊区。几次行政区划变动,共划入合肥郊区人口5.8万人。(3)男女性别比例失衡,男多于女是合肥市人口发展中历史遗留的一个特点,这一时期尤为突出。1949年,合肥市人口男女性别比例为121∶100,此后几年,男女比例失衡的状态一直存在且呈现出不断上升的趋势,到1956年这一比例发展到162∶100,男女比例严重失调。② 导致这种性别比例失衡的原因,除受传统重男轻女思想的影响外,还有两个主要因素:一是从上海等地搬迁来一批工商企业,调进职工及新增就业人员以男性居多;二是大中专院校在校学生,男性多于女性。(4)非农业人口占总人口比例较高。1957年,合肥市非农业人口占总人口比重为75%左右。③ (5)人口整体文化素质不高,但呈逐渐提高的趋势,这主要归于新中国成立以来,合肥教育事业的较快发展,人口的文化素质有所提高。(6)人口年龄结构较轻。1953年,合肥市14岁以下少年人口占总人口比重为31.38%,属于年轻型(增长型)人口增长模式。④ (7)家庭平均人口规模呈上升趋势。1949年,合肥市平均家庭人口为5.09人,此后逐年上升,"一五"计划期间,合肥市

---

① 1949至1952年经济恢复时期,人口基数小,人民生活及医疗保健条件较差,出生率为12‰~22‰,自然增长率为10.67‰。自然增长3805人,占增长人口总数的4.88%。1953至1957年"一五计划"期间,人民生活及医疗保健条件明显改善,出现了第一次生育高峰。5年中,人口自然增长24791人(年均自然增长率高达23.82‰),占5年人口增长总数的15%。

② 《合肥市志》,第137页。

③ 《合肥市志》,第155页。

④ 《合肥市志》,第143页。

出现第一次生育高峰,到 1957 年,平均家庭人口达 7.18 人。①

(二)社会阶级阶层与城乡二元结构

从 1949 年合肥解放,到 1957 年"一五"计划顺利完成,合肥地区的社会结构发生了巨大的变动,阶级和阶层也相应地发生了新变化。

"一五"计划时期,合肥是国家重点建设的城市之一,由于工业经济和其他各项建设事业的发展,从农村和外省市吸收大量职工,市区人口迅速增加。随着城市化的发展,合肥市完成了从农业小镇向工业城市的转化,工人阶级人数急剧增加,民族资本家、小资产阶级逐步消失,高、中、初级专业和管理人员也随之扩大,过去的资本家、地主和富农、失业流动者等阶级阶层,不复存在,社会阶层基本上由干部、工人、农民组成。

从合肥解放到"一五"计划完成的 9 年间,合肥的经济社会发展实行优先发展重工业的战略,实施粮食统购统销政策、二元户籍制度等,逐渐完成了城乡隔离的制度化过程,形成了城乡分治的户籍制度和城乡二元化的户籍身份等级体系,农民与市民两种不同的社会身份,城乡二元社会结构基本确立。

第五节 "一五"时期的政治建设

一、民主政治建设

(一)第一届人民代表大会的召开

新中国成立之初,召开由选民普选的全国及地方各级人民代表

---

① 《合肥市志》,第 173 页。

大会的条件还不具备,民主政治建设只能从创造和运用各界人民代表会议这一组织形式开始。合肥与全国一致,在 1949 至 1952 年,召开了 8 次各界人民代表会议,1953 年 3 月又召开了第九届各界人民代表会议。1953 年 1 月,中共中央决定实行普选,筹备召开全国人民代表大会和地方各级人民代表大会。在这个大趋势、大背景下,"一五"时期,合肥市筹备召开了人民代表大会。

1954 年 7 月 22 至 25 日,合肥市第一届人民代表大会第一次会议在段家祠堂召开。出席会议的各界代表共 154 人。这次大会是在安徽省人民代表大会、全国人民代表大会召开前夕,在中华人民共和国宪法草案公布不久后召开的,因此,此次市人民代表大会的召开,具有特别重大的意义。会议由合肥市人民政府代理市长章嘉乐致开幕词。会议审议并通过《关于政府工作总结及今后工作任务的报告》等。大会期间共收到代表提案 632 件,整理合并为 186 案,内容涉及政法、财经、房产、市政建设、文教、卫生、工业生产、农业生产、劳资关系、劳动就业等方面。大会选举产生了出席安徽省第一届人民代表大会的 9 名代表。会议最后由中共合肥市委书记丁继哲做大会总结报告,市民建副主委张东野致闭幕词。

1955 年 4 月 12 至 15 日,合肥市第一届人民代表大会第二次会议在市政府礼堂召开。出席会议的各界代表共 146 人,列席代表 26 人。大会向中央人民政府主席毛泽东发了致敬电。大会的主要任务有两项:一是讨论通过市人民政府工作报告;二是选举市人民委员会组成人员和市法院院长。大会根据《中华人民共和国宪法》将合肥市人民政府改称为合肥市人民委员会(简称市人委)。大会选举江城为市长。大会收到提案 169 件,经整理合并为 91 案,内容涉及工矿、水利、财政金融、粮食、交通航运和邮电、文化、教育、医药卫生、商业贸易、民政、劳动就业、农业、市政建设及其他方面。大会做出《关于合肥市人民政府一九五四年工作情况和一九五五年工作任务的报告的决议》等五项决议。

合肥市第一届人民代表大会两次会议的胜利召开,标志着社会主义政治制度在合肥市的完全建立与巩固。

(二)政治协商与统一战线工作

中国人民政治协商会议合肥市委员会(简称合肥市政协)的前身是成立于1949年9月的合肥市各界人民代表会议协商委员会(简称市协商委员会)。在合肥市人民代表大会召开前,各界人民代表会议代行人民代表大会职能,而市协商委员会为各界人民代表会议的常设机构,办理日常事务。

在解放初期的5年里,市协商委员会对于团结、动员全市各族人民和一切爱国力量反对国内外敌人,实行民主改革,恢复和发展国民经济,扩大统一战线,巩固人民民主专政,发挥了重要作用,完成了《中国人民政治协商会议共同纲领》赋予的历史使命。合肥市第一届人民代表大会召开,标志着合肥市新的根本政治制度的建立,同时也标志着合肥市各界人民代表会议完成了其历史使命。

1955年2月22至25日,合肥市政协第一届委员会第一次全体会议召开。会议听取并讨论中共合肥市委书记丁继哲《关于目前形势与任务》的报告,听取和审议《关于合肥市人民代表会议协商委员会几年来的工作报告》等,并通过相应的决议。会议选举本届委员会主席、副主席、秘书长和常务委员。合肥市政协正式成立。

在政协会议顺利召开的同时,合肥的统一战线工作也获得逐步提高。主要反映在以下几个方面。其一,中共合肥市委贯彻"关于统一战线工作的指示",在党内进行教育,提高党员对党的统战工作的认识。其二,中共合肥市委统战部门先后组织工商界人士学习宪法、总路线等,培养其中的进步分子。同时,结合资本主义工商业的社会主义改造,解除工商业界人士的思想顾虑,还组织其中较有影响的人物学习时事政治、党和国家的大政方针。其三,对各界民主人士和资本家中的代表人物,按其工作能力,影响范围和政治态度,给予适当的安排。

二、加强党的建设

(一) 整党与"新三反"斗争

1953年1月22日,中共合肥市委制定《1953年建党工作计划》,贯彻执行中央有计划、有步骤、有准备,积极谨慎地整党的方针,同年年中,全市整党运动正式展开。这次整党运动分为学习、登记、审查、处理四个步骤。每个党员都要在学习和提高觉悟的基础上主动登记和接受组织的审查与鉴定,然后把党员分为四类分别处理:够条件的;不完全具备条件或有严重毛病的;不够条件的;混入党内的阶级异议分子、叛变分子、投机分子及蜕化变质分子等。第三类人劝其退党,第四类人一律清除出党。通过整党,党组织得到壮大,党员素质得到提高,为党领导合肥市大规模的经济建设和有计划的社会主义改造提供了保障。

在开展整党运动的同时,中共合肥市委按照中央《关于反对官僚主义、反对命令主义、反对违法乱纪的指示》,在全市党员中检查和部署反官僚主义、反命令主义、反违法乱纪的"新三反"斗争。1953年7月18日,全市"新三反"运动正式开展,到10月中旬结束。"新三反"斗争中,对干部进行登记、统计、了解、排队,对干部的历史成分、工作作风、思想动向和政治情况有了初步的了解,同时也初步制定了衡量干部的德才标准。

通过"新三反"斗争,惩处了一些干部的违法乱纪行为,提高了各级领导干部的思想觉悟和政策水平,领导作风、党群关系得到改善。

(二) 审干和肃反运动

1. 审干运动

1953年11月,中共中央做出《关于审查干部的决定》,要求在两三年内对全国干部进行一次深入细致的审查。审干的目的就是清除混入党政机关内的一切反革命分子、阶级异己分子、蜕化堕落分子,以保持干部队伍的纯洁。

中共合肥市委根据上级指示,于1955年开始审干工作。同年1月,市审干委员会成立,领导全市审干工作。审干工作大体分四步:第一步,建立审干办事机构,抽调精干力量组成工作组,制定工作计划,有序开展审干工作。第二步,审阅干部档案材料,实行分工负责;抓主要矛盾,边审阅边整理;实行轮阅,避免遗漏问题。第三步,严格区别政治性和非政治性原则问题;划清审与不审的界限;对审查对象进行思想动员,消除干部顾虑。第四步,调查研究做出结论。调查必须通过组织,依靠组织;用多种方法多面多人了解,避免挂一漏万;调研属实后,做出正确结论;结论经审干委员会和市委通过批准后,通知干部本人,征求其意见,允许本人申诉。到1956年第二季度之前,全市县级以上干部的审查结束,1957年上半年完成了区级干部和一般干部的审查。

2. 肃反运动

解放初期的镇压反革命运动,主要是打击社会上已经公开的、暴露的反革命分子。对于暗藏在国家机关、社会团体和企事业单位的反革命分子并未清理。1955年7月,中共合肥市委根据中央《关于展开斗争、肃清暗藏的反革命分子的指示》,立即部署在机关、团体、军队、学校、企业中彻底肃清一切暗藏反革命分子的工作,即肃反运动。

合肥市的肃反运动分两批进行。第一批肃反自1955年7月开始至1956年10月底结束。先后在机关、工厂、企业、学校60个单位4131人中展开。第二批肃反从1956年1月至同年年底,在工业、财贸、政法、中小学教师等25个单位中进行,共有5274人参加。此后,又相继开展了第三、四批肃反运动。1959年10月,全市肃反运动基本结束。

通过肃反运动,清查出一批暗藏的反革命分子,纯洁了革命队伍。此外,还清查了一些干部的政治历史问题。但由于肃反工作中发生打击面过宽、过重的偏差,伤害了一批干部和群众。运动后期,对这些偏差有所纠正,但并不彻底。直到1962年重新进行复查,对存在的问题作纠正处理。

(三)中共合肥市第一次代表大会的召开

1956年,社会主义"三大改造"完成后,国家进入社会主义建设时期,合肥的"一五"计划正在顺利执行,为进一步把工农业生产和社会各项事业推向一个新的高潮,中共合肥市委召开了第一次代表大会。

1956年5月31日至6月7日,中共合肥市第一次代表大会召开。出席大会的正式代表216人,候补代表10人,另有204名党员负责干部列席大会。大会的主要任务是:(1)讨论市委两年来的工作总结和今后任务的工作报告;(2)讨论1956年到1967年工业、农业、文教卫生、城市建设及党的建设等工作规划;(3)选举合肥市委委员会;(4)选举出席省代会的代表。

会议听取和讨论市委第一书记傅大章做的《中国共产党合肥市委员会两年来工作总结及今后任务》的报告,通过《关于中共合肥市委两年来工作总结及今后任务的决议》和《关于1956年至1967年合肥市农业发展纲要的决议》,选举产生中共合肥市第一届委员会,委员25名,候补委员7名。全体委员会选举常务委员8名,并选举傅大章为第一书记。

大会提出,全市当前工作的中心是发展生产,搞好建设,各部门都应围绕这一中心,主动服务。大会要求全市干部增强团结,发扬民主,认真开展批评和自我批评;继续不断地克服各种右倾保守思想和官僚主义作风;充分发挥全体干部和全市人民的积极性和创造性,动员一切力量,克服一切困难,为完成各项任务而奋斗。

第三章
社会主义建设道路的探索与曲折

第三章 社会主义建设道路的探索与曲折

从1956年9月中共"八大"召开到1966年5月"文化大革命"发生,是中国共产党领导全国各族人民开始全面建设社会主义的时期。在这十年中,合肥人民在市委、市政府的领导下,按照中共中央的路线、方针、政策,在社会主义建设道路上艰难探索,经历了一段曲折发展的历程。

1956年中共"八大"后,合肥市委、市政府认真贯彻"八大"精神,制订发展计划,开启了探索社会主义道路的良好开端。但1957年开展的整风运动发生逆转后,导致反右派斗争严重扩大化,给经济社会发展带来不良后果。1958年开始的"大跃进"运动及人民公社化运动,使工业生产损失惨重,粮食产量连年下降,文教卫事业遭受挫折,人民生活陷入连续3年(1959—1961)的严重困难。

面对严峻形势,1961年年初,中共安徽省委在合肥郊区南新庄进行责任田试点,效果良好,为度过粮食危机起了关键作用。同时,中共合肥市委、市政府贯彻中央"调整、巩固、充实、提高"八字方针,关停并转了一批企业,削减职工和城市人口,理顺文教卫事业,合肥经济等事业在历尽曲折后重新步入正常发展的轨道。

但这一时期,"左"的指导思想一直占据主导地位,1962年开始,从责任田的被迫改正,到城乡社会主义教育运动,再到思想文化领域的批判斗争,"左"的错误愈演愈烈。

在遭受挫折的同时,合肥在建设社会主义的道路上亦取得了一些成就。在工业建设方面,陆续建成一批大中型工业企业,逐步形成东郊、北郊、南郊3个工业区,基本建成以公有制企业为主体、门类比较齐全的工业体系。在市政建设方面,全市城市建成区面积由1957年的20.7平方公里发展到1965年的50.3平方公里。城市人口由1957年末的23.7万人增加到1965年末的36.2万人。[1] 同时,科教文卫等事业也得到发展。合肥基本实现了由消费型城市向生产型城市的转变。

---

[1] 合肥市规划局编:《合肥城市规划志》(上册),黄山书社2013年版,第5页。

第一节 从贯彻党的"八大"精神到反右派斗争

一、贯彻党的"八大"精神

(一)学习"八大"文件

1956年,中国共产党第八次全国代表大会在北京召开。大会分析了国内外形势和国内主要矛盾的变化,提出了党今后的根本任务是集中力量发展社会生产力,把我国尽快从落后的农业国变为先进的工业国,逐步满足人民日益增长的物质和文化生活的需要。

中共"八大"召开之后,全国各地立即掀起了学习热潮。合肥市委也立即作部署,要求全市各级党组织和广大党员认真学习党的"八大"文件。市委宣传部对"八大"文件学习作具体安排,包括学习内容、学习时间和学习步骤。学习活动一直持续到1957年2月。学习结束前,全市各级党组织和党员干部还结合自身情况,做全面检查对照,提出今后改进工作的意见,并经讨论研究后保证贯彻执行。

(二)对社会主义道路的探索

中共"八大"后,合肥市委、市人委结合合肥实际,积极贯彻落实"八大"提出的任务,以发展生产为中心,迈向建设社会主义的征程。

1. 制订发展计划

1956年年初,中共合肥市委、市人委指导市计划部门,制定出1956年到1967年全市工业、农业、商业、文教卫生、城市建设、财政金融、劳动工资、交通运输、邮电、园林绿化等方面的12年远景规划,提出合肥未来12年的奋斗目标。农业方面:粮食平均亩产从1955年的523斤逐步增加到1967年的1500斤;棉花平均亩产从1955年的20斤逐年增加到1967年的120斤;油菜平均亩产从1955年的136斤逐年增加到1967年的300斤;蔬菜平均亩产从1955年的1万斤逐年增加到1967年的1.5万斤。① 手工业方面:到1962年,除刺绣、化妆品、制伞、油漆、雕刻等生产社外,其余生产社都基本上实现半机械化和机械化。到1967年,手工业从业人数由1955年的1781人增至1.33万人;手工业总产值由1955年的249.34万元增至1967年的9460万元;平均每人产值从1955年的1400元增至1967年的7123元。② 商业方面:社会购买力总额由1955年的4484万元增加到1967年2.79亿元;城市居民人均年购买力由1955年132元增加到1967年的884元。③ 文教卫体工作方面:加大公共设施建设,广泛开展群众性的文化艺术活动;普及教育,扫除文盲;建立体育协会,大力开展群众性体育活动等。

2. 建设社会主义的良好开端

1956年春,在社会主义三大改造运动高潮不断的形势下,合肥以发展生产为中心,在工业交通运输等生产行业贯彻"全面规划、加强领导"和"多、快、好、省"的方针,普遍开展了生产竞赛活动和争当先进生产者运动。同年2月底,合肥市召开社会主义建设积极分子代表大会,市委书记傅大章在大会上号召全市干部职工,为完成和超额完成第一个五年计划,必须在工业、农业、手工业、商业等系统中,开展一个大规模的群众性的社会主义竞赛运动。

生产竞赛活动和先进生产者运动的开展,大大调动了全市广大干部职工的生产热情,大家纷纷提出合理化建议、推广学习先进经验,争做先进生产者。据统计,到1956年年底,全市共涌现出先进生

---

① 中共合肥市委规划委员会:《一九五六年到一九六七年合肥市农业规划(草案)》,1956年2月。

② 中共合肥市委规划委员会工业规划组:《合肥市手工业远景规划(初稿)(一九五六——一九六七)》,1956年2月。

③ 中共合肥市委规划委员会:《1956到1967年合肥市商叶(业)规划(草案)》,1956年2月。

产者 8068 人次，职工提出 5127 条合理化建议，其中有 3273 条被采纳。生产上也出现许多新的气象。1956 年职工劳动生产率同 1955 年相比，工业提高 23.91％，手工业提高 49.79％。1956 年全市工业、手工业总产值完成计划的 100.86％。工业产品质量显著提高，搪瓷、软木砖、软木纸、植物油、白酒、灭火机、耐火砖、减速机、双轮双铧犁等 14 种主要产品，已达到国家质量标准，还增加了车床、农药、棉纱等 450 余种新品种。但是，活动和运动中也存在一些问题，比较突出的是形式主义倾向和官僚主义现象，强迫命令时有发生，一些企业产品质量差、成本高的问题没有很好地解决。

1956 年冬，在生产竞赛活动和先进生产者运动告一段落之时，全市又开展了增产节约运动。这一运动以各生产企业自订增产节约计划开始。中共合肥市委"逐厂审查、个个过关"，对计划逐条、逐项进行审查，重新修订增产节约计划。1957 年 2 月 19 日，市委研究制定了《合肥市工交系统 1957 年增产节约方案》（以下简称《方案》），将原订的 1957 年各项经济指标全部进行调整。以市属 38 个厂综合统计为例，工业总产值原计划为 8025.4 万元，改为 9051 万元，增产 1025.6 万元；劳动生产率由原制定的 8337 元改为 9482 元，提高 1145 元；利润原计划 353.9 万元改为 506.6 万元，提高 152.7 万元。手工业总产值原计划 2350 万元改为 2450 万元，增产 100 万元。为了确保上述指标的实现，《方案》还规定了四项具体措施。

《方案》的出台，有力推动了增产节约运动的开展。在运动中，针对原材料供应不足的困难，发动群众找窍门，想办法解决。采取的办法有：在全市开展废品回收运动；彻底清理仓库物资；组织联合外出采购；争取来料加工；在企业内部大力发动工人与技术人员想点子、节约原材料和利用废料、代用品。同时，全市行政机关、企事业单位按照"精简上层，充实下层，发展生产"的原则，进行精简机构、整顿编制的工作，截至 1957 年 9 月底，全市精简非生产人员 1506 人。这些人绝大部分下放到基层单位工作或从事劳动生产。

增产节约运动取得了比较明显的成绩。据统计，到 1957 年年底,市属 38 个厂中有 29 个完成或超额完成了调整后的年度计划,全市工业总产值 1 亿元,比上年增长 71.63%,每个工人的生产价值达 1.15 万元,比上年增长 32.58%。

二、整风运动与反右派斗争

(一)开展整风运动

1957 年 2 月 27 日,毛泽东在最高国务会议上发表《关于正确处理人民内部矛盾的问题》的重要讲话后,4 月 22 日,中共合肥市委遵照上级指示,决定组织各级党组织和干部学习毛泽东这一重要讲话,并联系本人和本单位实际,制定今后加强思想政治工作的措施,从思想上保证社会主义建设事业各项任务顺利完成。

1957 年 4 月 27 日,中共中央发出《关于整风运动的指示》,要求在全党进行一次普遍的、深入的反对官僚主义、宗派主义和主观主义的整风运动。5 月 6 日,在安徽省委宣传工作会议上,省委第一书记曾希圣宣布:全省整风运动开始,并决定全省整风分两批进行。

为贯彻落实中共中央和安徽省委关于开展整风运动的指示,5 月 23 日,合肥市委召开常委会议,决定在全市立即开展整风运动,会议讨论制定了全市开展整风的步骤、方法和加强领导工作的初步计划方案。"方案"规定,全市整风步骤分两批进行,第一批有市委、市会、区委及工、青、妇等领导单位党组织,到 11 月底结束;第二批有工矿企业、医院、学校等党委党组织,从 11 月起到次年 3 月底结束。为加强对整风运动的领导,市委成立以第一书记傅大章为首的市委领导小组,领导小组下设整风办公室。同日,傅大章在市直属机关 600 多个党员干部会议上,宣读整风计划的初步方案,号召全体党员干部以身作则,虚心听取党外人士的批评,检查改进工作作风。

整风运动开展之初,中共合肥市委要求各级领导干部必须深入到基层党组织中,和一般党员一起学习,虚心听取他们对领导的批评,以达到边学习、边检查、边改进工作的目的。同时,为广开言路,市委还积极发动党外人士帮助整风,从5月24日开始,市委分别邀请民主党派、工商界、文教界、医药卫生和中学教师等方面人士进行座谈,号召大家开展批评,提意见,以帮助市委和各级中共组织进行整风。

整风运动开始后,一些人心存顾虑,怕打击报复,不敢"大鸣大放"。为此,6月3日的中共合肥市委机关报《合肥日报》转发《安徽日报》社论《解除顾虑大胆批评》,号召那些还未打消顾虑的党外人士,大胆地发表意见,参加争鸣,帮助中共整风。社论写道:"我们竭诚地欢迎党外同志的批评,不管什么意见,我们都将认真的考虑,凡是对人民对社会主义事业有利的,我们都将接受;有些意见值得商讨的,我们也将虚心地和党外同志共同研究,以求最后达到一致的认识。"①

中共合肥市委要求大家畅所欲言的态度,有助于党外人士进一步提出批评和意见。从5月下旬起到6月上旬,合肥市的整风运动开展得有声有色,党内外各阶层人士放下包袱,打消顾虑,就改善党的领导、改进本地区、本部门、本单位的工作提出许多有益的批评和建议。《合肥日报》连续发表各界人士的座谈发言提要。

(二)反右派斗争严重扩大化

1957年6月8日,中共中央发出《关于组织力量反击右派分子进攻的指示》(简称《指示》),同日,《人民日报》发表《这是为什么?》的社论。整风运动戛然而止,一场大规模的反右派斗争在全国迅速展开。

中共中央关于组织力量反击右派的指示下达之时,合肥市委邀请党外人士提意见的座谈会还在进行当中。《指示》下达后,从6月中旬起,市委和有关部门立即停止召开任何形式的整风座谈会。《合肥日报》也一改前段时间大张旗鼓地号召党外人士帮助中共整风的舆论宣传与报道,几乎是一夜之间,改为大量报道人民对右派分子进行纷纷谴责的言论、消息。自此,合肥的整风运动很快转为大规模的反右派斗争。

---

① 《解除顾虑　大胆批判》,《合肥日报》1957年6月3日。

根据中共中央、安徽省委、合肥市委的部署,从6月中旬开始,全市各条战线各个单位纷纷召开各种座谈会和批判会,声讨右派。《合肥日报》给予积极配合,连篇刊载全国及本地反右派斗争的消息。先批储安平、葛佩琦等人,接着批本市的张东野、刘秉钧、孙啸宇、杨楫舟、周崇俊、王道平等。后来,受批的人越来越多,批判的范围亦日益扩大,批判的火药味愈加浓重。合肥市委开始着手把握批判斗争的火候,采取一些积极、稳妥的办法,对上级一些扩大化的做法予以抵制,对下面扩大化的倾向给予引导。但是,市委的做法立即受到安徽省委的批评。9月29日,市委赶紧召开扩大会议,检查、批评在最近的反右派斗争中出现的右倾思想和温情主义。合肥的反右派斗争再次升温。

11月9日至20日,合肥市第二届人民代表大会第二次会议召开,反右派斗争成为这次会议的中心。217名与会代表与105名列席代表与已被认定是"右派分子"的代表进行辩论。在分组讨论时,代表们结合本部门工作对"右派分子"进行揭发和驳斥。张东野、赵伦彝、刘林、张善瑞、童孝章、张克炤、叶树滋、洪左德等人交代其"反党反社会主义的罪行",向党和人民低头认罪。大会主席团还讨论罢免张东野副市长的职务、刘林的市人民委员会委员的职务。

之后,反右派斗争进一步扩大,1958年4月,中共合肥市委书记傅大章因"同情右派"而受到错误处理,与其受牵连的人、曾给领导提意见的人、帮助党委整风提建议的人,等等,被定为"右派分子"。至1958年夏,合肥市的反右派斗争基本结束,前后持续一年多的时间,共有463人被错划错定为右派分子,另有3056人被定为"四种人"(地主、富农、反革命、坏分子)。① 这部分蒙冤者直至1962年的甄别平反和1978年以后的冤假错案平反,才得到改正。

合肥的反右派斗争是全国反右派斗争的组成部分,犯了严重扩大化的错误,对合肥的经济、政治、社会、文化建设造成不良的后果,这是新中国及合肥解放以来一次严重的历史教训。

---

① 《中共合肥市委志(1926.9—1995.5)》,安徽人民出版社1995年版,第68页。

第二节 "大跃进"运动

一、1958年"大跃进"运动

(一)宣传社会主义建设总路线

1958年5月,中共八大二次会议提出"鼓足干劲、力争上游、多快好省地建设社会主义"的总路线。合肥市委积极响应,于5月31日发出《关于大张旗鼓开展社会主义建设总路线学习、宣传的通知》,要求:"全市各种宣传工具、宣传形式,都应充分运用起来,报纸、广播、黑板报、墙报、土广播、幻灯、橱窗布置、横幅标语、公共场所的布置,都要围绕总路线充分发挥其宣传作用。"[①]

6月3日,中共安徽省委发出通知,要求全省各地要大张旗鼓地开展总路线宣传活动,把社会主义建设推向宏伟亮丽的新阶段。根据省委指示,合肥市委于次日召开全市党的报告员、宣传员及各级党政工团的负责人和全市宣传干部大会。市委第一书记刘征田在会上要求:"在原有的基础上从今天起掀起一个更加广泛、深入地宣传总路线高潮,并号召全市党的报告员、宣传员和全市干部学好、学深、学透总路线,通过学习,彻底解放思想,开展宣传,并把总路线的精神贯彻到实际工作中去,保证1958年的工农业生产、工业基本建设任务都提前和超额完成。"[②]6月8日,全市30余万人云集街头参加贯彻总路线广播大会,把宣传活动进一步推向高潮。是日,全市家家户户张

---

① 《市委关于大张旗鼓开展社会主义建设总路线学习、宣传的通知》,《合肥日报》1958年6月1日。

② 《把总路线宣传运动推向更高潮》,《合肥日报》1958年6月5日。

灯结彩、红旗飘扬。"把无产阶级的红旗插遍全市""全民总动员、贯彻总路线"等标语举目可见,许多商店和民宅贴上以总路线为内容的新门对。商店的橱柜里,也布置了关于总路线的宣传材料。广播器不断播出《社会主义好》《生产大跃进》等歌曲。省、市各级党政负责人亲自挂帅,到宣传站进行宣传或散发传单,向全市人民宣传总路线。

在宣传总路线的活动中,合肥共出动10万宣传大军,机关、工厂、学校受教育的人几乎达100%;组织20万人歌唱总路线;群众创作的文艺宣传材料多达2万份,参加创作的人数在六七千人以上;墙头诗1.2万首左右,宣传画2000多幅;还创造了上百种各式各样的宣传鼓动形式,如广播、黑板报、读报、大字报、座谈、板块、街头剧等,通俗的向广大群众宣传总路线。①

总路线广泛深入宣传,大大激发了人们"人定胜天"、敢想敢干的信心和志气,在全国各地重新制定"多快好省"大发展指标的热潮中,中共合肥市委发动全市各行业、部门、企业,纷纷提出新的跃进指标。1958年3月12日,市委召开第五次计划会议,提出当年全市国民经济计划的新指标,其中,工业总产值比上年翻一番,粮食产量比上年增加3.79倍。② 与此同时,市委又制订出第二个五年计划,即:从1958年到1962年,用5年时间把合肥建成一个宏大的现代化工业基地;在农业方面,用5年或更短的时间,提前实现农业生产机械化、农村电气化、运输车子化、道路石子化。③

总路线的公布和宣传,极大地提高了广大干部和群众的思想觉悟,调动起广大群众建设社会主义的积极性。但是,过分夸大人的主观意志和主观努力的作用,忽视了经济建设的客观规律和量力而行、实事求是的原则,最终导致适得其反的结果。

---

① 《把总路线的红旗牢牢地插到每个单位每个角落里去》,《合肥日报》1958年6月15日。
② 《中国共产党合肥简史》,第141页。
③ 《全民奋发向机械工业城市跃进》,《合肥日报》1958年6月1日。

(二)农业"大跃进"

安徽"大跃进"运动的序幕是在以兴修水利、积肥为中心的冬季农业生产热潮中逐步拉开的。从1957年冬开始,安徽各地农村在宣传贯彻《全国农业发展纲要》的同时,开展大规模的兴修水利的群众运动。合肥"大跃进"运动亦是从大办水利开始的。

1. 大兴水利

自1957年冬季以来,合肥郊区掀起大兴水利热潮。郊区各社组织动员70%左右的劳力投入兴修,到1958年元月中旬,提前40天完成原计划兴修85万方的任务。于是,又追加85万方。第二个85万方的任务很快超额完成。中共合肥郊区区委再提出增加85万方。《合肥日报》模仿《安徽日报》社论《八亿、八亿、再八亿》的样式和语调,以《前进!前进!再前进!郊区兴修85万加85万再加85万》为标题,浓墨重彩地宣传报道。到3月底,郊区超额完成3个85万方的兴修水利任务,共完成大小工程544处,土方275万多方,为原定85万方的3.2倍,为解放8年来兴修水利任务总和的160%以上。[①]

这次大规模兴修水利运动,是合肥解放以来未曾有过的。在兴修水利的过程中,各乡、社的领导干部带头行动,层层负责,采取包任务、包质量、包工分的办法。为加速工程进度,农业社的社员不论白天、夜晚、风里、雨里,即使在严寒的天气,仍坚持抵御严寒,破冰取土。郊区常胜社的社员们在"不怕雨、不怕风,修好水利立大功"的口号下,冒着零下7度、风雨交加的气候,坚持挖土,全社仅用2个月的时间,超额1000多方完成加倍的兴修水利任务。

1957年至1958年春的合肥郊区兴修水利运动,为郊区增加灌溉面积3.98万亩,改善灌溉面积约2.9万亩,占郊区耕地面积的84.7%。自此,在无特大的水旱灾害的气候下,可确保80%以上的农

[①]《苦战四月赛过八年 郊区超额完成双倍兴修任务》,《合肥日报》1958年3月30日。

田不受旱涝。

2. 大办积肥运动

合肥郊区在兴修水利的同时，还大力开展积肥运动。1958年，市长杜炳南在《政府工作报告》中介绍：积肥运动中，群众干劲十足，男女老幼齐上阵，个个争先破纪录，创奇迹，不甘落后。如蜀山乡4月21日一夜积肥20万担，女社员陆琴翠一人就积肥3600担；62岁的老奶奶王风章也不甘落后，带头在家修起牛尾灶，一有空就铲草皮、沤肥，20天积肥1404担。高潮社在3月11日至15日，5天的时间共积肥58万多担，超额完成突击月积肥任务。张洼乡农民还结合除六害讲卫生开展积肥运动，在3月3日夜晚挖土厕所、挖蛹、疏通和清理污水沟，一夜间积肥4.1万担。

"大跃进"时期送肥

在大积农家肥的同时，合肥郊区还土法上马，各乡各社大搞化肥、农药。肥西全民动员，乡乡社社办土化肥厂，到8月中旬，建成各种土化肥厂7500多个，生产各种土化肥9300多万斤。肥东发动群众大办土农药厂，从7月中旬到8月初，全县兴办6683个土农药厂，生产土农药500多万斤。①

此时，这些公开报道的数据，显然含有浮夸成分。

3. 竞相高指标

1957年10月25日，中共中央制定的《一九五六年到一九六七年全国农业发展纲要（修正草案）》公布。27日，《人民日报》发表题为《建设社会主义农村的伟大纲领》的社论，要求有关农业和农村的各

---

① 《依靠群众土法上马 社社队队大搞化肥农药》，《合肥日报》1958年8月16日。

方面的工作在12年内都按照"必要"和"可能",实现一个巨大的跃进。这是中共中央正式向全国人民发出"跃进"的号召。12月,安徽省委根据《全国农业发展纲要(修正草案)》,制订全省10年粮食生产规划,提出到1965年全省粮食接近《纲要》指标,到1967年超额完成《纲要》指标。1个月后,安徽省委修改上述规划,决定把实现《纲要》的时间再提前3至5年,即到1962年或1964年,全省粮食总产量达510亿斤,平均亩产685.5斤,分别比1957年增长1.5倍、1.25倍。① 这个规划,超出了安徽农业发展实际水平,对全省农业发展速度估计过高。

然而,"大跃进"运动已在农村各地初露端倪。安徽农业10年规划的制订与公布,更是起着推波助澜的作用,促使各地纷纷制订、修改本地农业发展规划,掀起一股竞相攀比高速度、高指标的滚滚大潮。在安徽农业发展规划提出半个月后,1958年1月19日至21日,合肥市召开第三次农业劳动模范大会,393名与会代表共同表示,保证提前9年实现《全国农业发展纲要(修正草案)》规定的粮食产量指标,在当年,合肥粮食亩产达到850斤。②

1958年10月,市人委为争取1959年农业生产的更大跃进,提出在全市农村普遍开展社会主义和共产主义教育运动,以提高广大农民的共产主义觉悟;还要准备于1958年冬和1959年春,开展一个规模更大、干劲更足的兴修水利运动,实现圩区、丘陵地区河网化、冲洼地区水库化、提水工程机械化和半机械化;制定的农业目标是,全市1959年粮食和棉花产量在1958年基础上再翻一番以上。1959年春,市人委又提出午季赶全年,小麦亩产250公斤,争取500公斤的"跃进"目标。③

4. 竞放高产"卫星"

1958年7月以后,是安徽全省早稻收获的季节。在竞相高指标

---

① 《当代安徽简史》,第212页。
② 《群英聚会立誓跃进 农业劳模大会胜利闭幕》,《合肥日报》1958年1月24日。
③ 《合肥市政府志》,第30页。

的热潮中,全国各地竞相放粮食高产"卫星"。7月18日,邻近肥西的舒城县农业社宣称自己1.5亩早稻平均亩产3939斤,揭开了安徽省早稻竞相"丰产"的序幕。7月31日,一颗万斤以上早稻"大卫星"从舒城县千人桥社"划破长空,直冲云霄"。该社3.55亩试验田,共收早稻4.07万斤,平均亩产约1.15万斤,创下全省早稻亩产最高纪录。① 在这种气氛中,合肥也掀起竞放高产"卫星"的浪潮。7月30日,《合肥日报》报道了肥东县团结社4.5亩早稻收干谷1万斤,平均亩产2225斤,放出了全市第一颗早稻"卫星"。紧接着,早稻高产"卫星"越放越大。8月3日,《合肥日报》报道肥东县出现亩产超过5000斤的早稻,郊区德胜乡光明社更是放出亩产7943斤的高产"卫星"。4天之后,郊区淮联社放出一颗万斤以上的早稻大"卫星"。该社大房郢生产队2分3厘"南特号"早稻试验田,收干谷3230斤,折合亩产1万余斤,创合肥市早稻高产新纪录。②

此后,中稻及其他农作物的亩产量也急剧上升。8月中旬,巢县柘皋区新陈乡红旗农业社,放出亩产2.2万斤以上的中稻"卫星"。8月下旬,巢县又放出3万斤的中稻"卫星"。除稻谷放卫星外,还有山芋卫星、小麦卫星、皮棉卫星,等等。事后人们了解到,所谓亩产万斤不过是采用将众多稻田中的稻谷集中到一块试验田或直接虚报数字等弄虚作假的手法而已。

(三)工业"大跃进"

1. 全民大炼钢铁

1958年8月,中共中央政治局北戴河扩大会议提出1958年钢产量要比1957年翻一番、达到1070万吨后,全国掀起了全面大办钢铁的热潮。当年,合肥市工业"大跃进"的最大任务,是以钢为纲,大办钢铁。

---

① 《当代安徽简史》,第216页。
② 《淮联社射出早稻冲天卫星》,《合肥日报》1958年8月7日。

1958年前，合肥基本上不生产钢铁。1958年4月，为落实中共安徽省委于年初制定的全省钢铁工业发展计划，合肥开工建设安徽钢厂（后改称合肥钢铁厂），原计划1958年年底出铁。中央发出为生产1070万吨钢而奋斗的号召后，安徽省委决定安徽钢厂于9月提前出铁，并将原设计年产5万吨的生产能力，提高到年产50万吨铁、30万吨钢。[①] 与此同时，安徽省委给合肥下达钢铁生产任务：1958年产钢4.84万吨、铁13.7万吨。但是，对于毫无钢铁工业基础的合肥来说，要在短短不到5个月的时间内完成这个任务，无疑是一个巨大的挑战。

8月中旬，中共合肥市委召开县委书记、县长扩大会议，讨论大办钢铁问题。会议提出"全党全民总动员，大办钢铁工业"的战斗口号。《合肥日报》发表《为钢铁而战》的社论，强调时间就是钢，号召全市人民立即行动起来，抓紧时间，大干4个月，坚决完成今年的钢铁生产任务。

从8月中旬开始，合肥全市立即兴起了一个"大办钢铁"的群众运动，到9月5日，共建成各种小高炉360座，其中投入生产的有125座，正在兴建的有57座，并开始生产钢铁。但是，合肥市钢铁生产指挥部推算，按目前的生产进度，不可能按时完成省委下达的任务。9月初，安徽省委向全省人民发出"拼命干钢铁，为全省日产万吨生铁而奋斗"的号召，要求条件较好的县为日产千吨铁而努力。为此，合肥市委专门召开常委扩大会议，提出为日产千吨钢铁而战，并制定出具体的措施和要求。包括：(1)已建成的高炉，在9月10日到15日以前要全部投入生产。国庆节前，全市日产生铁力争达到1000吨。10月以后，日产量还要更多一些。(2)各机械厂要积极突击赶制冶炼设备，挖掘潜力，大胆进行技术革命，提高工效，如期完成制造任务。(3)继续发动全民炼焦和生产耐火材料。要求全市在9月下旬，焦炭可以基本自给。(4)在"工业、农业生产两不误"的原则下，肥东、肥

---

① 《当代安徽简史》，第193页。

西、巢县和郊区,应迅速制订出劳动力统一调配的规划,要求抽四分之一到三分之一的农村劳动力,搞钢铁生产。①

"大跃进"时的炼钢炉群

在中共安徽省委、合肥市委的号召下,合肥掀起更大的建炉、出铁高潮。合肥大西门外在2个月前还是一片泽国,此时却"红透半边天",全市10多家钢铁厂近20座高炉正加紧建设。安徽农学院把教室变成破碎矿石的车间,数百名学生每天要砸碎6吨矿石。9月12日,巢县炼铁厂1.5立方米六号小高炉放出"高产卫星",一昼夜出铁1588斤;同日,安纺一厂一号小高炉放"长寿卫星",连续生产30昼夜,炼铁6.5万多斤。②

正当合肥人民为钢铁"大跃进"努力奋斗之时,9月16日至20日,毛泽东来安徽视察,18日,在合肥视察省委钢铁厂和合肥钢铁厂。此后,他在马鞍山钢铁厂视察时说:"发展钢铁工业一定要搞群

---

① 《市委号召全党全民为日产千吨钢铁而战》,《合肥日报》1958年9月11日。
② 《连续生产卅昼夜炼铁六万五千多斤 一纺一号小高炉放长寿卫星》,《合肥日报》1958年9月13日。

众运动,什么工作都要搞群众运动,没有群众运动是不行的。"①

毛泽东视察安徽和关于钢铁工业的讲话是对安徽大办钢铁运动的肯定,大办钢铁的热潮再一次被推向高峰。合肥市提出"我们一定以多出铁、快出铁、实现日产千吨铁,来回答毛主席的关怀"②的豪迈保证,并坚决把国庆假日变成生产战斗日,大干、特干、拼命干,生产更多钢铁献给国庆节。

9月下旬,中共安徽省委决定在抓高炉炼钢的同时,动员组织群众进行坩埚炼铁。坩埚炼铁为外省发明,安徽得知后,立即派人去取经,并在合肥工业大学试验,获得成功,随即在全省迅速推广。按照省委部署,长达220公里的淮南铁路沿线成为全省坩埚炼铁的主战场。9月25日一夜间,沿线地、市、县全部成立了坩埚炼铁指挥部。合肥市坩埚炼铁指挥部亦同时成立,从肥东、肥西、巢县和市区抽调37万农民和干部、市民、工人奔赴坩埚炼铁前线,组织会战。到10月22日止,合肥全市建成炼铁高炉428座(其中容积在8立方米以上88座),投入生产的有294座(8立方米以上的55座);建成坩埚炉1248座,坩埚24多万个,并已全部投入生产;建成炼钢转炉和土炉112座,投入生产的有72座,正在兴建的有91座。建成投入生产的耐火砖窑50座,生产耐火砖7936吨;已建成投入生产的炼焦窑1876座,正在兴建的280座,已产焦炭2.47万吨;已开采铁矿石25.47万吨,白云石7.09万吨,石灰石5.29万吨。③

大办钢铁成了压倒一切的中心任务,各行各业都卷入到运动中,处处建高炉,纷纷放"卫星"。11月4日,合肥宣布全市日产钢1419吨,铁2621吨,放出高产"卫星"。其中,肥东县跃马领先,钢铁日产量双双超过千吨大关。此后,日产"卫星"越放越高。11月28日宣布,全市日产钢1751吨,铁4575吨;12月18日又放出日产钢3133

---

① 中共安徽省委党史研究室:《中国共产党安徽历史第二卷(1949—1978)》,中共党史出版社2014年版,第260页。
② 《毛主席给了我们无穷的力量全市人民大战钢铁》,《合肥日报》1958年9月30日。
③ 杜炳南:《合肥市人民委员会工作报告》,1958年10月27日。

吨,铁 7559 吨的"特大卫星"。①

经过 4 个多月的全民奋战,12 月 25 日中共合肥市委、市人委正式宣布:全市全年产钢 1.75 万吨,超额 33% 提前 17 天完成国家分配年产钢 1.32 万吨的任务;全年产铁 9.52 万吨,超额 0.17% 提前 6 天完成国家分配年产铁 9500 吨的任务。②

在设备、技术、原料等各方面跟不上的情况下,几无钢铁生产能力的合肥,强行上马钢铁"大跃进",大搞所谓的"小"(小高炉)、"土"(土法炼钢铁)、"群"(群众运动)。运输力量不足,就搞全民运输;燃料不足,就搞全民炼焦炭;设备跟不上和缺乏材料,就搞全民献钢献铁运动。从党内到党外、城市到农村、机关到学校,迅速兴起一个"全民大办钢铁"的群众运动。各级党政负责人亲临钢铁生产前线督战,每天 10 万多人(最多时达 40 余万人)的钢铁大军日夜奋战。市内所有的机关、部队、工厂、企业、大中学校以及街道居民都投入到钢铁战斗中。农村也都组织了钢铁大军,有的就地炼钢炒铁,有的进行开矿、炼铁、炼焦、运输。全市的农工商学兵都投入到这一声势浩大、轰轰烈烈的大办钢铁运动中,投入的人力、财力、物力,都是史无前例的。

1959 至 1960 年,钢铁"大跃进"继续发展。从 1958 到 1960 年,合肥全市先后兴建钢铁厂 44 家,各式各样的小高炉上千座。1958 年的钢铁"大跃进"加强了合肥工业尤其是重工业的基础。这一时期兴建的合肥钢厂,后来成为国家大型二档企业,全国冶金重点企业之一。但是,大办钢铁运动也造成了严重的经济损失。坩埚炼铁是一种极端落后的炼铁方法,炼出的生铁 90% 以上是废品;小高炉长期占用农村劳动力,所产生铁三分之一不合格。更令人痛心的是,在大办钢铁的最高峰,全市有 40 余万劳动力从事与炼钢铁有关的劳动,致

---

① 《高产声中巨雷鸣　卫星上面射卫星》《祝钢铁再次大捷》《我市十八日产钢三一三三吨产铁七五五九吨》,《合肥日报》1958 年 11 月 6 日、11 月 30 日、12 月 20 日。

② 《我市全年钢铁任务提前完成》,《合肥日报》1958 年 12 月 26 日。

使大片农田抛荒,无人耕种;大量原生林木被砍伐;投入大办钢铁的巨资化为乌有。这期间,仅合肥钢铁厂就因盲目兴建,3年内造成报废损失3280.67万元,占同期国家投资总额的41%,生产性亏损达2740万元。①

2. 大力发展重工业

1958年春,中共合肥市委提出要在3年内把合肥建设成为以机械工业为中心的重工业城市。为达到这一目标,一方面,合肥工业投资规模急剧膨胀,投资结构快速转向重工业。1958年财政预算支出中,经济建设费用占81.92%,其中重工业投资比1957年增加21倍,重工业企业数比1957年增加129%。为确保重工业和机械工业投资,9月17日,市人委发出通知,要求将非生产投资如家具设备、交通运输设备等尽量压缩到必不可少的限度,以避免资金分散使用。10月,市人委又发出通知,在市区(包括郊区)推销经济建设公债200万元。1958年,全市实际完成工业建设投资9601.3万元(不包括非工业系统的工业投资),占当年全部投资的73.69%,较上年增加7.92倍。工业企业投资建设项目112个,其中新建项目52个,扩建项目60个。投资额在500万元以上的项目有8个,包括铝厂、氮肥厂、水轮机厂、汽车制造厂等;投资额在500万元以下100万元以上的项目共有21个,包括碳酸氢氨化工厂、纺织机械厂、通用机械厂、仪表厂、轴承厂、变压器厂、机床厂、拖拉机厂、粮食机械修配厂等,扩建第一纺织厂、矿山机械厂、农药厂、砂轮厂、电机厂等。其余项目投资额均在100万元以下,其中投资额在50万元以下的项目占60%。从投向各工业部门投资资金比例看,当年合肥市工业建设投资主要集中在机械、化学、冶金、纺织4个工业部门。当年,此4个部门共投资新建项目40个,占全部新建项目的76.9%,投资额占新建项目全部投资额的89.1%;扩建项目为26个,占工业全部扩建项目的43.3%;投

---

① 《合肥工业五十年》,第177页。

资额则占工业全部扩建项目投资额的76%。①

另一方面,由于投资大增,合肥机械工业得到前所未有的发展。合肥起重运输机器厂、化工机械厂、仪表厂、车辆厂、轴承厂、红旗电机厂、省粮食机械厂、合肥汽车制造厂、省建筑机械厂和省探矿机械厂等一大批生产企业相继建成投产。此外,1958年,国家还投资500万元对合肥机床厂(1960年更名为合肥锻压机床厂)进行技术改造,兴建厂房、添置设备,使该厂的机床生产粗具规模。1958年8至12月间,全市机械工业共生产冶金设备522套,支援钢铁工业上马。机床、电动机等业成倍增长。但由于"大跃进"中片面追求"大、洋、全",致使投资规模膨胀,发展速度过快,摊子铺得过大,高速度的发展掩盖了生产能力不稳定的实际情况,导致部分企业亏损严重,从而制约了全市机械工业有序、稳步发展。

3. 手工业过渡升级与"大跃进"

"大跃进"运动期间,"左"的思想急剧膨胀的另一个表现是在所有制改制问题上,盲目追求"一大二公",企望能尽快、全部消灭个体经济,把集体经济变成国有经济,实现单一的全民所有制。以个体和集体所有为主的手工业首当其冲。1958年,合肥市把大批个体手工业户组织起来,成立手工业合作社,并把集体工业、街道工业并入或转为国营企业。全市手工业合作社掀起了"转厂过渡"的热潮。

1958年6月,市手工业管理局经过试点,将所属铁器、五金、白铁、木器、棉织、针织、文具、牙刷、机电修理等11个生产合作社并转为10个地方国营工厂。10月至12月,又先后将缝纫、制帽、制镜、木器、金属等23个生产合作并转建成17个地方国营工厂。至此,全市34个手工业合作社分两批全部并转为27个地方国营工厂,有职工6841名。② 同年底,市手工业管理局撤销。其所属企业分别划归机械、轻工、冶金、商业等系统管辖。

---

① 《合肥市志》,第402—403页。
② 《合肥市二轻工业志》,第370页。

(四)科教文卫"大跃进"

"大跃进"期间,合肥的教育、文化、卫生、科技等领域也掀起了全面"大跃进"的热潮。

1. 教育"大跃进"

教育指标"大跃进"。1958年,在"大跃进"浪潮中,合肥市教育局制定《合肥教育事业在第二个五年计划中跃进规划(草案)》,对各级各类教育的发展目标做出规定。在小学方面,市区保证今年普及教育,郊区争取普及,争取1959年全部高小毕业生均有继续升学的机会,1960年市区普及初中教育,1961年郊区普及初中教育。在工农教育方面,1958年基本扫完文盲,次年上半年扫尾,争取1959年使合肥市成为文化市。市委也提出年内一定扫除文盲,普及小学教育,乡乡办中学,争取三年内普及中等教育。为了完成跃进任务,号召全党动员,大办学校,既要公办,又要民办。实行机关办学、工厂办学、企业办学、公社办学、街道办学、大学附设中小学、中学附设小学等办法。采取各种形式,既办全日制,又办半日制和业余制;既办普通中学,又办专业学校;既办秋季始业,又办春季始业。除追求学校数量外,在教学质量方面也提出了过高的指标:中学要保证1958年把优秀成绩提高到70%,1960年提高到90%,1962年提高到95%至98%。

教育规模"大跃进"。教育"大跃进"还表现在各级各类学校规模和数量的迅猛发展上。其中发展最快的是高等学校和幼儿园。

高等学校迅速增加。1956年,中共安徽省委决定在合肥新建合肥大学,并得到国务院批准,1958年7月组建。将安徽师范学院物理系一部分调入,并另行招生。9月16日,毛泽东来皖视察,亲自题写安徽大学校名,合肥大学遂改为安徽大学。安徽省委第一书记曾希圣兼任校长。同年,安徽师范学院按文、理两科分别建院,其文科4个系于当年及次年分批调整到合肥,与合肥师专合并成立合肥师范学院。安徽工业专科学校亦于同年成立。1959年,安徽省中医进修学校(1956年3月由芜湖迁来合肥)扩建为安徽中医学院。1960年,安徽省中学教师进修学院改建为安徽教育学院，招收应届高中毕业生，并按师范学院教学计划开课；安徽机械工业专科学校改建为安徽机械学院，1961年改名为安徽工学院（后与安徽水利电力学院一同并入合肥工业大学）。1958至1960年，合肥新成立的或由外地迁来的或由中专学校升格为高等学校的还有：安徽交通学院、安徽建筑工业学院、安徽纺织工业学院、安徽财贸学院、安徽农业专科学校、安徽水产专科学校、安徽农业机械化专科学校、合肥医学专科学校、安徽体育专科学校等。到1960年，合肥普通高等学校增至19所，在校学生计15953人。全省43%的高等学校、69.2%的在校大学生集中在合肥。① 合肥已经成为全省的高等教育中心。

基础教育发展快。从1958至1961年，全市兴办中学11所、农业中学30所、职工中学2所。② 小学教育发展更为迅猛，1957年，市区和郊区小学81所，1958年增加到97所，1960年达到117所，在校学生已有5.16万人。③

幼儿园大批兴起。1958年，合肥市幼儿园大批兴起，幼儿园总数达到222所，入园幼儿园达9172人，教养员725人。1959年，又增至270所，入园幼儿1.2万人，分别是1956年的8.4倍和29.6倍。④ 由于幼儿园数量迅速扩大，导致师资缺乏，许多幼儿园多是由老年妇女照看孩子，保教质量严重下降。

在工农业余教育方面，扫盲运动掀起"跃进"高潮。在中共合肥市委提出"今年一定要扫除文盲"的号召后，全市工人、农民、市民立刻掀起扫盲学习新高潮。各基层单位根据又快又好的精神，纷纷修订扫盲计划，保证分期分批实现扫除文盲的任务。到1958年11月底，全市扫除文盲人数达56万多人，占文盲总数的83.4%，使全市

---

① 中共安徽省委党史研究室编：《"大跃进"运动和六十年代国民经济调整（安徽卷）》，安徽人民出版社2001年版，第91页。
② 《合肥市政府志》，第117页。
③ 《合肥市志》，第2573页。
④ 《合肥市志》，第2565页。

90.2%的青壮年脱掉文盲"帽子"。在扫盲的基础上,又大办业余教育,掀起了工厂办学、公社办学热潮,到1959年2月,全市参加业余学校学习的人数达到70多万,占全市青壮年的69%。①

在教育"大跃进"中,由于盲目发展,只求数量增加,不顾实际,带来了师资、经费、校舍、设备等种种困难,超越了国民经济的承受能力,违反了教育发展的客观规律,教育事业大起大落,教学质量难以达到应有的水准。如合肥市全日制高等学校,1957年有专任教师738人,其中教授52人、副教授42人、讲师127人,三者占教师队伍总数的29.67%。至1960年,全市专任教师增至2799人,其中教授68人,副教授64人,讲师286人,三者的比例下降到14.93%。② 师资队伍的专业水平急剧下降。1962年,许多在"大跃进"运动中仓促新办的高等学校,被迫下马、撤并。

2. 新民歌运动

合肥文化方面的"大跃进"运动,表现最为鲜明的是新民歌运动,又称全民写诗运动。新民歌与"大跃进"运动紧密相连,其内容包括歌唱总路线、农田水利化、除"四害"、大炼钢铁、人民公社化、大办食堂等,反映了"大跃进"运动的各个方面。

在宣传总路线中,有民歌:"听了总路线,年轻几十年,干劲冲上天""总路线似红太阳,照得我们心里亮"。在捐献废铁过程中有歌谣:"你来找,我来找,找到废铁就是宝;你一斤,我一斤,炼出钢来定超英。"儿童高唱《多炼钢铁打豺狼》:"爸炼钢,妈炼钢,我在学校也炼钢。小弟弟,本领强,积木堆成高炉样。抓把黄沙当矿石,装到里面要炼钢。我问他炼钢干什么?小嘴一张把话讲:造轮船,造火车,再造大炮和机枪,送给叔叔解放军,狠狠打击美国狼。"在1958年抗旱斗争中,出现了许多"豪气冲天"的民歌,如《端起巢湖当水瓢》:"大红旗下逞英雄,端起巢湖当水瓢,不怕老天不下雨,哪方干旱那方浇。"在人民公社化运动中,

---

① 《我市青年教育工作大跃进成绩巨大》,《合肥日报》1959年2月20日。
② 《合肥市志》,第2547页。

有民歌:"人民公社是乐园,共产主义在眼前;工农业生产齐跃进,幸福生活乐无边。"在放早稻"卫星"中,高唱:"稻谷闪金光,人心大欢畅,稻穗赛马尾,稻秸似大腿,稻堆比山高,仓满容不了。"

新民歌运动的出现,在一定程度上反映了"大跃进"期间人民的精神面貌。并且在新民歌运动中,涌现出许多著名民歌手,如能编善唱的肥东农民歌手殷光兰,在全国都很有名气。但是,新民歌运动是"大跃进"的特定产物,创作的作品,大多是些概念化的宣传口号、顺口溜,成为宣传鼓动"大跃进"的工具。1960年以后,随着农工业生产困难局面的出现,新民歌的创作与传唱渐入低潮,波澜不兴了。

群众文化也掀起一个跃进高潮。1958年,合肥市的群众文化事业在配合宣传"总路线""大跃进""人民公社"三面红旗的热潮中开展了一系列活动。1959年8月,全市组织宣传八届八中全会公报,在两三天内,组织240个文艺宣传队,连夜突击创作1000多个文艺节目,计3万多人深入工厂、农村宣传,同时还利用广播大会、展览会、大字报、黑板报、跃进门、墙头标语、诗画、光荣榜等多种形式进行宣传。各级群众文化组织迅速建立,各公社在原文化站的基础上建立公社文化馆和以馆为核心的"三馆一团"(文化馆、图书馆、展览馆、业余文工团);各街道委员会在公共食堂的基础上建立"三堂一部"(课堂、会堂、食堂、俱乐部),形成了一个星罗棋布的文化网。1959年以后,这些文艺组织大多解散,基层群众文艺活动也基本处于停滞状态。

3. 除"四害"运动

1958年,合肥市的除"四害"活动达到高峰。1月11日,市除四害指挥部召开会议,提出除"四害"的新目标:合肥市在两年内要消灭苍蝇、蚊子、老鼠、麻雀、臭虫、蟑螂等"六害";在今年内要做到"三无"(无蝇无鼠无臭虫);在春节前要消灭30万只老鼠,10万只麻雀,普遍挖尽蝇蛹。会上还向芜湖、蚌埠、淮南、安庆、马鞍山、铜官山、屯溪等7个城市发起挑战,看谁先变成四无城。①

---

① 《看谁最先变为"四无"城市 合肥向芜湖等七市挑战》,《合肥日报》1958年1月12日。

1月14日,省除"四害"誓师大会在合肥召开。曾希圣号召全省人民用消灭阶级敌人的革命干劲全歼"四害"。会后,合肥市共组织驻肥省市各机关干部、工人、军人、教师、学生、店员、居民和农业社社员,共20余万人,向"四害"发起了全线总攻。在短短20天的时间内,提前超额完成春节前歼灭鼠雀任务。[①] 7月25日,合肥首次召开全市除害灭病讲卫生积极分子授奖大会,112个先进单位,33名卫生模范,64名"除害能手",3977名卫生积极分子受到嘉奖。[②]

8月份以后,随着钢铁元帅升帐,除"四害"运动进入以节假日为主的突击活动阶段。1958年,全市共掀起六次群众性的大突击、大围剿"四害"运动,消灭了大量的老鼠、麻雀、苍蝇、蚊子,填平了大量的污水塘沟,取缔了大量的露天厕所、粪窖,城市卫生面貌大为改观。

二、城乡人民公社化运动

(一)农村人民公社化运动

1958年的全国农村人民公社化运动,是在"大跃进"中过高估计农业发展成绩、急于向更高级生产关系过渡的"左"的指导思想下发展起来的。

1. 农村人民公社的建立

1958年3月,中共中央通过《关于小型农业社适当合并为大社的意见》后,全国各地农村出现大规模的小社并大社的热潮。合肥所属各县及郊区农村也出现了小社并大社的现象。

8月,河南省成立全国第一个人民公社——嵖岈山卫星人民公社后,合肥农村各地在小社并大社的同时,亦开始试办人民公社。8月27日,中共合肥市委农工部向市委提交《关于建立人民公社的几

[①] 《除六害战果辉煌》,《合肥日报》1958年2月5日。
[②] 《合肥卫生志》,第72页。

个问题》的报告,对合肥农村地区建立人民公社的基本条件、办社步骤、分配制度等提出了具体意见,计划先试办一批人民公社,取得经验后,再分批进行。1958年8月,郊区的蜀山、红星、金斗和丰收4个高级社合并成立蜀山人民公社,这是合肥最先成立的人民公社。

8月29日,中共中央政治局北戴河扩大会议通过《关于在农村建立人民公社问题的决议》后,全国立即掀起一场疾风骤雨般的兴办人民公社化的高潮。合肥农村各地也改变原有计划,纷纷加速兴办人民公社。9月中旬,毛泽东在安徽视察,在视察舒城县舒茶人民公社时,对人民公社给予充分的支持与肯定。由此,全国农村的人民公社化运动向前迈出更大的步伐。农民的热情空前高涨,人民公社势不可挡。肥东县在几天内,社员们写申请书、保证书30多万份,并贴出大字报15万多张。① 到9月25日,近一个月的时间,合肥三县(肥东、肥西、巢县)和一郊在原有842个农业社的基础上,经过合并,建立起78个人民公社,入社农民48.3万户,占总农户的99.99%,全市农村实现了人民公社化。

合肥市 1958 年农村人民公社基本情况表

地区	社数（个）	入社户数（户）	占农村总户%	入社人口（人）	使用耕畜（头）	经营耗地（亩）
全市	78	483100	99.99	2069100	102500	4627800
肥东	30	170400	100.00	748600	41300	1997800
肥西	22	174200	100.00	739900	31500	1609800
巢县	21	120300	99.99	498200	24700	894200
郊区	5	18200	99.97	82400	5000	126000

注:尚有个体户25户,占农村总户数0.01%。
资料来源:《合肥农村的变革》,第204页。

2. 人民公社的实践

人民公社实行政社合一的体制。它既是一级政权机构,也是一

---

① 《我市农村实现人民公社化》,《合肥日报》1958年9月28日。

个经济组织。社员代表大会是公社的最高权力机关,由社员代表选举产生公社的管理委员会和监察委员会。公社下设若干生产大队和若干生产小队,为相对独立的生产经营单位。

人民公社建立时,被认为是"建成社会主义和逐步向共产主义过渡的最好组织形式",基本特点是"一大二公"。所谓"大",即组织规模大。人民公社一般都比原来农业社的规模大几倍或几十倍。合肥农村人民公社一般是一乡一社,圩区有的是两乡一社,平均每个公社有6365户,2.76万人,耕地6.55万亩。其中最大的是肥东长临河人民公社,是在4个乡23个农业社的基础上建立起来的,有2.64万户,10.73万人,耕地17.34万亩。人民公社要求集工、农、商、学、兵五位一体,农、林、牧、副、渔全面发展,因而各公社不顾客观条件,兴办众多的工厂、学校、医院、敬老院等。据统计,1958年年底,合肥农村各人民公社共兴办了6万多个工厂,75所医院,62所中学,1136所小学,4000多所幼儿园,9318个托儿所,160所敬老院。所谓"公",即生产资料公有化程度高。人民公社的土地、耕畜、农具等主要生产资料都归公社所有,收回社员的自留地、果园、树木,将社员的家禽、家畜集中起来由集体饲养,严格限制社员经营任何家庭副业。公社可以无偿调拨生产队的劳力、物资,甚至社员的房屋、家具等。在收益分配上,取消原来的按劳分配的原则,实行伙食供给制和工资相结合的办法。社员上工不记工分,而是按思想觉悟、劳动态度、劳动技术、劳动强弱等将全社劳动力划分为8级,每月按级别发给少量工资。吃饭到公共食堂,免费看戏、洗澡、理发。对此,社员编"顺口溜"说:"1958年,吃饭不要钱,一人分两块(钱),工分打和拳。"①

人民公社还大力推行组织军事化、行动战斗化、生活集体化。组织军事化,即将16—60岁(女55岁)的劳动力实行军事编制,公社为团,大队为营,生产队为连,生产小组为排、班。还大办民兵师,民兵人数总计约60万人。行动战斗化,即在农忙时抽调精壮劳力,组成

---

① 《合肥农村的变革》,第141页。

"野战团",打流动式"歼灭战",甚至在田头安营扎寨,挑灯夜战。生活集体化,即以生产队为单位举办公共食堂,社员集中就餐,吃饭不要钱。1958年年底,合肥农村各人民公社共办食堂8639个,90%以上的社员都在食堂就餐。[①]

3. 人民公社存在的问题

在人民公社化过程中,实行"吃饭不要钱"和"一平二调",对社员私有的房屋、耕畜、农具、树木等财产,无偿调用。这种以平均主义为特征"共产风",极大挫伤了社员的生产积极性,因而大多出工不出力,不讲劳动效果,致使生产明显下降。但在"大跃进"运动高潮迭起的情势下,为完成生产上的高指标,实现农业生产的"大跃进",一些公社干部不仅没有正视这些问题,反而采取强迫命令和瞎指挥,农忙季节,要求社员连续昼夜苦战,弄得社员疲惫不堪。如肥东县草庙公社和众兴公社进行劳动竞赛,不分昼夜,挑灯夜战。结果两天以后,社员疲惫不堪,无法坚持,只好白天坐在田头喊号子,表示在干活,晚上点着灯,人却都悄悄睡觉去了。在农作物耕种方面,不讲因地制宜,千篇一律要求深翻密植,越深越密越好。与此同时,"浮夸风"盛行,各地纷纷夸大生产成果,争放高产卫星。如郊区1958年粮食平均亩产约700斤左右,但却声称达到了2500斤,并放出水稻亩产1.6万斤、山芋亩产10万斤、萝卜亩产9.6万斤的高产卫星。[②]

"共产风""瞎指挥""浮夸风"等违背了实事求是的精神和经济发展的客观规律,违背了按劳分配、等价交换的原则,带来了一系列问题:社员的生产积极性受到严重挫伤,普遍存在干活"打呼隆",干多干少一个样,生产明显下降;农户纷纷变卖家具,杀猪宰羊,砍伐树木;公共食堂用粮无计划,造成大量浪费。到1958年年底,各地粮食趋于紧张,1959年春便开始闹粮荒了。

[①] 《合肥农村的变革》,第142页。
[②] 《合肥农村的变革》,第142页。

（二）城市人民公社化运动

在全国农村人民公社化运动的高潮中,1958年下半年到1959年,全国一些城市也开始试办城市人民公社。

中共合肥市委对试办城市人民公社十分慎重,没有立即展开建立城市人民公社的工作。1959年7月,西市区庙后街人民公社成立,这是合肥最早建立的城市人民公社。同年8月,西市区委、民政局党组联合向市委提交《关于试办城市人民公社初步规划的报告》,计划在阜阳路以西、安庆路以北的地区内,试办一个人民公社。这个地区包括庙后街、六安路、霍邱路、大夫第4个居民委员会,1个杏花村蔬菜公社。市委给予的批复是西市区应将庙后街人民公社在原有的基础上,继续把它办好,以吸取和总结经验,暂不扩大公社范围。自此,合肥建立城市人民公社的事宜被搁置下来。

1959年7月至8月,中共中央召开庐山会议后,全国掀起"反右倾"运动,一直处于试办状态下的城市人民公社再次被提上继续"大跃进"的日程上来。1960年1月,中共中央在上海召开政治局扩大会议,提出经济建设高指标的同时,要求各地试办和推广城市人民公社。3月9日,中共中央发出《关于城市人民公社问题的批示》,要求各地采取积极的态度建立城市人民公社。批示要求:1960年上半年全国城市普遍试点,下半年普遍推广。除北京、上海、天津、武汉、广州五大城市外,"其他一切城市应一律挂牌子,以一新耳目,振奋人心"。[①]

根据中央的指示,合肥市各级党委抽调大批干部,成立专门组织,大张旗鼓在群众中开展宣传活动。经过组织动员,各区纷纷组建人民公社筹备委员会,纷纷着手搞试点,除已建的庙后街人民公社外,又先后建立起鼓楼、三里街、双岗3个街道为基础的人民公社。经过试点,到1960年5月中旬,第一批庙后街人民公社、鼓楼人民公

---

① 肖冬连:《求索中国——文革前十年史》,红旗出版社1999年版,第612页。

社、三里街人民公社、双岗人民公社等4个公社正式成立。紧接着,到5月底,西市、东市、南市、北市又有14个公社成立,人民公社化运动迅速席卷城区。到6月5日止,城区全部实现了人民公社化。

为配合城市人民公社化运动的发展,合肥市人委对原有行政建制进行调整。1960年3月,撤销郊区建制(郊区各农村人民公社归城市人民公社管辖),改为蜀山区。6月又改蜀山区为北市区,改车站区为东市区,改东市区为南市区。区域调整后,将原有市内4个区(蜀山、车站、东市、西市),分别建成北市、东市、南市、西市4个人民公社。又将刚以街道、企业、机关、学校为基础成立的人民公社,一律改为分社,城区4个人民公社下设32个分社。其中以工厂、企业为中心的8个,以机关、学校为中心的7个,以机关和街道联合组成的5个,以街道为主体组成的6个,还有6个农业蔬菜分社。①

城市人民公社与农村人民公社一样,基本特征也是"一大二公":人民公社范围大,一切归人民公社,由公社统一领导,统一经营,统一调配劳动力,实行吃饭不要钱的供给制。同时,城市人民公社也有主要从事手工业、工业生产、着力兴办服务业的特点。

但是,城市人民公社的建立,超越了生产力发展水平,也不符合城市管理的客观要求,具有十分明显的弊端,给社会发展和人民生活造成巨大的损失。首先,城市人民公社大办街道工业和各种生活组织,几乎都是白手起家,依靠平调,刮"共产风",肆意侵犯个人财产。其次,城市人民公社对居民生活包得过多,统得太死,严重违背经济发展客观规律和人们的意愿。此外,公共食堂违反自愿原则,更是引起群众强烈不满。随着工农业生产急剧下降,经济困难的状况日趋加深,到1960年底,合肥成立仅半年的城市人民公社,便名存实亡。1962年,合肥城市人民公社被正式撤销,恢复原三个市区一个郊区的建制。

---

① 《我市全面实现城市人民公社化》,《合肥日报》1960年6月7日。

三、毛泽东视察合肥

1958年9月和1959年10月,中共中央主席毛泽东两次视察合肥。

1958年9月16日,毛泽东乘船从湖北武汉抵达安徽安庆,在安庆参观安庆一中和安庆钢铁厂后,马不停蹄地坐车去合肥,晚上下榻于省委稻香楼宾馆西苑。

9月17日,毛泽东在合肥参观安徽省博物馆。他用了近3个小时的时间,先后参观了工业、农业、矿产、轻工、水利、交通、历史、文物、卫生、邮电、财贸等全部21个展馆。毛泽东说:"一个省的主要城市,都应该有这样的博物馆,人民认识自己的历史和创造的力量,是一件很要紧的事。"①安徽省博物馆是毛泽东生前第一次、也是唯一参观过的省级博物馆。18日,毛泽东视察省委钢铁厂、合肥钢铁厂和安徽省新式农具展览会。在省委钢铁厂,他详细询问厂的生产情况,并观看该厂2座13立方米高炉的出铁过程。当他得知省委钢铁厂

1958年9月毛泽东主席同合肥人民在一起

---

① 《毛主席在安徽》,安徽人民出版社1978年版,第12页。

是中共安徽省委的钢铁"试验田"时,称赞说:"对啊! 省委应该带头办啊!"①他还对这个厂参加炼铁的工人绝大多数是省委机关干部表示了肯定。在安徽省新式农具展览会,毛泽东参观了提水、运土、耕作和收割等各种工具,并观看了绞车深耕犁的操作表演。

在合肥期间,毛泽东应曾希圣的请求,利用晚上休息时间,为安徽大学题写校名,并给曾希圣写信,简略谈了他对安徽"大跃进"的印象和安徽省省会设置于合肥还是芜湖的想法,其中写道:"沿途一望,生气蓬勃,肯定是有希望的,有大希望的,但不要骄傲,以为以为如何?"②字里行间透露出他对安徽的"大跃进"比较满意。

毛泽东在合肥期间还和许多干部谈话,在谈到妇女工作时,说:"如果每年每人没有一千斤、两千斤粮食,没有公共食堂、没有幸福院、托儿所,没有扫除文盲,没有进小学、中学、大学,妇女还不可能彻底解放……只有办好人民公社,才是妇女彻底解放的道路。人民公社实行工资制、供给制,工资发给每个人,而不发给家长,妇女、青年一定很高兴,这样就破了家长制,破除了资产阶级法权思想。"③

1958年9月19日下午,毛泽东从稻香楼住地乘车到火车站。沿途经过的金寨路、长江路、胜利路上,挤满了机关干部、工人、学生、街道妇女,多达20万人。人们不停地喊:"毛主席万岁!"毛泽东站在敞篷车上,不停地向两旁的群众挥手致意。直到火车站广场,他还摘下帽子,向群众挥帽告别。毛泽东以这种方式与广大市民群众见面,在他的一生中是唯一的一次。

毛泽东的这次视察,对安徽及合肥正在如火如荼开展的人民公社化运动和大炼钢铁运动影响很大。

一年以后的1959年10月28日,毛泽东再次来到合肥,视察了中共安徽省委机关钢铁厂、蜀山人民公社和蜀山化肥厂。

"大跃进"期间除毛泽东视察合肥外,刘少奇、周恩来、朱德、邓小

---

① 《毛主席视察安徽》,《合肥日报》1958年9月29日。
② 《安徽大学简史》,插图第3页。
③ 《毛主席视察安徽》,《合肥日报》1958年9月29日。

平等党和国家领导人亦多次来合肥视察。1958年1月6日,国务院总理周恩来来合肥视察。他在肥西县先后视察肥光农业社、幸福坝工地和肥光小学。同年9月,中共中央副主席、国家副主席朱德视察合肥东郊工厂区和肥西张公塘水库、交通水库工地。10月,中共中央副主席、人大常委会委员长刘少奇视察合肥工业大学等处。1960年2月,中共中央总书记邓小平和彭真、刘澜涛、杨尚昆视察合肥。邓小平等深入工厂、农村、学校调研,肯定了合肥解放以来所取得的巨大成就,勉励合肥人民努力克服当前困难,同心协力,渡过难关。

第三节 继续"大跃进"

一、初步纠"左"

早在"大跃进"和人民公社化运动高潮形成之时,严重的后果已蕴藏其中。1958年冬至次年春,问题开始暴露。农业战线,由于粮食严重不足,农村劳动力开始外流,市场供应日趋紧张,个别地方发生非正常死亡。工业战线,由于原料不足,运输困难,职工思想波动等原因,跃进的势头开始低落。1958年11月至1959年4月,中共中央先后召开第一次郑州会议、武昌会议、八届六中全会、第二次郑州会议、八届七中全会等一系列重要会议,采取一些措施,着手纠正工作中的"左"倾错误。

(一)农村人民公社的初步整顿

根据中共中央的指示和安徽省委的部署,1958年年底和1959年年初,合肥市委连续召开各级干部会议,传达贯彻中央会议精神,采取措施,纠正农村工作中的"左"倾错误,重点对人民公社进行初步整顿。从批判"共产风""浮夸风"和"瞎指挥"着手,真正落实人民公社分级管理、分级核算的政策;改变人民公社分配办法,按原农业合作社办法进行1958年的收益分配;恢复评工记分的制度,实行评定底分底粮、多劳多吃的规定,推行多种形式的生产责任制。合肥市委还对肥西县实行"五包六定"(即包产、包工、包费用、包工资、包伙食供给,定活、定人、定质、定量、定时、定工资报酬)的生产管理和责任制度给予默许。与此同时,改变一切生活、生产资料归于分社的规定,允许社员经营少量的自留地,饲养少量的家禽、家畜,保留房前屋后的树木;并在清算生产上跨地区协作、兴办各项事业而平调的劳力、物资基础上,一律给予退赔。

针对大炼钢铁抽走农村大量劳动力,造成农村劳动力缺乏,影响农业生产的情况,为加强农业第一线的劳动力,1958年12月,中共合肥市委指示工交系统尽快精简劳动力,以支援农村生产。到1959年3月20日,全市工交系统共精简6.03万劳动力,让他们返回农业生产战线。[1]

为弥补粮食供应不足的问题,1959年6月14日,中共安徽省委举行动员大会,号召城镇人民行动起来,象支援革命战争一样支援农业生产。因此,合肥市各单位纷纷订出分批到农村支援生产的计划。16日,首批支援农业生产的2万多人冒雨下乡,他们携带各种工具,分赴郊区、肥东、肥西、巢县等地支援农业生产。[2]

(二)努力安排日用必需品的供应

从1958年冬开始,合肥市场上食糖、肥皂、胶鞋、纸张、雨伞等一批日用工业品出现供求紧张状态,有些商品甚至脱销。据统计,全市脱销的商品达800种左右。[3] 为了缓解这一状况,中共合肥市委于7月17日上报安徽省委《关于大力恢复与发展小商品生产意见的报告》,得到省委的批准,同意合肥市对日用工业品生产采取补救措施,

---

[1] 《合肥市志》,第43页。
[2] 《热烈响应省委号召 首批两万多人冒雨下乡》,《合肥日报》1959年6月18日。
[3] 苏桦、侯永主编:《当代中国的安徽》(上),当代中国出版社1992年版,第81页。

即着力恢复"大跃进"前的企业性质、生产品种、管理办法,缓解日用工业品市场供应紧张状况。

针对副食品供应紧张的情势,中共合肥市委一手抓生产,一手抓供应。在蔬菜生产与供应上,一是在郊区建立蔬菜生产基地,扩大种植面积,提高种植技术,以增加蔬菜产量。至1959年6月中旬,郊区蔬菜种植面积已发展到3.5万多亩,总产量达6500万斤,品种也由原先的139种增加到170种。[①] 二是发动和组织机关、部队、学校、工厂企业、城市居民利用一切空地,大量种植瓜果,自种自给,减轻市场供应的压力。三是要求商业部门将副食品交由各代销店、酱园、水果商店经营,还抽调近百名职工,组成30余个流动供应组,上门供应。在缓解畜禽蛋品供应紧张的问题上,采取"公养与私养同时并举"的办法,鼓励市民利用自身条件饲养畜和家禽。

(三) 加强企业的管理

"大跃进"运动片面强调破除迷信,敢想敢做,必要的管理被削弱,合理的规章制度被废除,企业管理陷入混乱状态,生产计划、产品质量都未能实现。

1959年5月20日,合肥召开工业、基建、交通系统干部大会,有412个单位、万余人参加。大会的主要任务是在总结"大跃进"以来的成绩和经验的基础上,针对目前存在的问题,大鸣大放、大整大改。大会采取"一面生产,一面开会,边整边改,边议边行"的办法,对暴露的问题,分析原因,认真处理。大会共开了39天,到6月27日结束。这次大会的召开,对改进领导作风和工作方法,建立与健全一些合理的必要的规章制度等,都起到了整改的作用,企业的混乱局面得以缓解。

1958年年底到1959年上半年约半年的时间,中共合肥市委纠正"大跃进"和人民公社化运动中的"左"倾错误所做出的努力,取得了一

---

① 中共合肥市郊区区委会:《大力发展蔬菜 满足城市供应》,《合肥日报》1959年7月4日。

定成效。但是，由于没有也不可能从根本上认识到"左"倾错误的性质及其严重性，而是在肯定"大跃进"、总路线、人民公社"三面红旗"的前提下进行的调整与整顿，因此，"左"的错误未能彻底纠正，纠"左"的工作也很难深入进行。1959年7月的庐山会议打断了全党纠正"左"的错误的进程，"大跃进"运动继续进行。

二、"反右倾"与继续"大跃进"

（一）"反右倾"斗争

1959年7月，中共中央召开八届八中全会（即庐山会议）。会议的主题本是纠正"大跃进"和人民公社化运动中出现的"左"倾错误，但在会议后期主题发生逆转，由纠"左"变成"反右倾"，发动了对彭德怀等人的批判。会后，在全党开展大规模的"反右倾"斗争。

庐山会议刚一结束，中共安徽省委立即召开了常委会议，学习贯彻中共八届八中全会精神，号召全省人民为完成和超额完成1959年计划而奋斗。接着，又召开地、市委书记电话会议，进行具体安排。8月11日，合肥市委召开全市机关、工厂、农业、财贸、文教系统近万名干部参加的"反右倾"、鼓干劲的动员大会，号召全市人民"立即行动起来，反掉一切右倾思想，鼓足更大革命干劲，厉行增产节约，大战八九月，用光辉的成就，迎接国庆十周年"。[①] 10月11日，市委又召开万名干部参加的"反右倾、鼓干劲"动员大会，进一步开展"保卫总路线、大跃进、人民公社三面红旗"的"反右倾"斗争，对市委分管农业的第二书记陈爱西等如实反映农村出现严重问题的领导，进行错误的批判斗争和处理。

在合肥农村，"反右倾"斗争结合两条路线斗争和"反瞒产"斗争

---

① 《反掉一切右倾思想 鼓足更大革命干劲 立即掀起增产节约新高潮》，《合肥日报》1959年8月12日。

进行。1959年11月以后,全市农村各地开展以"两条道路斗争"为主要内容的整风、整社运动。根据中共合肥市委《关于农村整社工作的意见》,各人民公社通过大鸣、大放、大字报的形式,揭发和批判干部、群众中所谓资本主义思想,一些敢讲真话,对自留地、征购、公共食堂等有不同看法的干部和群众被当做富裕中农的代言人而遭到批判。由于粮食减产和征购指标过高,各公社都无法完成征购任务,也难以保证食堂的供应,即便如此,市、县二级还强行发动反瞒产、私分粮食的斗争,以反瞒产、反私分的名义,强行征购农民的种子和口粮,以致人为地造成"人缺口粮田无种"(肥东1960年种子大部分是外面调进的)的困难局面。

"反右倾"斗争还错误打击了一批人。至1960年3月"反右倾"基本结束之际,全市有1000多名干部、群众被强加犯有右倾错误或有抵触言论和情绪,受到批判或处分。

"反右倾"斗争带来了十分严重的后果。在政治上,使党内民主生活遭到严重破坏,压制和打击了党内敢于坚持实事求是向党反映真实情况、讲真话的人士。经济上,打断了纠正"左"的错误的进程,一度被纠正的"共产风""浮夸风"和"瞎指挥"的风气又重新刮起,1959年秋,全市上报粮食总产量为21.1亿斤(后经核实只有12亿斤),①浮夸风再度上演。

(二)继续"大跃进"

"反右倾"斗争的后果是,原来开展的纠"左"进程戛然而止,继续"大跃进"运动再掀高潮。

制定经济发展高指标是继续"大跃进"的第一步。而在庐山会议发起"反右倾"斗争后,制定高指标甚至成为这场斗争的一个重要内容。1959年9月下旬至10月上旬,中共合肥市委连续召开3次常委扩大会议,要求广大干部克服"右倾保守思想和松劲畏难情绪",提高思想觉

---

① 《合肥市志》,第44页。

悟,促进生产建设的继续跃进。12月21日,市委召开会议,确定1960年工业生产指标,要求全市1960年工业总产值比1959年翻一番,产品品种要达到1.5万种,产品质量赶上全国先进地区的水平。① 27日,市委又发出了"为实现1960年更大更全面跃进而奋斗"的号召。同日,全市5万多干部职工,在省体育场举行大战1960年跃进誓师大会,响应市委提出的"为实现1960年更大更全面跃进而奋斗"的号召。

1960年2月8日至16日,中共合肥市第二届代表大会召开。会议听取市委第一书记刘征田代表第一届市委所作的《关于市委工作的报告》,并通过相应的决议。会议选举产生中共合肥市委第二届委员会,委员35名,候补委员15名,并选举刘征田为书记处第一书记(1965年9月杨效椿接任市委书记),赵凯等7人为书记处书记。由于受"左"的思想指导,这次大会提出了一些不切实际的目标,要求各行各业进一步掀起全面跃进的高潮。

合肥市经济计划委员会于1960年1月制定出当年国民经济计划的主要指标,其中:工农业总产值19.2亿元,为1959年的200.62%;交通运输量1434.4万吨,比上年增加43.87%;商品零售额3.96亿元,比上年增加36.16%;基本建设投资额2.9亿元,比上年增加49.03%。而这些跃进高指标的制定,又是以1959年的虚假统计数字为基础,其能否实现,不难预料。

为实现1960年经济"大跃进"指标,中共合肥市委按照安徽省委的指示,实行多方面的措施。

一是继续贯彻"以钢为纲"。从1959年8月开始,全市再次掀起大办钢铁的群众运动浪潮。生铁产量大幅增长,最高日产量不断攀升,由最初的日产800吨,到1000吨、1200吨、1500吨,直到2000多吨。1960年全年,全市生产铁近50万吨,钢7.5万吨,钢材7.2万吨。② 但是,钢铁数量上去了,大办钢铁的群众运动远远低于1958年

---

① 《全市职工同志们,向新的跃进里程进军!》,《合肥日报》1959年12月26日。
② 《合肥市政府志》,第42页。

的高潮期。资金、粮食、人力,等等,都大不如前。

二是提出"技术革命和技术革新"。这是 1960 年"跃进"的一个特色。1 月 30 日,中共中央指示,发动群众运动,大技术革新和技术革命。根据这个指示,合肥迅速开展技术革新和技术革命运动。但是,这一运动夹杂着太多的浮夸,以至许多统计数据难以确定。比如,1960 年第一季度,全市工业总产值计划超额 0.73% 完成,比去年同期增长 91.38%,工人劳动生产率比去年同期提高 95% 等。[①] 浮夸风再度盛行,又一次给合肥经济社会发展造成巨大损失。

三、"大跃进"运动的严重后果

三年"大跃进"和人民公社化运动带来的严重后果从 1958 年冬至 1959 年已经有所呈现,合肥全市经济建设遭遇困难,城乡居民生活水平呈现下降态势,连续 3 年的严重经济困难局面悄然而至。

(一)农业生产急剧下降,粮食极度缺乏

从 1958 年兴修水利刮起的"共产风""浮夸风"和"瞎指挥风",在 1959 年上半年有所遏制后,再度抬头,极大挫伤了农民生产积极性。加之大办钢铁抽走大批农村劳动力,造成农村劳力紧张。各种因素相互交错,致使农业生产遭到严重破坏。1960 年,合肥农业总产值 2.75 亿元,仅完成当年计划的 48.59%,较 1959 年下降 9.6%。粮食总产量 10.3 亿斤,为当年计划的 33.87%,比上年的 21.1 亿斤[②]下降 51.19%。棉花 8.13 万担,比上年的 24.9 万担下降 67.34%;油料作物 10.39 万担,比上年的 106.2 万担下降 90.22%。其他主要农副产品的产量也大幅度下降。农业生产的急剧下降,造成严重的粮食短缺。为此,不得不降低城镇居民的口粮标准。在农村,由于粮食生产计划竟

---

① 《我市技术革新花繁果硕 五个月实现革新五万多件》,《合肥日报》1960 年 6 月 16 日。
② 此为中共合肥市委上报安徽省委的全年粮食产量,后经核实,1959 年合肥粮食总产只有 12 亿斤。其他农作物产量也都被夸大。

相高指标,带来高征购,农村人均口粮大大减少。1959年4月,全市农村出现粮食供应紧张的状况,部分食堂停火,不少人因饥饿而患上水肿病。江淮、蜀山、淝河、东方红等4个公社仅5月份就有1534人患水肿病,肥东、肥西县也相继有人患上水肿病、干瘦病、小儿营养不良症、妇女子宫脱垂、闭经等因饥饿及营养不良引发的疾病。① 1959年年底到1960年春,情况进一步恶化,粮食严重减产,农村出现"饿、病、逃、荒、死"(饿死、水肿病、外流、农田荒芜、非正常死亡)等严重情况。1960年,肥东、肥西、巢县等农村人口盲目外流人数达5万多名。其中,有大量人口盲目流入到城市。此外,因受饥饿、疾病等影响,弃婴现象也明显增多。粮食的短缺,严重危害了人民群众的健康和生命,全市出现低出生率、高死亡率状况。1960年,巢县出生人口仅3395人,死亡人口却达45771人,自然增长率为-93.79‰;肥东县出生人口为6167人,死亡人口高达8万多人,自然增长率降为-104.73‰。② 根据地方志的人口统计数据计算,1960年全市(包括合肥市区、肥东县、肥西县、巢县)人口比上年减少43万多人。③

(二)工业发展受到严重挫折

1. 经济效益低下,企业收入下降,财政收入减少

由于受"大跃进""浮夸风"和"共产风"等"左"倾错误影响,导致人、财、物的巨大损失和浪费。1958至1960年的三年间,仅合肥钢铁厂就因盲目兴建,造成报废损失3280万元,占同期国家投资总额的

---

① 《合肥卫生志》,第24页。
② 巢湖市地方志编纂委员会编:《巢湖市志》,黄山书社1992年版,第147页;肥东县地方志编纂委员会办公室编:《肥东县志》,安徽人民出版社1990年版,第90页。
③ 合肥市区、肥东县、肥西县、巢县1959年的人口统计数据分别为:54.75万人、81.64万人、75.75万人、54.37万人。1960年分别为58.23万人、62.3万人、57.62万人、45.01万人。参见合肥市地方志编纂委员会编纂:《合肥市志》,安徽人民出版社1999年版,第123页;肥东县地方志编纂委员会办公室编:《肥东县志》,安徽人民出版社1990年版,第87页;肥西县地方志编纂委员会编:《肥西县志》,黄山书社1994年版,第65页;巢湖市地方志编纂委员会编:《巢湖市志》,黄山书社1992年版,第147页。

41%,生产性亏损达2740万元。合肥铝厂同期亏损465万元。① "二五"时期,合肥工业生产总值,年平均增长8.86%,比"一五"时期增长速度降低31.14%。从1961年开始,工业总产值连续3年下降。1960年,全市工业总产值6.17亿元,1963年,下降到近2.4亿元,降幅为61.6%。② 企业效益大幅下降,直接影响到财政收入。1960年,全市财政收入为2238万元,1961年下降到1218万元,1962年更降为434万元,仅为1960年财政收入的19.39%。③

2. 国民经济比例严重失调

首先是农业、工业之间的关系不协调。一方面,农业生产增长缓慢,甚至出现下滑。另一方面,工业生产畸形增长,尤其是以钢铁生产为主的重工业增长过快。其次是工业内部比例的失调。具体表现为重工业速度过快,轻工业增长较慢。"大跃进"期间,强调"以钢为纲"发展工业,忽视和挤压轻工业发展。轻工业产值在全部工业总产值中的比重,由1957年的76.71%下降到1960年的48.4%;而重工业则由1957年的23.29%上升到1960年51.6%。再次是基本建设投资规模过大,造成积累率过高。1958至1960年,合肥市累计新建扩建工程项目459个,总投资5.09亿元,比"一五"计划投资总额增加1.86倍。④ 而且,巨大的基本建设资金投资于钢铁等重工业,浪费和损失严重。

(三)市场供应紧张,人民生活水平严重下降

1959到1961年,合肥市场商品供应日趋减少,物资匮乏现象频频出现,许多日用品、副食品甚至断档。1960年3月4日,合肥库存食油只够市场3天消费。3月13日,库存粮食只够市民1.5天消费。商品长期短缺,引发物价大幅度上涨。1960至1961年,自由市场价

---

① 《合肥工业五十年》,第177页。
② 《合肥工业五十年》,第6—7页。
③ 《合肥市志》,第1483页。
④ 《合肥市志》,第413、1953页。

格高出牌价数倍至十数倍。1961年,全市物价动态情况为:50种主要商品价格与1957年相比,价格上涨的有29种,占58%。其中,菜油、豆油、小白菜等上涨30%~50%,母鸡、鲜鱼等上涨幅度达1倍以上,鸡蛋等更是成10倍以上的上涨,有些副食品更是有价无市。①

商品短缺、物价上涨,人民生活出现严重困难。中共合肥市委采取一系列措施,力图缓解困难局面。一是在粮食供应上,实行"低标准、瓜菜代"。1960年,将市民月人均粮食定量标准减少3至5斤,食油由月人均5两降为3两,1962年又减至2两。二是为解决粮食短缺,1960年11月,全市各行各业抽调大批人员到郊区和农村采集野生植物,加工代食品。三是对城镇居民实行凭票供应制度。1961年,被列入凭票限量供应的商品,除国家统一规定的粮、油、棉、布(含针织品)外,还有肉、鱼、禽、蛋等副食品和牙膏、肥皂、食糖、卷烟、自行车、手表、缝纫机等日用工业品,数量达50余种。居民若不持商品票(证)就难以买到生活必需品,生活水平大幅下降。②

第四节　调整国民经济

一、调整农村政策

面对国民经济的严重困境,从1960年下半年开始,中共中央在肯定总路线、"大跃进"、人民公社"三面红旗"的前提下,开始采取措施,逐步调整国民经济,尤其是农业经济。1960年8月,中共中央发出《关于全党动手,大办农业,大办粮食的指示》。11月3日,中共中

---

① 《合肥市志》,第1297、1416页。
② 《合肥市志》,第1297页。

央发出《关于农村人民公社当前政策问题的紧急指示信》(简称"十二条")。国民经济开始以农业为重点,初步进行调整。

根据中共中央指示和安徽省委的部署,从1960年8月开始,合肥市着手调整农村政策,重振农村经济。

(一)加强农业的基础地位

1. 抽调干部,整顿落后社队

早在1960年春,农村发生春荒之时,中共合肥市委以帮助整顿落后社队为由,从全市各单位抽调干部到农村人民公社,抓生活、抓生产,整顿农村干部作风。1960年8月以后,市委加大抽调干部到农村的力度,从当年8月至次年4月,全市仅工交系统就抽调902名干部,到农村帮助整风整社,包干改造落后社队及检查农村生活食堂。

合肥整风整社运动,其主要内容:一是反对并纠正"五风"("共产风""浮夸风""生产瞎指挥风""强迫命令风""干部特殊化风"),反贪污、反浪费、反官僚主义。二是建立健全人民公社经营管理制度,下放公社权力,实行三级所有、队为基础,以生产大队为基本核算单位;同时,承认生产小队的部分所有权,实行土地、劳力、耕牛、农具固定(简称"四固定")给生产小队使用。生产上恢复评工记分,并推行"三包一奖"(即生产队对生产小队实行包工、包产、包成本和超产奖励制度)等形式的责任制。三是归还社员的自留地,鼓励社员种瓜、种菜,允许社员经营小规模的家庭副业,开放农贸自由市场,准许社员从事农副产品的自由交易。四是清理县、社、队之间"一平二调"的账目,退还平调的财物,平调的劳力付给工资。

同时,在这次整风整社过程中,中共合肥市委、各县委的主要负责人,分别在有关会议上检查了人民公社创办以来所犯的错误,并承担了责任,还开始对被错误处理的干部进行甄别平反。

2. 各行各业对农业的支援

1960年8月,中共中央大办农业、大办粮食的指示下达后,合肥各行各业努力在人力、物力、财力等方面大力支持农村和农业。中共合肥市委、市人委调低合肥部分工业产品的计划生产指标,压缩基本建设规模,用调整后的财力、物资与资源,加强对农业生产的支援。全市工业部门,各尽所能大力支援农业。机械企业大力赶制农业机械,生产插秧机、柴油机、水泵、收割机等多种机械,支援农业;交通系统为农业制造5.7万多部平板车;建筑系统抽调大批劳动力下乡参加夏收夏种。① 1961年,工业部门生产合成氨656吨、小农具68万件以及其他农业机械和农药等生产资料,供应农业生产需要。

3. 充实农业劳动力

为解决农村劳动力短缺问题,中共合肥市委、市人民委员会(以下简称市人委)在全市各部门压缩编制,精简人员,加强农业战线。早在1959年3月,鉴于农村春耕需要大批劳力,而钢铁"大跃进"高潮又暂停,合肥全市精减6万多民工回乡务农。② 1961年又压缩城市人口7.2万多人,其中回乡参加农业生产的有5.3万多人。1961年,在抗旱、抢收、抢种的大忙季节,全市各机关、工厂、企业、学校抽调大批劳动力下乡,支援农业生产。

(二) 调整人民公社管理体制

1961年3月至1962年2月,中共中央先后发出《农村人民公社工作条例(草案)》(简称"农业六十条")、《农村人民公社工作条例(修正草案)》《关于改变农村人民公社基本核算单位问题的指示》,对人民公社的经营体制、基本核算单位、按劳分配、公共食堂等一系列问题做出政策规定。

为贯彻落实上述文件精神,合肥市对人民公社进行调整。第一,将各农村人民公社划小规模,纠正社队规模过大、公社管理过死的问题。如肥西县将原21个农村人民公社、264个大队调整、划分为61个公社、596个大队。第二,从1961年开始试行,将基本核算单位下

---

① 《我市工业部门各尽所能大力支援农业》,《合肥日报》1960年7月9日。
② 《合肥市志》,第43页。

放到生产队,以解决集体经济中存在的生产以生产队为基本单位、分配以生产大队为基本核算单位的矛盾。1962年起,全面实行以生产队为基本核算单位,加强生产队的工作,建立生产责任制和财务制度。第三,贯彻按劳分配原则,取消供给制,停办公共食堂,将粮、油、草等分发到户,实行评分记工。如郊区江淮公社大井大队朱小郢生产,从5月份恢复评工记分的制度起,社员出勤率由原来的60%提高到95%以上。①

农村政策的调整,部分改变了"大跃进"运动以来的"左"的政策、措施,对农业生产的恢复和发展起着积极作用。1962年,全市农业总产值比1961年增长2.13%。② 社员的家庭副业有所恢复,收入有所增加,生活有所改善。

这一时期,为恢复被"大跃进"运动破坏的农村生产力,安徽还从实际出发,试行"包产到户"等生产责任制,影响最大的就是中共安徽省委在合肥郊区南新庄的责任田试点及推广。

二、南新庄与责任田

(一)责任田的试点

1. 在农民的故事中获得启发

连续三年的"大跃进"运动及农村人民公社化,给农村、农业带来严重的危害,"左"的政策、做法使广大农民深受其害。1959年开始,中共中央采取措施,纠正一些错误做法。但是,在继续"大跃进"和坚持人民公社化的情势下,特别是1959年8月庐山会议后,"左"的政策措施再度占据主导地位,经济困难尤其是粮食危机更趋加重。

面对严重的困难,农民有自己的应对办法。在安徽宿县褚兰公

---

① 《合肥农村的变革》,第169、153页。
② 《合肥市志》,第46页。

社有位70多岁的老农刘庆兰,儿子有肺病。1958年底公社成立时,干部劝他进敬老院。但他不愿去,而是要求带儿子进山,开荒种田。第二年收了3300斤粮食,除留下口粮、种子、饲料1500斤外,交给队里1800斤粮食和60元现金(养猪养鸡所得)。他还向公社党委建议:"最好把田包给社员种,不然社员混工,生产搞不好。"①

1960年8月和11月,中共中央连续发出两个文件后,纠正"左"的错误成为主导,全国各地纷纷采取措施,克服困难。时任中共安徽省委和山东省委第一书记的曾希圣,深感安徽在"大跃进"和人民公社化运动中出现的失误给人民带来的灾难,自己负有不可推卸的责任。1961年2月,他在蚌埠召开全省地市委书记会议上,听到在淮北农村蹲点的省委常委、副省长张祚荫介绍刘庆兰老汉的故事,受到启发。14日,曾希圣回到合肥,立即召开省委书记处会议,提出了思考很久的"按劳动底分包耕地,按实产粮食记工分"的联产到户责任制办法,亦即包产到户。会议赞同这个办法,但又觉得有风险。于是,避开"包产到户"的字眼,决定变通名称,先进行试点。试点地选在合肥郊区蜀山公社井岗大队南新庄生产队。

2. 南新庄的责任田

中共安徽省委及曾希圣选择合肥郊区蜀山公社进行责任田试点,有三个缘由:一是南新庄地处合肥市郊,离省委办公地相对较近,方便省委干部随时调研指导;二是毛泽东曾在1959年视察过南新庄所在的蜀山公社,知名度比较高,试验成功后有利于推广。之所以把试点选在南新庄生产队,是因为曾希圣曾明确提出要找个落后队作责任田试点,且搞试点的生产队不能在公路干道旁,要偏僻一点,因为毕竟是试验,要尽量缩小对外影响;三是由于受"左"的思想影响,人民公社"一大二公"仍然被认为具优越性,而搞责任田会被视作离经叛道。为避免干扰,曾希圣要求试点情况不得外传,如试验不成

---

① 《关于包产到田责任到人问题(草稿)》,《安徽文史资料(第34辑)·1961年推行"责任田"纪实》,中国文史出版社,1990年版,第72页。

功,不会带来什么不好的影响;如试验成功,也需要有领导地推开,不能一哄而起。

1961年2月下旬,中共安徽省委派出工作组,在合肥市委、市人委的配合下,先到合肥市蜀山公社井岗大队蹲点调查。井岗大队有500多户人家,2000多人口,3000余亩土地,1958年以来,由于"大跃进"和人民公社化运动的冲击,粮食产量连年下降,农业生产、群众生活出现严重困难,不少人患上水肿病,接二连三发生非正常死亡的事情。[①] 井岗大队属下的南新庄生产队是个穷队,生产落后,土地荒芜,群众生活非常困难。全村29户,无一户人家饲养家禽家畜,社员说:"人都吃不饱,哪有粮食喂猫喂狗!"工作组进村后,立即就如何搞好生产、改善群众生活,问计于民。又召开队委会、社员会等,同社员反复商讨。大家一致认为,生产之所以搞不好,主要是干活"大呼隆",分配"一拉平",因此,要想把生产搞好,就必须做到多劳多得,少劳少得。实际上就是实行责任制。

对此,工作组提出了三个方案:一是包产到队,田间管理包工到户;二是包产到组;三是定产到田,责任到人。通过几次座谈会,征求意见,社员倾向于实行定产到田、责任到人。工作组在这个基础上,提出实行"包产到队、定产到田、责任到人"的办法。办法公布后,全队29户中有25户完全赞成,3户基本赞成,只有1户反对。为避免有人把这个办法误解为搞单干,工作组又提出"五个统一",即"计划统一(生产指标和主要作物安排)、分配统一(包产部分)、大农活和技术活统一、用水管水统一、抗灾统一",强调必须在"五个统一"的基础上实行。

省委工作组在南新庄试点的基本内容包括:包产到队,定产到田,以产计工,大农活包到组,小农活包到户,按大小农活的用工比例计算奖赔。这个办法,全称是"田间管理责任制加奖励的办法",简称"责任田"。

南新庄试点责任田办法实行后,立即显示出积极的效果。第一,

---

① 胡家发:《井岗大队实行"责任田"的经过》,《合肥农村的变革》,第180页。

包产比较落实,生产计划指标有所增加。粮食产量由原定的8.7万斤调高到10.7万斤,增加23%。第二,出勤率由过去的50%多提高到随后的整半劳力、辅助劳力全部出勤,几达100%。社员还在劳动之余,主动锄草、追肥、扩种瓜、菜。第三,家家户户、男女老少齐动手,大搞积肥。全队出现前所未有的春耕场面。邻近生产队闻讯后,纷纷要求实行南新庄的办法,甚至有外队社员要求搬到南新庄当新社员,种好责任田。①

(二)责任田的推广

1. 扩大范围试行责任田

1961年3月6日,中共安徽省委书记处会议讨论南新庄试点经验,决定扩大试行责任田。会议还拟就出《关于包产到田责任到人问题(草稿)》,由书记处书记携带此草稿分头下去进行传达,组织试点。后来,这个草稿又经过两次修改,称作"包产到队、定产到田、责任到人"的试行办法。

3月7日,曾希圣赴广州参加中央工作会议。在华东区小组会议上,曾希圣汇报了南新庄试行责任田办法,引起与会者的强烈反响,出现了不同意见。

3月15日,曾希圣将试行责任田办法向毛泽东作汇报。毛泽东答复说:"你们试验嘛,搞坏了,检讨就是了。如果搞好了,能增产10亿斤粮食,那就是一件大事。"②毛泽东表态后,曾希圣在广州立即电告安徽省委,说责任田已经通天了,可以搞。于是,省委当天即向各地市县委第一书记发出一封信,并附去《关于包产到队、定产到田、责任到人办法的意见》。信中说,关于责任田,希望有计划有步骤地全面推行,这个办法既符合社会主义原则,又符合中央关于当时农村人

---

① 刘征田等:《责任田的第一个试点》,《安徽文史资料(第34辑)·1961年推行责任田纪实》,第49页。

② 《曾希圣同志传达广州会议精神》,1961年3月28日。转引自《当代安徽简史》,第236页。

民公社十二条政策,对调动广大群众的生产积极性,加强社员的责任心,恢复与发展农业生产,有很大意义。由此,责任田办法于春耕大忙前在全省各地推行开来。

2. 责任田在合肥农村迅速普及

为落实中共安徽省委关于推行责任田办法的指示,合肥市委于1961年3月8日召开所辖肥东、肥西、巢县县委书记和郊区区委书记会议,部署"责任田"办法的试点工作,确定试点工作由县委书记和各公社党委书记逐级亲自掌握,县委直接抓一个大队,公社党委抓一个生产队。由于春耕大生产在即,试点工作要抓紧时间,在3月20日前结束。在试点工作的基础上,召开经验交流会,然后再逐步推开。可是,这次会议的行动部署还未正式展开,社员已经等不及了。南新庄试点像星星之火,在全市迅速遍地燃烧起来。不到一个月的时间里,全市所属各县及郊区农村的许多社队就实行了责任田。到年底,合肥市实行责任田办法的有49个大队、417个生产队,分别占大队、生产队总数的52%、34.2%。实行责任田的生产队普遍增产增收,当年就有效缓解了农村饥荒问题。

责任田的巨大优越性和强大生命力,对安徽农业生产的恢复和发展起了决定性的作用。1961年,全省粮食总产量实际达到189亿斤,比1960年增产54亿斤,增产幅度达40%。[①] 由于粮食增加,国家粮食征购任务超额完成,农民生活水平得到了初步恢复,饿、病、逃、荒、死的非正常现象大幅减少,大批外流人员纷纷回乡种责任田。社员一致认为责任田是"活命田""救命田"。

三、调整城市工商业

(一)初步调整(1961—1962年)

1961年1月,中共八届九中全会正式决定,对国民经济实行"调

---

① 陆德生:《六十年代初安徽责任田问题风波》,《中共党史研究》,2006年第4期。

整、巩固、充实、提高"的八字方针。2月,安徽省委召开省、地、市、县委第一书记会议,贯彻执行八字方针,部署全省国民经济调整工作。根据中央指示和省委部署,合肥全市的国民经济调整工作由此开始。

1. 对工业的调整

(1)贯彻以"调整"为中心的八字方针

对工业企业的调整,主要是实行工业企业的关停并转,包括将一些工厂企业撤销、合并或转为集体所有制;缩短基本建设战线,压缩重工业生产;精简职工和城镇人口。

1961年,合肥工业调整的主要目标是:缩短基本建设战线,调整重工业生产指标,增加轻工业和手工业生产比重。在基本建设方面,坚决压缩、停建楼、堂、馆、所等非生产性项目。对生产性项目,保留并继续建设极少数重点工程和为农业生产服务、发展小商品生产的项目。削减当年钢铁、钢材生产指标;撤销政法二厂、冶金学校、军区钢铁厂;把省委钢厂、合肥焦厂、耐火材料厂、铜陵铁矿、淮南焦厂合并入合肥钢铁厂,组成合肥地区钢铁联合企业;把纺织机械厂、新生铁工厂、农业机械化学校、电影机械修配厂,分别改为农机一厂、二厂、三厂、四厂;把光荣织毯厂和毛纺厂,合并成立棉毛纺织厂;把光荣制球厂并入合肥制革厂。通过调整,全市共合并撤销44家企业,精减7万多劳动力,支援了农业生产。

1962年,仍以调整工业结构为主。冶金工业企业除保留合肥钢厂和合肥合金钢厂外,其余全部撤销。机械工业关闭了广播器材厂等6家工厂。化学工业关闭合肥制药厂、合肥溶剂厂等5家工厂,江淮化肥厂和合肥化肥厂合并。建材工业关闭合肥轮窑厂等工厂。轻工业关闭41家工厂。通过调整,全市工业企业的总数,已由1961年底的332家下降为261家。[1]

(2)贯彻《国营工业企业工作条例(草案)》

1961年9月16日,中共中央发布《国营工业企业工作条例(草

---

[1] 《合肥工业五十年》,第7页。

案)》(简称"工业七十条"),要求各地各部门讨论试行。合肥市首先在矿机厂、安纺一厂和邮电局等14个单位,进行贯彻"工业七十条"试点工作。1962年,在总结试点工作的基础上,全市工业企业全面贯彻"工业七十条"。各工矿企业,在"五定"(定产品方向和生产规模、定人员和机构、定主要原料、材料、燃料、工具消耗定额和供应来源、定固定资金和流动资金、定协作关系)、"五保"(保证产品品种、质量、数量、保证不超过工资总额、保证完成成本计划、保证完成上缴利润、保证主要设备的使用期限)的基础上,健全在党委领导下的厂长负责制和以厂长为首的生产指挥系统的各级责任制,以及生产岗位制和经济核算制。

此外,全市工业企业还进行了清仓核资、清理拖欠等工作,加强计划管理、劳动管理、技术管理和财务管理,加强生产行政指挥系统,企业混乱现象开始扭转,生产秩序逐步走向正常。1962年,全市工业企业生产计划得到顺利执行,在34种主要工业产品中,完成和超额完成国家计划的有26种。特别是支援农业和以工业品为原料的轻手工业产品,绝大部分都比1961年有所增长。产品质量有所提高,尤其是轻手工业产品的质量,有了比较显著的提高。生产成本有所降低,企业亏损有所减少。市属工业企业,1962年的可比产品总成本,比1961年降低8%,1962年列入市财政预算的工业企业,扣除被精简职工的安置费,亏损总额比1961年减少84.5万,其中手工业企业已完全消除了亏损。

2. 对手工业的调整

1961年6月19日,中共中央发出《关于城乡手工业若干政策问题的规定(试行草案)》(即"手工业三十五条"),规定:在整个社会主义阶段,手工业的主要所有制形式应是集体所有,前几年已改为全民所有制的,一般仍应恢复原来的手工业合作社或者合作小组。个体手工业是社会主义经济的必要补充和助手,应当积极发展城市家庭手工业,允许个体手工业者自产自销,自由支配个人的收入。

根据中共中央关于"手工业三十五条"规定和安徽省委召开的全

省轻(手)工业会议精神,从 1961 年下半年开始,合肥对全市手工业进行调整。这次调整以所有制为中心,把原来由集体所有制转为全民所有制的,改回集体所有制。

在调整之初的 1961 年 9 月,全市共有手工企业 211 个,1.14 万人。其中:国营工厂 52 个,9161 人;街道工业企业 159 个,2275 人。经过调整,国营工厂减少至 30 个,3826 人;街道工业企业减少至 81 个,844 人。对减少的企业和职工又进行重新组合,调整为合作工厂 14 个,3437 人;改为合作社 52 个,3043 人;改为合作组 29 个,292 人。另有 18 家个体手工业户。到 1961 年年底,全市手工企业增至 224 个,1.15 万人。

合肥手工业所有制调整后,生产得到较快的恢复和发展。1961 年 11 月,全市小商品总产量为 84 万件,比调整前的 8 月份增加了 30%。到 1962 年底,手工业系统所属企业全部消灭亏损,生产总量恢复到 1957 年的水平。五匠工具、锉、斧、屠刀、箱环、帐勾、梳妆盒等 20 余种传统产品恢复生产。增加木梳、竹篦、水果刀、方铁锁、民用锁、镜子、剪刀等 40 余种小商品的生产。

3. 对商业的调整

1961 年 6 月 19 日,中共中央《关于改进商业工作的若干规定(试行草案)》(简称"商业四十条")提出:国营商业、供销合作社商业和农村集市贸易,是现阶段商品流通的三条渠道。要把过去撤销或合并的农村供销合作社恢复起来,把过去拆散的合作商店、合作小组恢复起来,同时,有领导地开放农村集市贸易。根据"商业四十条"规定精神,合肥市对商业进行调整。

第一,改进商品供应方法。平价供应居民基本生活必需品。采取措施,坚决稳定粮、油、棉、猪肉等 18 种基本生活必需品的价格;凭票证供应紧俏商品,1961 年,被列入凭票限量供应的商品数量达 50 余种;对糕点、糖果、自行车等 8 种商品实行高价供应政策。

第二,调整商业网点。对粮油、蔬菜、肉食、饮食供应点和修补服务店,根据就近、方便的原则,把原来过于集中的适当分散,过大的化小,不足的增设。到 1961 年年底,全市共有商业服务网点 1968 个,比 1960 年增加 745 个。同时,为弥补某些工业品的供应不足,恢复和发展专营修补网点,组织工厂企业和零售商店开展兼修业务,并组织民办修理点和流动服务小组。到 1961 年年底,全市共设有修补网点 830 个,比 1960 年增加 480 个。

第三,调整流通渠道。一是恢复供销合作社。在"大跃进"运动中,原为集体所有制的供销社被改为全民所有制。1961 年,恢复供销合作社集体所有制性质。到 1962 年,全市城乡供销系统共有 75 个零售门市部。供销合作社在保证完成国家委托的收购任务和计划调拨任务的同时,进一步开展自营业务,扩大货栈的业务经营,组织农副产品进城,恢复传统的经济联系,活跃城乡和地区之间的物资交流。二是有领导、有计划地开放集市贸易。"大跃进"运动中,合肥的自由市场被迫关闭。此后,随着经济困难局面的加深,短缺物资逐渐增多,一度出现"黑市"。1960 年年底,国家同意开放部分集市贸易后,合肥市郊共恢复、发展了 32 个农副产品市场。[①] 翌年 9 月,市人委规定:农副产品一律到郊区农村集市成交,市区人民生活供应由国营贸易货栈负责。不久,市区又开放了部分自由市场。这一时期,对集市贸易开展多次整顿,严禁非法交易,打击投机倒把活动,加强市场管理,保护正常交易。

(二)国民经济的继续调整(1963—1965 年)

经过 1961 年和 1962 年两年的调整,国民经济有所恢复,严重困难局面有所好转。但整个形势尚未根本转变,国家经济实力尚未完全恢复,市场供应情况也未根本好转,城乡人民生活还有不少困难。为此,中共中央决定从 1963 年起,继续对国民经济进行 3 年调整。合肥市按照国家和安徽省的要求,进一步开展经济调整工作。

[①] 《合肥市志》,第 1397 页。

1. 大力发展支农产业

农业是整个国民经济的基础。为发展农业生产,1963年,合肥市人委提出各行各业要树立起以农业为基础的思想,各行各业都要把支援农业放在第一位。

自1963年开始,全市工业企业大力组织农业生产资料的生产。尤其是组织生产中小农具、农业机械、化肥和农药。1963年,全市工业部门共生产化肥6582.8吨,农药5218.9吨,解放水车1500部,各种小农具11.23万件等。支农产品的品种,由1962年的17种增加到1963年的23种。①

财贸部门在继续调整中,着重于各种农业生产资料的供应和发放生产、生活贷款。1964年,通过商业、供销等部门供应的农业生产资料总额达281.2万元。供应的主要物资有化肥、毛杂肥、农药、农药械、中小型农具、毛竹、桐油、木材、水泥等。金融机构1964年共发放各项农业贷款21.2万元,帮助12个公社购进耕牛、化肥、种子、水车、仔猪等,并以贷款的方式解决有困难的社员购买口粮37.7万斤,治病235人。

交通运输部门在继续调整中,加大对农业生产资料和其他支农物品的运输。为把支援农业的物资迅速送到农村,全市的水、陆、空运输部门都增加了支农物资的运输。铁路货运贯彻"面向农村,面向农业"的方针,对支援农业的物资采取拨车优先,装卸优先等"9优先"。1963年1至9月份,全市经铁路运输的各类支援农业物资达13.1万多吨。②

这一时期,全市文教卫系统也掀起支农热潮。1963年夏,全市组织6000多师生下乡支援夏收夏种。1964年秋,全市又组织万余名师

---

① 合肥市经济计划委员会:《关于合肥市1963年国民经济计划执行情况的报告》,1964年2月4日。
② 《万众一心为农业》,《合肥晚报》1963年10月31日。

生分批到郊区人民公社,参加为期 7 至 10 天的"三秋"劳动。① 机关团体亦组织参加农业生产劳动和送肥下乡。文化部门积极组织文艺工作队,赴农村演出,并帮助农村建立文化馆、俱乐部、图书室等。卫生部门组织医疗队,送医到田间地头,同时为农村培养卫生员、接生员。1965 年,无偿支援农村药品和医疗机械价值达 5.9 万元,帮助建立农村医院。

由于各行各业的共同努力,农业生产呈现恢复性发展。1963 年,合肥郊区的粮食、油料作物全面丰收,有 64% 的生产队粮食产量达到历史最好水平。② 1965 年,全市农业总产值上升到 4.646 亿元,比 1962 年增长 35%。③

2. 工业继续调整

1963 年以后,合肥工业调整的重点,由八字方针中的"调整",转为"巩固、充实、提高"。即,着重提高产品质量,增加花色品种,减低生产成本,提高劳动效率,改善经营管理等。同年 6 月,根据安徽全省的统一部署,合肥市确定继续调整工业企业的原则是:支援农业生产,改善市场供应,加强交通车船修配,保留骨干企业和"五好"(质量好、品种多、成本低、消耗少、劳动生产率高)企业,继续关、停、并、转一些企业。至年底,全市工业企业结构性调整大体完成。

1964 年,全市工业企业开始有计划有步骤地推行《国营工业企业管理工作条例》,建立规章制度,整顿生产秩序,提高产品质量,增加品种和规格,改进企业管理,提高管理水平。自此,合肥市工业企业继续调整的重点转向抓管理、抓质量、抓品种,广泛开展增产节约运动,搞技术革新和技术革命。

(1)开展增产节约运动

1963 年 3 月 1 日,中共中央发出《关于厉行增产节约和反对贪污

---

① 《我市六千多师生下乡支援夏收夏种》《我市万余师生参加"三秋"劳动归来》,《合肥晚报》1963 年 6 月 4 日、1964 年 11 月 17 日。
② 《合肥市志》,第 47 页。
③ 《合肥市志》,第 1370 页。

盗窃、反对投机倒把、反对铺张浪费、反对分散主义、反对官僚主义运动的指示》，4月1日，安徽省委发出《关于贯彻执行中央厉行节约和"五反"运动的指示的部署意见》。根据中央和省委的指示，合肥市委随即成立增产节约和"五反"运动领导小组。4月10日，市委召开全市工交系统的万人大会，号召全体职工行动起来，市各行各业干部深入广泛地开展以增加生产、节约原材料、提高质量、降低成本、扭转亏损、增加盈利、提高劳动生产率为内容的增产节约运动。

增产节约运动的主要内容包括：节约原材料，以增加产品和产量，扩大花色品种；既要挖掘生产潜力，又要精打细算，发扬"一厘钱"精神；改善企业管理，加强经济核算，以降低成本，增加盈利；加强技术管理，提高产品质量。

根据上级的安排部署，增产节约运动又被分解为多项具体的、可操作的活动。其一，开展以提高产品质量、增加品种、减少消耗、降低成本、提高劳动生产率为内容的社会主义劳动竞赛。通过竞赛，创建和评选出一批"五好"企业（思想工作好、完成国家计划好、企业管理好、生活管理好、干部思想作风好）、"五好"班组（政治思想好、完成任务好、学习技术好、小组管理好、互助协作好）和"五好"工人（政治思想好、完成任务好、学习文化技术好、团结互助好、遵守制度好）。其二，开展"学先进、比先进、赶先进、帮后进"的比学赶帮运动。1963年，比学赶帮主要是以学上海、赶先进为主要内容。合肥市先后组织轻工、纺织、化工、机械和手工业等43个厂（社），402人，分4批到上海、北京、杭州等地学习工业生产方面的先进经验，共学到先进经验2167项。经过一年多的认真推广，到1964年年底已有1671项逐步推广实现。

增产节约运动持续长达两年时间，全市多数企业的生产管理都上了一个台阶。主要反映在，其一，产品质量有显著提高。到1964年年底，全市有24种工业产品基本赶上或达到全国先进水平。三类品已从1963年的22种减少为8种。其二，原材料、燃料的消耗大大降低，成本显著下降。到1964年，全市18种主要工业产品的原材料消耗,下降的有14种。原来比外地落后的68项主要原材料消耗指标中,已有20余种的指标达到上海等地的先进水平。其三,改进设备,提高劳动生产率。其四,企业管理工作有所改进。其五,职工队伍有所改变,"五好"工人不断涌向。1964年上半年,全市共涌现出车间、班组等"五好"集体434个,"五好"职工和单项标兵6850余人。[1]

(2)开展"双革"运动

从1964年开始,合肥市开展以技术革命和技术革新(简称"双革")为中心的比学赶帮竞赛。中共合肥市委还专门成立"双革"联合办公室,各企业单位成立"双革"领导小组或"双革"办公室。在技术革命中,充分发动群众,从生产实际出发,大力创造和推广新技术、新工艺、新材料和新设备。1964年,据72家企业统计,共实现革新项目4238项,其中革新创造2524项,学习推广外地先进技术1714项。1965年上半年,据100多个企业的不完全统计,已提出的革新项目共有4457项,实现并投入生产的有3018项。这些革新项目,在提高产品质量、产量和节约劳动力等方面,效果显著。

3. 继续调整商业

这一时期,合肥商业继续调整的重点是加强国营商业的领导地位和增加商品供应量。1963年3月3日,中共中央、国务院发出《关于严格管理大中城市集市贸易和坚决打击投机倒把的指示》,规定对大中城市的集市贸易,应采取"加强管理、缩小范围、逐步代替、区别对待、因地制宜"的方针。合肥市人委根据指示,严格集市贸易管理,并对郊区粮食、油料征购实行包干。1964年,对粮食、油料、饮食业、豆制品、炒货业等实行国营代替。国营商业的比重达到全部商业的96.81%。[2]

合肥市自1961年取消"高指标"征购和纠正"浮夸风"错误后,积极组织商品货源,增加供应量,市场商品逐渐丰富,到1963年,原先

---

[1] 《我市工业战线比学赶帮运动取得巨大成绩》,《合肥晚报》1964年10月8日。
[2] 《合肥市政府志》,第60页。

因商品短缺而凭票(证)限量供应除粮食、食油、棉布、针织品、香烟、糖、胶鞋、肥皂等8个品种外,其余商品皆敞开供应。这一时期,位于城区的"三八"百货商店、纺织品大楼、合肥百货大楼、长江饭店、三孝口百货商店、安医百货商场、南七百货商场、三里庵百货商场、钢铁大楼百货商场等,商品营业额增长较快,营业面积也适度扩大。双岗、方桥、铜陵路、东七里站等处的百货商店也获得一定发展。

(三)调整国民经济任务的胜利完成

经过1961至1965年5年时间的调整,合肥国民经济发展扭转了下降趋势,由恢复开始逐步上升。在这期间,尽管又有"四清""反修防修"等政治运动的干扰,各项经济指标仍按计划有序恢复和发展,城乡人民生活水平有所提高。主要表现在以下三个方面。

第一,工农业生产得到恢复和发展。首先,工业逐年回升。1963至1965年三年调整时期,合肥工业生产恢复较快,年均递增21.7%。[①] 1965年,完成工业总产值4.646亿元,比1962年增长80%。其中轻工业完成工业总产值3.3亿元,比1962年增长107.5%。[②] 其次,农业生产重新走上正常发展的轨道,到1965年,全市农业总产值上升到2.267亿元,比1962年增长35%,粮食、棉花、油料产量都有大幅度增加。再者,全市财政收入由1963年的4290.7万元提高到1965年的6980.5万元,增长60%以上。[③]

第二,国民经济主要比例关系基本恢复正常。压缩重工业,扩大轻工业,初步改变工业内部结构,轻重工业产值逐步趋向协调发展。至1966年,全市轻重工业产值占全部工业总产值比重由1960年的48.4∶51.6,转变为63.3∶36.7。[④]

第三,市场供应趋向好转,物价有所回落。经过3年继续调整,

---

① 《合肥解放五十年·合肥文史资料第十七辑》,第34页。
② 《合肥工业五十年》,第7页。
③ 《合肥市志》,第1370页。
④ 《合肥市志》,第413页。

合肥市场上的商品逐渐丰富,商业网点逐渐增多。到1965年年末,全市商业网点发展到3600余个,从业人员达1.5万人,社会商品零售额增长到1.3亿元,比1963年增长3.6%。与此同时,市场物价逐年回落。从1962年下半年开始,市场物价开始下降。1964年持续下降,集市贸易价格也随之下降。到1965年,合肥市的物价状况明显改善,高价形式取消。

四、精简机构和下放城市人口

"大跃进"运动期间,农村劳动力大量涌入城市,使合肥城市人口增加迅速。1957年年底,全市共有城市人口33.78万人,到1958年年底猛增至58.23万人。在增长的人口中,除城市自然增长的1.92万人和郊区区划调整划入5万人外,其余绝大部分来自农村。城市人口的迅猛增加,增加了城市基础设施建设压力、粮食供应压力和就业困难,亦与农业发展水平不相适应,大大超过了农业的可负担能力。随着"大跃进"浪潮渐渐退去,粮食危机日趋加重,压缩城市人口、精简职工,势在必行。

(一)精简职工、下放城市人口

早在1959年年初,为缓解"大跃进"运动导致城镇人口增长过快带来的压力,中共合肥市委、市人委根据中央指示和安徽省委要求,开始采取精简城市人口的措施。首先是从全市工矿企业中精简非城镇户口的进城民工。到3月20日,全市各机关、厂矿,尤其是各工矿企业中的民工数量大幅度减少,仅市工交系统就精简6万多民工回乡务农。与此同时,开始启动干部下放工作,1959年4月2日,首批市直机关干部190人下放基层劳动锻炼。1960年3月18日,又抽调890名干部分赴农村帮助工作。8月,全市再掀起下放干部、下放劳力和临时突击支援"三秋"三个高潮,使大批干部和劳力到农村支援农业生产。

1961年元月,国家实行国民经济"调整、巩固、充实、提高"方针,精简职工,压缩城市人口的工作正式启动。5月,中共合肥市委成立压缩城市人口领导小组。6月和7月,市委压缩城市人口领导小组先后发出《关于压缩城市人口工作中几个有关问题的通知》和《关于压缩城市人口工作中几个有关问题的补充通知》,确定动员回乡的对象,主要是1958年元月以后新录用来自农村的低级工、普通工、学徒。1957年年底以前录用的老工人和干部,一般不做动员对象,如本人要求回农村的,根据具体情况,也可以批准。原是城市居民的职工,不论新老,一般都不精减。为此,市委召开市属各单位党员负责人干部会议,反复动员部分职工回乡务农。至年底,全市共精简职工5.28万人,其中回乡4.7万人,去农场2789人。

1962年,精简职工和下放城镇人口工作继续推进。根据中共安徽省委要求,合肥市需要在1962和1963年两年内精简职工8万人,减少城镇人口9.8万人,减少吃商品粮人口9.3万人。至1962年年底,全市共精简职工6.32万人,其中回农村5.16万人;压缩城市人口7.36万人,其中回农村7.06万人;精简吃商品粮人口8.8万人,其中回农村6.88万人。到1963年年底,合肥市精简职工、压缩城市人口的任务基本完成。两年精简职工7.48万人,占计划的93.53%;压缩城镇人口11.72万人,占计划的119.6%;减少吃商品粮人口11.61万人,占计划的124.8%。

针对城市还有一些闲散劳动力无处可去的情况,合肥市按照上级的要求,组织这部分人下乡插队落户。但是,这些人下乡插队,面临着诸多困难。一方面他们因久居城市,下放农村后,不懂农业生产技术,又暂时不能改变原来的城市生活习惯,因而不能安心扎根农村;另一方面,接受他们的生产队要保证最起码的物质生活需要,由此加重生产队的负担。为解决这些实际问题,合肥压缩城市人口领导小组首先从各区抽派人员到农村社队,联系安排住房,划拨自留地,筹措生产、生活用具。其次,反复开展思想动员工作,解除下乡插队落户人员的各种思想顾虑。截至1963年年底,全市从城市人口中,共动员3859人下乡插队和插场,占省下达7625人任务的50.6%。其中,插队849户2140人;去农场1719人。

(二)精简机构

合肥在精简职工、压缩城镇人口的同时,还开展了撤并机构、精简市级行政机关的工作。1961年5月至年底,全市各级行政机关人员编制比1960年年底实有人员精简了24.87%,市级各行政机构比1960年精简49.12%。1962年,继续精简机构层次和人员编制。包括撤销市委政法部、农副业生产办公室以及工交等五个工委,冶金、机械、化工三局合并成立重工业局,撤销计量局等。在人员编制方面,全市行政机关的编制,由1961年的2475名,减为2065名,减少410名,占16.5%。

1963年,撤并机构、精简行政人员工作扩大到全市各级国家机关和各民主党派、人民团体。1963年4月24日,中共合肥市委批准了市委精简领导小组、市编委《关于我市各级国家机关、党派、人民团体精简工作的报告》。《报告》对机构设置作了必要的调整,全市各级行政机关、党派、人民团体的人员编制由1962年的2065人减至1720人。到1963年年底,市级行政机构比1960年精简了49.1%。

五、理顺文教卫事业

(一)调整文教卫事业

1961至1965年,合肥在调整国民经济的同时,还对在"大跃进"运动中不切实际、超前发展的文化、教育、卫生等事业进行了相应的调整与资源整合。

1. 文化事业的调整

文化事业的调整,主要是解散过多的文艺团体,恢复"双百"方针,繁荣文艺创作。全市除保留庐剧团、越剧团、曲艺团等少数文艺团体外，其他文艺团体，特别是县社文工团、运动队全部解散。对保留下来的文艺团体，也实行精简，下放与专业无关的人员，并减少演出场次。

贯彻"双百"方针，加强思想政治教育，是这一时期文化事业调整的中心内容。中共合肥市委、市人委多次制定相关政策，落实执行中央文件精神。1961年，提出全市文化艺术界要加强对优秀传统剧目的挖掘和整理，注重艺术人才的培养，开展艺术研究活动。1962年，在"八字"方针影响下，合肥地区的群众文化事业开始回升，群众文化活动又活跃起来，城乡普遍建立了文化室，唱革命歌曲，演现代戏，讲革命故事，搞业余文艺创作蔚然成风。1963年，提出多演"现代戏"，鼓励和指导文艺工作者深入工厂、农村，参与工农兵群众的实践斗争，以生动艺术形象向群众进行阶级教育、集体主义教育和共产主义道德品质教育。1964年，提出反映革命的现实生活的"现代戏"是文艺工作者的主要方向，要求努力塑造工农兵英雄形象，创造更多更好的新作品、新节目，更好地为工农兵服务，为社会主义服务。1965年，强调专业艺术团体继续组织"文化轻骑队"，深入农村、工厂，为广大工农兵演出，歌颂新人新事，鼓励群众的革命热情和生产干劲。由此，全市文化文艺政治挂帅、为现实政治服务的观念，成为主流。

2. 教育事业的调整

从1961到1965年，合肥的教育事业在中共合肥市委、市人委的领导下，贯彻、执行中央制定的教育事业调整方针，在整顿、调整的同时，开展各种教育形式的试点和革新，力图创造社会主义新型教育事业。

第一，调整学校数量和规模。

对各级各类学校教育规模和数量进行调整，是合肥教育调整的首要任务，而调整幅度最大的是高等学校和幼儿园。1962年起，合肥的部分高校尤其是专科学校或撤或并，或恢复为中等专业学校，安徽水利电力学院（后与安徽工学院一同并入合肥工业大学）由怀远县迁来合肥。至1963年，全市高等学校由1960年的19所减至合肥工业大学、安徽大学、安徽工学院、安徽水利电力学院、安徽农学院、安徽医学院、安徽中医学院、合肥师范学院和安徽教育学院9所。同时对9所高校的专业设置进行调整。幼儿教育在"大跃进"中发展过快，质量跟不上。自1961年起，市委、市人委和市教育主管部门开始着手对幼儿园的数量与规模进行调整与压缩，从1960年的270所，压缩为1961年的141所。1963年，全市幼儿园进一步压缩为109所。①

调整中小学教育，按照国家确定的"普及小学教育，充实提高高中等教育"的原则进行。从1960年至1961年上半年，先后动员小学中14岁以上超龄学生1825人回乡参加农业生产。1961年，为解决学龄儿童入学难的问题，在市人民委员会建议下，部分较大的工厂、机关自办小学。到1962年，全市有小学142所。撤并6所中学，郊区6所初级中学改为业余学校。调整后市区有普通中学22所。②

中等专业教育也有所调整。1958年"大跃进"时期由中专升格为专科学校的，恢复原中专性质。1961年，合肥共有中专学校11所。1962年，将安徽省广播学校撤销。

精简教职工是合肥教育事业调整的又一项重要任务。1961年暑假调出中等学校教职工215人，其中许多是"大跃进"时期非教育系统调入的人员，同时调入合格教员151人；1962年精简496人，调入合格人员361人；1963年再精简教职工207人，暑假又有一批大中专学校毕业生分配到学校。③通过"三出三进"，大大提高了各类学校的师资质量。

第二，发展半工半读学校。

合肥教育事业在调整、压缩的目标基本达到后，从1964年起，将教育制度的革新放在重要的位置，特别提倡建立半农半读、半耕半读、半工半读的教育与劳动相结合的制度。1964年5月，国家教育工作会议提出推行两种教育制度，培养"又红又专"的革命事业接班人。

---

① 《合肥市志》，第2565页。
② 《合肥市志》，第2573、2583页。
③ 《合肥市社会主义时期党史专题资料辑存(1949—1978)》，第157页。

8月，中共安徽省委二届四次全会（扩大）会议决定试办农垦学校、厂办职业学校、社办农业中学等。合肥市委、市人委召开专门会议，对半工（农）半读教育工作进行研究和部署。当年秋，合肥市第一、第二职业中学成立，冶金、机械、建筑、通信、化工、轻工等各系统也开始试办半工半读中等技术学校。到1965年年底，合肥各类半工半读学校发展到24所，其中工商医类学校20所，农业类学校14所，共招收新生4860人。此外，1965年，全市农村办耕读小学120所，学生3412人。[①]

全日制中学与半耕半读学校的同步发展，打破了原先单一的中等教育结构。但是，从一开始，半工半读学校、农业中学就受到"左"的思想支配。一方面把学生单纯作为劳动力，限制了学生接受知识教育的机会；另一方面把这种教育制度说成是消灭三大差别、防止修正主义的重要措施。在"培养新型的人""尽快步入共产主义社会"的目标下，甚至提出"工人要用一定时间务农，农民也要在农闲时进厂当工人"的要求。这些，最终导致了两种教育制度、两种劳动制度的失败。

第三，进行教学改革实验。

这一时期，在探索"两种教育制度"改革方面，合肥先后办起5所工读学校和4所农垦学校。全市中小学校以教学为中心，统一安排学校教育和劳动教育。长丰县下塘中学面向农村培养人才，取得了较好的成效，成为全国农村中学教改试验的典型之一。

3. 卫生事业的调整

卫生事业的调整，主要围绕压缩、精简来实施。这一时期，合肥清理了一大批卫生医疗机构、学校和药厂，并将卫生医疗向农村基层倾斜，加强农村卫生机构的建设，为农村社员防病治病提供保障。城市一批卫生医疗机构陆续被"砍、并、撤"后，一些医务人员被下放支援农村。

[①]《合肥市社会主义时期党史专题资料辑存(1949—1978)》，第160页。

(二)文教卫事业的发展

经过1961年至1965年连续5年时间的调整,合肥文化、教育、卫生等事业抚平"大跃进"运动造成的创伤,逐步恢复。

文化方面。群众文化活动又开始复苏,城乡普遍建立文化室。1962年下半年,市文化局组建业余曲艺队、黄梅戏剧团、歌舞剧团、话剧团、滑稽剧团、京剧团,有文艺骨干500多人,先后创造演出话剧《雷锋童年》《雷锋参军》《青年一代》《千万不要忘记》及《黑奴恨》等20多个剧目。创作戏剧有《借槐树》及《海港人家》等。1963年,在社会主义教育运动中,市文化局将所属剧团和馆、站干部组成7支农村文化工作队,到全市各个区,一面巡回演出,一面辅导农民开展文化活动。但这一时期的群众文化"以阶级斗争为纲",又否定过去几年文艺工作所取得的成就,将文艺工作说成是"封、修、资"。随着"左"的思想日趋主导文化事业,群众文化变成了枯燥无味的政治说教和阶级斗争的工具,背离了艺术规律和人民的欣赏需求。

教育方面。到1966年,全市全日制高等学校有9所,在校学生9529人;中等专业学校11所(含中等师范学校1所),在校学生2903人;普通中学54所(含半工半读学校和农业中学),在校学生2.26万人;小学154所,在校学生7.44万人;教育部门办的幼儿园12所;聋哑学校由民办转为公办,填补了合肥特殊教育的空白。[①] 全市初步形成了全日制与半工半读制、普通教育与专业教育、正规教育与业余教育、国家办教育与集体办教育并举的比较完整的教育体制。

卫生方面。至1965年年末,合肥市已形成以省属及驻肥部队大医院为后盾,以市属3所综合医院和传染病、精神病等专科医院为主体,以工厂医务室(卫生所)、区医院为基础的医疗卫生体系。全市各级医疗卫生机构295所。其中医院19所。医疗床位3164张,卫生

---

① 《合肥概览》,第450页。

技术人员发展到 4361 人,每千人有医生 3.75 人。① 人民群众的健康水平有所提高,曾流行不止的天花、霍乱、鼠疫、性病等恶性传染病,在此前后相继绝迹。

六、调整党内外关系

(一)甄别平反

1957 至 1961 年,在一系列运动中,有大批干部受到错误批判和处分。据初步统计,在 1957 年以来开展的历次政治运动中,合肥受到批判斗争和处分的干部共有 3123 人,约占全市干部总数的 15% 左右。此外,还有约万余名基层干部、职工群众受到错误批判、处分。

在实行经济调整的过程中,中共中央总结"大跃进"运动的经验教训,开始着手调整社会政治关系。中共合肥市委根据中央和省委的指示精神,开展对几年来受到处分的干部甄别平反工作。

1960 年春至 1961 年,中共合肥市纪律检查委员会对在 1958 年、1959 年"反右倾"运动中受到错误处理的人员,进行复查纠正。还对在 1957 年以来在历次运动中受到错误处理的人员进行摸底排队,初步甄别平反了一批案件。但是由于"左"的思想路线问题未彻底解决,导致这一阶段的甄别平反工作进展缓慢,甄别案件质量不高。

1962 年元月,中共中央发出《关于加速进行党员、干部甄别工作的通知》,甄别工作进度随之加快。4 月 16 日,合肥市委成立甄别工作领导小组,根据中央和省委确定的"全错全平、部分错部分平、不错不平"原则,加速进行甄别工作。首先是在省委工作组的协助下,选择安纺一厂、电机厂、合肥一中、蜀山公社、庙街公社等 5 个单位进行甄别工作试点。采取统一思想、加强领导、层层负责,依靠群众,摸清情况,分类排队,列出名单,抓住主要问题,核实材料,分清是非,召开

---

① 《合肥市政府志》,第 137 页。

不同会议宣布的办法,在短时间内,迅速解决了一般党员、干部和群众中的"简单易平"①案件,并以点带面,推动全市甄别工作。至8月中旬,全市县以上干部的案件及一般党员、干部、群众的"简单易平"案件基本甄别结束。此后,在继续甄别少数未结案件的同时,着重组织各系统、各单位对已结案的质量以及善后工作、团结工作等进行检查。12月初,又根据党的八届十中全会精神对甄别工作进行全面检查。这一阶段,全市甄别工作基本上得以顺利、健康开展。

截至1963年元月上旬,全市甄别结案15170人,占1957年以来被批判处分总人数的96.17%。甄别的结果是:原批判处理正确和基本正确的有7437人,占甄别结案数的49%;原批判处理部分错了的2888人,占19%;原批判处理全错和基本错了的4845人,占32%。此外,还复查改正被错划右派分子72人。对被错误批判为严重个人主义和反党思想的原市委第一书记傅大章,对被错定为右倾机会主义分子的原市委第二书记陈爱西,和其他被错批判错处分的人员,都进行了甄别,并予以平反,郑重向他们道歉,为他们恢复名誉。对被错划为右派分子的原市委委员、政法部副部长孔宪章、原市委统战部部长朱滁华、原市委工交部副部长徐剑云、原市法院院长张轩等也给予平反。被甄别平反人员的工作和生活,一般都及时进行了适当安排。据统计,截至4月10日,合肥各级财政拨给甄别平反人员的生活补助费20.6万元,棉布4.93万尺,棉花1738斤,以及其他必需的生活日用品,基本上解决了被平反人员生活上的一些迫切需要。②

(二)贯彻落实知识分子政策

自1957年整风反右以来,"左"的思想占据主导地位,中共对知识分子政策发生偏差,对知识分子进行过火和错误的批判,严重影响

---

① 简单易平案件:指一般党员、干部、群众在"反右倾"、拔白旗、反瞒产、民主革命补课等运动中受到错批判错处理,以及因反映农村情况、对领导提意见、对"三改"、双季稻、生产改革、技术革命有意见而受到批判处理等案件。

② 市二届二次党会议文件之十二《关于甄别工作的发言》,1963年6月3日。

了中共与知识分子的关系。

1962年年初,中共中央开始纠正在知识分子问题上出现的种种偏差,调整党同知识分子的关系,团结知识分子,调动知识分子的积极性。是年春,全国科技工作会议在广州召开,周恩来总理作《论知识分子问题》的报告,充分肯定知识分子在新中国成立以来的进步和他们在社会主义革命和建设中发挥的作用,批评了1957年以后"左"的倾向,重申了我国知识分子绝大多数已是劳动人民的知识分子的观点。陈毅在会上为知识分子作了"脱帽加冕"的讲话:即脱"资产阶级知识分子"之帽,加"劳动人民知识分子"之冕。

党的知识分子政策发布后,中共合肥市委立即贯彻落实,对在历次政治运动中受到打击的知识分子进行甄别平反。1962年,对全市教育系统受到错误批判、斗争的700余名中小学教师和学生进行了甄别、平反,恢复他们的工作并进行业务上的培养。对被错误撤职、免职的,根据具体情况恢复原来的工作职务,或另行安排适当的工作。同时,努力创造条件,改善知识分子的生活待遇,及时补发受到错误处理的各类知识分子的工资福利,对经济困难的生活上予以照顾。对全市科技系统及知识分子较为集中的医疗、卫生、文化等各界的知识分子,也都及时地落实党的政策,纠正过去"左"的错误做法,改善他们的工作、生活待遇。

(三)加强统战工作,调动各方面积极性

受"左"倾思想的影响,合肥市的统一战线工作在1957年开展的"反右派"斗争、1958年开展的"大跃进"运动及1959年开展的"反右倾"斗争中遭受极大的干扰和破坏。全市各民主党派和统战对象中许多成员,被错化为右派分子和右倾分子,统战工作也一度处于非正常状态。为纠正错误,调动各方面积极性,中共合肥市委根据中央和省委指示精神,从1961年开始,着手调整统战工作,缓和与统战对象的关系。

中共合肥市委调整统战工作的主要措施有:(1)从1961年起,为统战对象中被错划为右派、右倾分子的人员摘帽平反。(2)恢复并积极组织全市各民主党派和统战对象参与市委组织、开展的各类政治学习和政治活动。(3)从生活、工作上给予关心和支持。恢复一度中断的部分统战对象的生活待遇和工作待遇;做出把公私合营时私人入股资本定息从1963年起延长3年,到时再议的决定。此后市委又及时传达、并认真贯彻落实国务院《关于在精简工作中妥善安置资产阶级工商业者若干具体问题》和《关于处理资产阶级工商业者退休问题的补充规定》两个文件,以保证统战对象的切实利益。(4)鼓励支持各民主党派和政协委员积极参政议政,定期召开党外人士座谈会,听取他们对全市发展的意见和建议。1964年5月,市委召开全市统战工作会议,检讨全市统战工作开展与落实情况,研究全市统战工作新的内容与方针。

经过调整,全市统战工作重新走上正轨。

第五节 阶级斗争与"左"的错误

一、"改正"责任田

(一)新省委决议"改正"责任田

在1961年安徽试点和推行责任田之初,由于与是时的农村政策相悖,责任田备受争议,甚至遭遇反对和非难。1961年11月13日,中共中央在《关于在农村进行社会主义教育的指示》中,针对责任田等类似做法,明确指出:"目前在个别地方出现的包产到户和一些变相单干的做法,都是不符合社会主义集体经济的原则,因而也是不正确的。"①并要求逐步引导农民把这种办法改变过来。同年12月,毛泽东在江苏无锡把曾希圣找去汇报工作,问道:"有了以生产队为基本核算单位,是否还要搞'责任田'?"并提出"生产开始恢复了,是否把这个办法(指责任田)变回来?"曾希圣请求说:"群众刚刚尝到甜头,是否让群众再搞一段时间?"②当时毛泽东没有明确表态。1962年1月11日至2月7日,中共中央召开扩大的工作会议(即"七千人大会")。中央决定改组安徽省委,曾希圣被免去安徽省委第一书记的职务,调离安徽,派李葆华担任安徽省委第一书记。③

根据中共中央指示精神,1962年2月28日,改组后的安徽省委发布《关于当前工作的指示》,改变原来推行责任田的立场,明确指出全面推行责任田的办法犯了方向性的错误,违背了中央引导农民走集体化道路的方针。3月20日,省委又下发《关于改正"责任田"办法的决议》,要求全省各地农村必须坚决地把它纠正过来。但由于对责任田的认识、态度,前后变化太快,中共安徽省委为了避免和减轻由此带来的农村动荡,在决议中还同时指出,"改正"责任田要采取积极慎重的方针,有领导有步骤地改正,不能急躁草率,更不能闻风而起,采取强迫命令的做法。如果个别生产队大多数社员不愿意改,仍可保留下来,继续教育,不要急于去改。

(二) 改正和反对"改正"责任田的争论

中共安徽省委"改正"责任田的决定传达到全省各地后,各地开始着手"改正"责任田。合肥市委于1962年3月上旬召开区委、公社党委书记会议,要求认真做好改变责任田办法的工作,采取积极谨慎

---

① 国家农业委员会办公厅编:《农业集体化重要文件汇编》(1958—1981),中共中央党校出版社1981年版,第529页。

② 《李任之在中共安徽省委书记处会议上的发言》,1962年2月19日。转引自《曾希圣传》,中共党史出版社2004年版,第504页。

③ 李葆华为李大钊之子,时任中共中央委员、华东局第三书记,安徽省委第一书记、安徽省军区第一政委。

的态度,将仍然实行责任田办法的 28 个大队,306 个生产队,有领导有步骤地在今年年内基本上改正过来。会后,全市农村开始"改正"责任田的工作。

但是,如同当初试点和推广责任田一样,"改正"责任田也引起各方的争议。主要有以下三种认识:其一,一部分干部和社员及困难户认为,责任田不如集体生产。认为责任田会助长干部、社员的资本主义思想,穷的穷,富的富,人心散了,私心重了。但是,他们对于改变责任田的办法,也有一些顾虑。干部有"三怕":一怕改过来后,生产搞不好,社员吃亏,自己责任负不了;二怕不好领导,要多操心,搞得不好又要犯错误;三怕以后再变。社员也有"三怕":一怕和从前一样大呼隆,生产搞不好;二怕收的粮食被政府控制,由政府发几两吃几两,日子不好过;三怕今后还要变。这部分干部、社员的认识显然是矛盾和焦虑的。其二,家中劳动力多的人对责任田很感兴趣,认为还是实行责任田好,不愿意改变。他们认为实行责任田有五大好处:可以多得超产粮;粮食可以自收自打,自由支配;不要评工记分,减少干部麻烦;生产上能独立自主,可以避免干部瞎指挥;干活不会大呼隆,社员自管自,有闲有忙,可以多搞副业。其三,在城市干部、职工中,不少人认为责任田虽然是方向性错误,但是不要马上就改,再让农民干几年,多收点粮食,克服当前困难。如有人认为:现在国家困难,还不如单干,等将来富裕了再改,两极分化总比饿死人好。起重机厂职工也反映:现在合肥蔬菜仅几分钱一斤,自由市场这样活跃,都是实行责任田的缘故。还有一些单位反映,现在干部、社员对责任田的基本态度是:嘴不讲,心里想。正是因为有些干部和社员还留恋责任田,不想把责任田改正过来。所以,到 1962 年年底,合肥市郊区 417 个实行责任田的生产队仍有 114 个生产队实行责任田办法。

在全省乃至全国范围内,对于"改正"责任田的态度,如同合肥地区一样,也是遭到了来自基层农民、干部和一部分高层领导人的反对和抵触。其中,中共太湖县委宣传部长钱让能更是为推行责任田仗义执言,1962 年 5 月,他给毛泽东写了一封保荐责任田办法的长信,说:

"责任田是农民的一个创举,是适应农村当前生产力发展的必然趋势……有了它,当前农业生产就如鱼得水,锦上添花","它一出现,就以它的显著的生命力吸引了人们广泛注意……尽管有人责难它'糟了''错了',然而广大农民群众总认为是'好了''对头了'。"①如"改正"责任田,生产力就要遭受损失。在中央,中央农村工作部部长邓子恢表示有条件地支持包产到户。因此,安徽"改正"责任田步伐较缓,到1962年8月,全省只有占总数12.2%的3.6万个生产队"改正"过来。②

(三)在批"单干风"中加速"改正"责任田

1962年9月,中共八届十中全会召开。会上,毛泽东强调阶级斗争、阶级矛盾是中国社会首要问题,尖锐批评"单干风"。他批评邓子恢等人支持包产到户,是代表富裕中农要求单干,甚至是站在地主富农资产阶级立场上反对社会主义;阶级斗争必须年年讲,月月讲,天天讲。这次会议上,安徽的责任田被当作"复辟资本主义"的"单干风",受到严厉批判。

中共八届十中全会召开后,安徽省委立即开展对"三自一包、四大自由"和"责任田"的批判,认为推行责任田是典型的"复辟资本主义"的"单干风",必须彻底改正责任田。10月,省委召开相继召开一届十三次全会和三级干部会议,传达、贯彻、执行中共八届十中全会精神,全力改正责任田。此后,全省分三片举办有区社干部1万多人参加的改正责任田训练班,结业后以他们为骨干组成工作队,大张旗鼓地到农村强制改正责任田。省委要求:"在1963年春耕以前改正一批生产队,其余部分在1964年春耕以前改正过来。"③

在中共安徽省委的指示下,合肥加快了责任田"改正"的步伐。到1963年春,合肥市农村全部改变了责任田的办法。同年9月,全

---

① 钱让能:《关于保荐责任田办法的报告》,《安徽文史资料(第34辑)·1961年推行"责任田"纪实》,第120页。

② 《安徽文史资料(第34辑)·1961年推行"责任田"纪实》,第23页。

③ 《安徽文史资料(第34辑)·1961年推行"责任田"纪实》,第24页。

省除 300 多个生产队仍实行责任田外,其余 99.9％的生产队已恢复集体经营。①

责任田最后虽然夭折了,但是它在农民心中埋下希望的种子。15 年后,肥西等地农民借鉴当年责任田的经验,在全国率先实行家庭联产承包责任制,揭开了中国农村改革的序幕。

二、农村社会主义教育运动

(一)农村"四清"运动的发起

城乡社会主义教育运动亦称清政治、清经济、清思想、清组织(以下简称"四清")运动,按地域又分为农村"四清"及城市"四清"。

中共中央八届十中全会后,毛泽东的阶级斗争、社会主义与资本主义两条道路的斗争,成为中国政治、经济、社会、文化的主导,在中共统一部署下,所谓城乡社会主义教育运动在全国各地应运而生。安徽农村"四清"运动的过程与全国大体情况相同,但发起的缘由是"改正"责任田。1963 年 4 月 23 日,中共安徽省委在《关于在农村开展社会主义教育运动情况的报告》中指出:"我省农村社会主义教育运动,是从去年二月扩大的中央工作会议后,紧密结合改正'责任田',以两条道路斗争为中心来进行的。"合肥农村"四清"运动,亦是从"改正"责任田开始。

1962 年 9 月,中共合肥市委根据安徽省委"改正"责任田,关键是要做好干部群众的思想工作,深入细致地进行社会主义教育的指示,首先举办训练班,训练全市农村生产队长以上干部和财会人员。接着,市委又调动一批干部分赴农村,配合社、队干部,向社员宣传讲解党的八届十中全会公报、中央《关于进一步巩固集体经济、发展农业生产的决定》和《农业六十条》三个文件,又改选部分生产队的干部。

---

① 侯永、欧远方主编:《当代安徽纪年》,当代中国出版社 1992 年版,第 152 页。

通过训练、教育和改选等办法，作为改正责任田，开展社会主义教育运动的重要形式。

（二）农村"四清"运动的试点

1963 年 2 月，中共中央工作会议决定在农村进行以清理账目、清理仓库、清理物资、清理工分（又称"小四清"）为主要内容的社会主义教育运动。4 月 2 日，安徽省委做出《关于在农村继续开展社会主义教育运动，进一步巩固人民公社集体经济的决议》，并从全省抽调 2 万多名干部和大学生，组成社教工作队，到农村去，向农民和基层干部宣讲以阶级斗争为纲的理论和有关巩固集体经济的政策文件。

根据中共安徽省委的统一部署，合肥市委决定在郊区开展社会主义教育运动试点。试点分两批进行。第一批确定在张洼、常青、蜀山、泗河 4 个公社进行，从 3 月下旬开始，至 4 月底结束。第二批在农事空隙时，向郊区全面开展。

到 1963 年年底，合肥郊区社会主义教育运动试点基本结束。试点社队的大部分干部退赔了集体财产；农村基层党组织进行了改选；生产责任制和财务制度基本建立；干部作风也有所改进。

（三）农村"四清"运动的逐步升级与结束

1963 年 9 月，中共中央发布《关于农村社会主义教育运动中的一些具体政策和规定（草案）》（即"后十条"），对形势估计更加严重，错误地认为基层政权大多数已经变色，强调"以阶级斗争为纲"。10 月底至 11 月初，安徽省委对"后十条"精神进行传达，决定从当年起，用 3 年时间，完成全省农村社会主义教育运动。根据中央和省委精神，中共合肥市委于 12 月 2 日发出通知，要求全市各级党政机关、农村社队、企事业单位，组织广大干部、职工、社员学习"后十条"，搞好社会主义教育运动。12 月 3 日开始，市委召开为期 20 多天的市、郊区、公社、大队农业四级干部会议。会议决定：全市农村社会主义教育运动从郊区未进行试点的其余 8 个公社开始，然后在三县农村依次全面展开。

全市农村社教运动分为四个阶段,每阶段历时三个月。第一阶段,宣传发动。第二阶段,清思想、清经济、清组织,主要是发动群众检举揭发,干部"洗手洗澡",开展批判,核实定案退赔。第三阶段,开展对敌斗争,主要对清理出的敌我性质问题开展斗争,评审"地富反坏分子"。第四阶段,组织建设,主要是整党、整团、整顿基层组织,选举组建公社、党团、民兵等领导班子,制订生产发展规划和各种规章制度。

1965年1月,中共中央发布《农村社会主义教育运动中目前提出的一些问题》(简称"二十三条")。"二十三条"规定,城市和乡村的社会主义教育运动,今后一律简称"四清"运动,"四清"运动的内容改为:清政治、清经济、清思想、清组织。"二十三条"肯定了农村基层干部绝大多数是好的或比较好的,要尽快解脱他们,逐步实行群众、干部、工作队"三结合"。"四清"运动要落实在生产建设上,增产要成为搞好运动的标准之一。"二十三条"虽然对运动中的某些"左"的倾向有所纠正,但又片面强调这次运动的性质是解决社会主义和资本主义的矛盾,错误地提出运动的重点是整党内那些走资本主义道路的当权派,把斗争的锋芒指向各级领导干部。

三、城市社会主义教育运动

城市社会主义教育运动最初时称为"五反"运动,即反对贪污浪费、反对投机倒把、反对铺张浪费、反对分散主义、反对官僚主义。同时开展增产节约运动;1964年8月以后,纳入社会主义教育运动中,亦称城市社会主义教育运动;1965年1月更名为"四清"运动。

(一)"五反"运动(1963年3月至1964年8月)

1963年3月1日,中共中央发出"关于厉行增产节约和反对贪污浪费、反对投机倒把、反对铺张浪费、反对分散主义、反对官僚主义运动的指示"。安徽省委于4月1日发出《关于贯彻执行中央关于厉行增产节约和"五反"运动的指示的部署意见》,要求在全省1.4万多个县级以上单位、80余万干部职工中开展"五反"运动。

中共合肥市委根据中央指示和省委的部署,制定《关于贯彻执行中央和省委关于开展增产节约和"五反"运动的部署计划(初稿)》,在全市300个单位、7.2万多职工中分期分批地开展"五反"运动。运动按省委指示的先党政领导机关,后一般单位;先经济领导部门,后一般企事业单位;先搞那些领导核心比较健全,准备工作做得比较好的单位的顺序。展开分三批进行:第一批在市直党政机关、群众团体和区一级机关中开展,从5月初开始;第二、三批企事业单位,第二批从7月初开始,第三批从8月初开始。一个单位"五反"运动的时间,预计2个月左右。全市"五反"运动预计在9月底左右基本结束。运动的步骤:在经济部门分三个阶段:第一阶段,先把增产节约运动切实地深入地开展起来。这一阶段,主要是揭露、解决生产和经营方面的先进和落后之间的矛盾,解决工作上的问题。第二阶段,结合增产节约,着重反对铺张浪费、反对特殊化、整顿健全制度,改进干部作风。这一阶段的重点,是反对领导上的官僚主义、分散主义和铺张浪费;同时,通过社会主义教育,提高职工的阶级觉悟,克服不良倾向。第三阶段,再结合增产节约和整顿制度,大张旗鼓地开展群众性的反对贪污盗窃和投机倒把的运动。这一阶段,主要是解决敌我矛盾。在党政领导机关和文教部门,运动分两个阶段,即把上述第一、二两个阶段合二为一一起进行。

起初,"五反"运动同增产节约运动结合进行。4月中旬,中共合肥市委在搪瓷厂、百货公司、六中和一个行政机关等4个单位进行"五反"试点工作。同时,为配合社会主义教育运动的进行,各单位成立由老工人组成的报告团,通过忆苦思甜,讲述他们的家史、厂史、革命斗争史,对职工特别是青年职工进行阶级教育。由省总工会组织的老工人报告团,亦到合肥市各工厂、企业、机关、学校等单位作36场报告。7月5日至10月3日,市总工会在工人文化宫举办"阶级教育展览会",全市有 1000 多个单位、15 万多人参观展览。①

据统计,截至 1963 年年底,全市参加"五反"运动的 251 个单位中,初步暴露出贪污盗窃、投机倒把案件共 480 起,涉案人员共有 489 人,占参加运动的职工总数的 0.79%。但运动中也出现一些问题,一些人抱有抵触情绪,发生了逃跑、破坏等事件,截至 1963 年年底,共发生逃跑事件 7 起,自杀事件 1 起,纵火破坏事件 1 起。

由于全市"五反"运动未能按原计划完成,因此,1963 年年底,中共合肥市委重新制订出台城市"五反"运动六个阶段、分三批进行的计划:第一阶段准备工作;第二阶段反对铺张浪费、分散主义、官僚主义;第三阶段进行群众性自我教育;第四阶段反对贪污盗窃、投机倒把;第五阶段划分阶级;第六阶段整党、整团,整顿工会及民兵组织,建立规章制度。每个重点单位每阶段历时 4 个月左右。共分三批进行:第一批党政机关、大中型企业,计 131 个单位;第二批小型企业事业单位,计 190 个;第三批街道、学校及区属企事业单位,计 232 个。随后,第一批"五反"运动在全市市直机关和部分大中型重点企业开展。到 1964 年上半年,全市党政机关的"五反"陆续结束,部分重点厂矿企业的"五反"继续进行。

(二)城市四清运动

1964 年 8 月以后,中共安徽省委根据中央指示精神,将城市"五反"运动纳入社会主义教育运动的轨道,运动的方向和内容都发生了变化,由抓经济改为抓政治,由以生产斗争为主转为以阶级斗争为纲。9 月 12 日至 15 日,中共安徽省委召开地、市委书记会议,贯彻中共中央关于社会主义教育运动集中力量打歼灭战的精神,重新调整了城市社会主义教育运动的部署。决定从合肥市和省直机关开始试点,再逐步推向全省。合肥作为城市社会主义教育运动的重点,华东局和省级机关派下去进行"五反"的干部集中于合肥,并首先集中力

---

① 《我市阶级教育展览会胜利结束》,《合肥晚报》1963 年 10 月 8 日。

量搞好关系国家经济命脉的重点工厂、企业、事业和机关单位,力求搞深搞透,以取得经验,指导全省。

9月至11月,合肥市第一批社教运动试点工作在全市36个单位进行。11月,中共安徽省委集中力量,从省直机关和省辖7个市抽调3100多人,组成36个工作队,在合肥市的49个单位,其中包括27个工交企业,10个商业单位,3个文教单位,7个公安单位,2个街道单位,总计有职工4.06万人(不包括街道居民),开展城市第一批"社教"运动,以取得经验,向其他城市推广。这批"社教"运动分为两大段、四小步进行。第一段是四清,第二段是建设。具体程序是:工作队进点之后,首先宣讲"双十条"和"二十三条",说明来意,发动群众,促使干部自觉革命;在提高认识的基础上,组织干部"下楼洗澡",接着解决班组长与工人的关系问题,并由此发展到工人自我教育,放下包袱;然后开展以清经济、清政治为内容的对敌斗争;最后集中一段时间进行组织建设。到1965年8月底,全市第一批"四清"运动基本结束。运动中清查出1439人有贪污盗窃、投机倒把行为,占职工总数的3.53%;非法所得金额47万多元,退赔21.6万多元;挖出隐藏在职工内部的四类分子177人,资产阶级分子43人,合计占职工总数0.54%。

1965年1月,中共中央"二十三条"文件正式发布,标志着城乡"四清"运动进入以清政治、清经济、清组织、清思想为主要内容的"大四清"阶段。这一阶段,合肥在认真学习贯彻"二十三条"的基础上,对运动进行了重新部署和具体安排。全市城市"四清"运动,包括第一批,计划分四批完成。每批大体四五个月时间,第二批1965年8、9月间陆续进入阵地,年底结束,1966年再搞两批,争取在1966年年底完成"四清"运动。但至1966年5月第二批"四清"运动尚未结束时,"文化大革命"开始,各单位随之转入"文化大革命"运动。

"四清"运动对加强干部群众的社会主义教育,解决干部经济上、思想作风上和经营管理中的一些问题起到了一定作用。但是,由于以阶级斗争为纲,把许多不同性质的问题都认为是阶级斗争或阶级斗争在党内的反映,使不少基层干部受到不应有的打击,为"重点整党内走资本主义道路的当权派"的极左的错误继续发展提供铺垫,也是导致"文化大革命"发生的重要原因之一。

四、思想文化领域的批判斗争

1961年至1965年调整时期,尤其是1962年9月中共八届十中全会上毛泽东重提阶级斗争后,"左"的错误在全国思想文化领域迅速扩大。这一时期,在"左"的思想指导下,把学术问题夸大成阶级斗争在意识形态领域的反映,对不少文艺作品、理论观点和文艺界、学术界的一些代表人物进行错误的批判和斗争。

斗争风潮最先从文艺界掀起。1963年5月,《文汇报》发表署名文章,公开点名批判新编昆剧《李慧娘》。9月,毛泽东在中央工作会议上提出国内"反修防修"要包括意识形态领域。12月,毛泽东在中宣部编印的《文艺情况汇报》上批示:"各种艺术形式——戏剧、曲艺、音乐、美术、舞蹈、电影、诗和文学,等等,问题不少,人数很多,社会主义改造在许多部门中,至今收效甚微。"①这个批示传达后,文化部和文艺界立即组织进行整风学习,历时半年。1964年6月,毛泽东在看了中宣部起草的《全国文联和各协会整风情况报告(草稿)》后,又做出指示:"这些协会和他们所掌握的刊物的大多数,十五年来,基本上不执行党的政策,做官当老爷,不去接近工农兵,不去反映社会主义的革命和建设。最近几年,竟然跌倒了修正主义的边缘。"②指示下达后,文艺界开始第二次整风。在整风过程中,文化部、全国作协、全国文联、全国剧协等部门的领导,相继遭到批判。

与此同时,一大批电影、戏剧、小说及其演创者也受到了批判。一些有重要影响的文艺理论观点,如"写中间人物论"和"现实主义深

---

① 《1963年12月12日对文艺问题的批示》。转引自何沁主编:《中华人民共和国史》,高等教育出版社2009年版,第187页。

② 《1964年6月27日对文艺问题的批示》。转引自《中华人民共和国史》,第187页。

化论"等,也遭遇公开的政治批判。

对文艺界的错误斗争,不久蔓延到哲学社会科学领域。哲学界杨献珍的"合二为一"论,经济学界孙冶方关于社会主义经济要重视价值规律作用的理论,历史学界翦伯赞所谓"非阶级观点"和"让步政策论"等学术观点,都受到公开的政治批判。

在"左"的错误迅速扩展的大环境下,合肥的思想文化领域不可能"独善其身"。舆论宣传,报纸媒介,乃至全市艺术文化界等,纷纷开展批判斗争。批判的对象和重点主要是"左"的思想认为不健康或反动的电影、戏剧、文学等文艺作品。批判的形式主要有两种:一是在报刊上刊登批判文章。1964年9月至10月,《合肥晚报》转载、发表文章批判电影《早春二月》。1966年6月起,又先后批判了潘毅、张岳、郭介凡等人,以及他们的文章或作品。二是组织干部群众观看并批判"思想内容不健康"或"反动"的电影作品。如1964年6月14日和19日,放映《林家铺子》和《不夜城》两部影片,每部影片各上映5天。1966年5月,又先后放映《兵临城下》《抓壮丁》《舞台姐妹》《逆风千里》《桃花扇》《球迷》《两家人》及《阿诗玛》等电影。通过组织干部群众观看这些所谓"反动"电影,达到教育干部群众的目的。

思想文化领域的批判斗争一直延续到1966年开始的"文化大革命"运动。对思想文化界著名人士的人身批判和肉体改造,也在有形无形之中酝酿、发酵。

第六节 城市规划与城市建设

一、调整行政区划

从1958年"大跃进"运动,到1965年"文化大革命"发生前,合肥市的行政区划调整较为频繁,主要的调整有几个方面。

(一)肥西、肥东、巢县的划入与划出

1958年6月,安徽省人民委员会决定将蚌埠专区的肥东县、六安专区的肥西县、芜湖专区的巢县划归合肥市。同年,又将肥西县的优胜、远景、风景、水库、淮西等六个农业社约2.8万人划入合肥郊区。1961年,国民经济开始调整,安徽省人民委员会又决定将已划归合肥的肥东、肥西、巢县三县再从合肥划出,仍归原专区管辖。

(二)巢湖(水上)区的设置与撤销

1959年5月,经安徽省人民委员会批准,合肥市从巢湖周围四个县(肥东、肥西、巢县、庐江)沿湖地带划出部分农村,设立巢湖(水上)区。1961年4月,巢湖区撤销,农业社划回原辖县社。

(三)合肥市区的区划调整

人民公社化运动后期,城市也兴起建社热潮。合肥于1960年3月撤销郊区建制,改为蜀山区。6月改蜀山区为北市区,改车站区为东市区,改东市区为南市区,西市区不变。除巢湖区外,各区增辖城郊公社。区域调整后,原有市属四个区(蜀山、车站、东市、西市),分别建成北市、东市、南市、西市四个城市人民公社,实行区社合一,下设32个分社。但是,这时的城市人民公社实际上名不符实。

1963年5月,城市人民公社及各分社全部撤销。对行政区划作了部分调整,将北市区改为郊区,南市区为中市区。合肥市领辖东市、中市、西市、郊区四个区,这种"三市区一郊区"的区划格局,延续了近40年之久。

(四)长丰县的设置

1964年9月12日,安徽省人民委员会为改变寿县、定远、肥东、肥西4县边缘地区接合部的农业生产落后、社会情况复杂状况,以加快该区域农业发展步伐,加强淮南铁路北段交通运输安全管理,报请国务院,请求在上述4县的接合部划出8个区、镇,56个公社组建丰县。10月31日,经国务院第148次全体会议批准,建置长丰县,隶属合肥市管辖。"长丰"之名因境内大部分地区属清代寿州长丰乡,也寓"长治久安,人寿年丰"之意。1965年6月1日,长丰县人民委员会正式成立,由此,长丰县的行政区域基本确定,县城面积约2400多平方公里,人口约50万。

二、城市规划与城市建设

从1958到1965年,如同中国国民经济与社会发展经历大起大落的过程那样,合肥城市建设也呈现出大起大降、波动曲折的态势。"二五"期间(1958至1962年)共完成城市建设投资1656万元,比"一五"时期减少121万元。[①] 其中,"二五"头三年,初步建成西南工业区,基本形成了以老城为轴心,向东、北、西南郊伸展三翼的"风扇形"城市工业总体布局。拓宽了金寨路、宿州路北段和安合公路,开辟了阜阳北路、合作化路和望江路,兴建了二水厂。1958年,董铺水库在西郊建成,库容1.73亿立方米,集城市防洪蓄水功能于一体。"二五"后两年,城市建设陷入低谷。三年调整时期(1963至1965年),城市建设仍处于窘迫境地。3年仅完成投资354万元。1965年,建成区面积由"二五"期末的52.4平方公里缩减到50.3平方公里,出现新中国成立以来未曾有过的倒退。[②]

(一)城市规划

1958年4月,在国家计委区域规划组的指导下,安徽省经济计划委员会、合肥市人民委员会联合编制出《合肥市工业区规划意见》,对

---

① 《合肥市城市建设志》,第2页。
② 《合肥市城市建设志》,第3页。

1957年编制的《合肥市城市建设规划纲要》进行修订和补充,确定开辟西南郊新工业区,从而奠定了合肥市以老城为中心,向东、北、西南伸展三翼的"风扇形"城市总体布局。这一布局,在随后的城市建设中基本得到有效执行,成为合肥解放后建设新型工业城市的标志性成果。

但是,此时正值"大跃进"运动高潮迭起,城市规划毫无例外地卷入其中。1959年,合肥市人民委员会组织编制《合肥城市总体规划》,确定"整理城内、调整东郊、发展南郊、开辟北郊、美化西郊"的庞大规划目标。规划城市人口在5年内达到100万、城市建设用地达144平方公里。这一规划,显然超越了经济发展能力,随着三年困难时期的降临,最终不了了之。

1963年,合肥市人民委员会根据压缩、调整城市规模的基本原则,编制《合肥市城市建设十年规划》,确定"城内填空、东郊调整、北郊补齐、南郊收拢"的基本思路,十年内限制发展,城市人口到1972年控制在54万左右。立足现实修改近期建设计划,调整用地指标;并着力解决"大办钢铁"后闲置地段利用等问题。

1964年,城市规划兴起"革命化"运动,批判大城市思想,对合肥市的人口规模、用地标准和道路宽度作更大的压缩。但这次压缩矫枉过正,给之后的城市建设留下许多后遗症。一些地段的沿街建筑成了拓宽道路和旧城改造的障碍。

(二)市政建设

1. 道路

1958至1965年,市政建设部门将胜利路改建成全市第一条三块板型的道路;将芜湖路车行道拓宽到18米,成为全市主干道中最宽的一条道路。在市区东郊,新建东西向的裕溪路,扩建东西向的蚌埠路和南北向的明光路。在市区南郊,新建南北向的青年路、合作化南路、潜山路和东西向的望江路,并以横街、德胜街、合(肥)安(庆)公路为基础,扩建成南北向的干道金寨路。在市区西郊,扩建蜀山路。在市区北郊,扩建濉溪路、亳州路,新建阜阳北路。1965年年底,合肥市区道路总长为106.01公里,车行道面积83.97万平方米。其中,混凝土路面0.45万平方米,沥青路面44.5万平方米,两者占车行道总面积的55%,其余的道路均是弹石、碎石、矿渣等低级路面。全市的路网骨架基本形成。①

2. 桥梁、路灯

这一时期,城市桥梁、路灯等建设方面也有所发展。1958至1959年,修建5座跨河、跨铁路专用线桥梁,其中新建2座车行桥。1958至1965年,街面路灯增加到1280盏。②

3. 防洪

这一时期,合肥最大的蓄水工程董铺水库修建完工并投入运行。董铺水库于1958年12月完工,1960年蓄水运行。工程完成后,市区防洪能力提高到40年一遇的标准,向城市日供水8.1万吨,灌溉农田菜地4000亩。③ 1963年,又对董铺水库进行续建。董铺水库自运行以后,有效地控制了市区和部分农村的洪涝灾害,为城市提供了生产、生活用水,工程效益显著。

1958年,大房郢水库破土动工。坝址位于南淝河支流四里河上的大房郢附近,距合肥市区8公里。水库汇水面积179.25平方公里,占南淝河市区以上流域面积606平方公里的29.6%。设计汛后控制水位为28.8米,库容量1.81亿立方米。④ 但工程开工后完成土方37万立方米,便遇三年困难时期,被迫停工下马。

4. 排水

这一时期,城市排水设施增加了宿州路北段排水管网、金寨路北段银河出口排水管网,对中菜市排水管网、桐城路排水管网和东区排水管网进行扩建。

---

① 《合肥市城市建设志》,第118页。
② 《合肥市城市建设志》,第168页。
③ 《合肥市政府志》,第33页。
④ 《合肥市志》,第293页。

(三)公共交通

1957年,合肥有公共汽车28辆。"二五"时期,随着市区范围不断扩大,人口急剧增加,又购置6辆机动三轮车,将其改装成小型客车。同时,自行装备7辆"客挂车",投入运行。到1959年,合肥市的公共汽车发展到54辆。其中,除20辆客车外,其余均为卡车改装。在营运设施十分简陋的情况下,全年总行驶里程从1956年的82.4万公里,增加到1959年的251.5万公里;运客人数由808.8万人次上升到2583.1万人次。[①] 1958年营运路线开始向郊、县发展,开辟了市区至铝厂、大蜀山、肥东、肥西线路4条。到1965年,全市拥有公共汽车65辆,营运穿越市区和联系三个工业区的8条公共交通路线。[②]

(四)城市供水

1958年,开始筹建合肥二水厂,后因资金、材料缺乏,工程暂停。1961年春,合肥二水厂重新上马,至6月中旬,部分建成送水,初步形成日产5万立方米的能力。同期,一水厂的供水量也逐步上升,到1960年日产能力达到3万立方米。1962年,国家投资68万元,兴建西南郊、东郊工业区供水管网,改善一、二水厂的输配条件,初步解决合肥市的供水问题。1964年,市自来水公司成立,管辖一水厂和二水厂,并对其进行挖潜改造。

(五)园林绿化

1958年1月11日,合肥市绿化委员会召开第一次会议,确定1958年春全市植树总数1200万株。这个数字相当过去3年植树总和的2.5倍,可谓"大跃进"指标。[③] 同时,会议还要求在南淝河两岸、

[①] 《合肥概览》,第42页。
[②] 《合肥市政府志》,第74页。
[③] 《市绿化委员会确定今后本市绿化任务》,《合肥日报》1958年1月17日。

董铺水库、河滨游园、环城马路、芜湖路、公墓、郊区荒岗、空地和村头、宅旁、水旁以及机关、工厂、企业、学校等所有能植树造林的地方植树造林。

3月4日,市绿化委员会再次召开会议,提出要快马加鞭,把合肥市绿化速度跃进再跃进,在原来1200万株任务的基础上,再增加一倍,实现全年植树2400万株的目标,并且在3月底要完成1880万株。会议还提出,要保证在1958年实现绿化合肥,使合肥基本上达到市区"处处有园,路路成荫,厂校皆绿,庭院多彩",郊区"桑果林木满山冈,浓荫青翠布四旁"的景象。①

据《合肥日报》报道,截至3月17日,全市已栽种2153万株,绿化面积达2万多亩,基本达到了全面绿化目标。② 而据有关资料记载,到1958年春,合肥全市成片造林面积3万多亩,植树2000多万株,为新中国成立后8年植树总和的4倍。③ 两组数据存有差异,或是人为所致,或是数据来源不一。但"大跃进"时期统计数据,浮夸虚报是明显的共性。

1964年,市人委提出做好城市绿化管理和公园游园的整治工作,利用空隙地增加街头游园、绿地。到1965年,全市城区园林绿化面积达1248.22公顷,公共绿地面积75.81公顷,人均公共绿地2.09平方米,市区相继辟建了一批新的公园、街头游园、花坛和林荫道,道路绿化与大小林地、游园、林荫道互相连接,城市园林绿化初见规模。④

---

① 《年内绿化香化美化全合肥》,《合肥日报》1958年3月5日。
② 《我市已基本实现绿化》,《合肥日报》1958年3月23日。
③ 《合肥市政府志》,第78页。
④ 《合肥城市建设志》,第74页。

第四章

"文化大革命"时期

第四章 "文化大革命"时期

1966到1976年,同全国一样,合肥进入"文化大革命"时期。从1966年5月中共合肥市委传达贯彻中共中央《"五一六"通知》到1967年的"一·二六"夺权,合肥地区在接踵而至的红卫兵造反、"破四旧"、大串联、批斗"资产阶级当权派"和夺权等运动急风暴雨般的冲击下,社会秩序陷入混乱。"一·二六"夺权后,造反派分裂为P派和G派,两派间武斗不休,局势一度失控。为此,1967年3月,中共中央决定对安徽省实行军事管制。8月,人民解放军第12军进驻安徽,以平息武斗。1968年4月,合肥市革命委员会成立。但"文化大革命"运动仍然如火如荼地持续进行。

在"文化大革命"时期,思想政治领域开展了一系列的革命斗争。"斗、批、改""一打三反"、清理阶级队伍、干部下放、清查"五一六"分子、知识青年上山下乡等运动"以阶级斗争为纲",猛烈地冲击着合肥地区"一切不适应社会主义经济基础的上层建筑",力图"教育广大人民",粉碎"暗藏的反动派"。

1971年林彪叛逃事件后,和全国其他地方一样,合肥地区也开展了批林整风、批林批孔运动,揭发与林彪集团有关的人和事。1975年1月,邓小平主持中央日常工作,开展全面整顿。然而,不到一年,批邓、"反击右倾翻案风"运动开始。合肥各单位在斗争中,又发动群众,运用批判会、大字报、黑板报、广播、讨论会、展览会等多种形式开展批判运动。1976年10月,"四人帮"垮台,合肥人民按照中央精神,"高举红旗,敲锣打鼓,鸣放鞭炮,高呼口号,潮水般拥向街头",以庆祝这一重要的历史时刻。

第一节　传达贯彻《"五一六"通知》和红卫兵运动的兴起

一、传达贯彻《"五一六"通知》

1966年5月4日至26日,中共中央政治局扩大会议在北京召开。16日上午,会议通过了《中国共产党中央委员会通知》(又称《"五一六"通知》)。《"五一六"通知》指出:"混进党里、政府里、军队里和各种文化界的资产阶级代表人物,是一批反革命的修正主义分子,一旦时机成熟,他们就会要夺取政权,由无产阶级专政变为资产阶级专政。"因此,"全党必须遵照毛泽东同志的指示,高举无产阶级文化革命的大旗……必须同时批判混进党里、政府里、军队里和文化领域的各界里的资产阶级代表人物,清洗这些人,有些则要调动他们的职务。"①次日,《人民日报》刊登了《"五一六"通知》的全文。由此,全国范围内的"文化大革命"运动开始发动。

5月18日,中共安徽省委发出《关于认真学习和贯彻执行党中央、毛主席有关社会主义文化大革命的指示的通知》,要求各地委、市委、县委、各大专院校和文化部门的党委要积极投入到这场"文化大革命"运动中,各党委一把手要亲自挂帅抓好运动。

5月23日,中共合肥市委紧急召开十七级以上的党员干部大会,传达了中央和省委的指示精神。根据市委的部署安排,全市各企事业单位积极准备开展"文化大革命"运动。

5月25日,北京大学聂元梓等七位教师在学校食堂张贴了《宋

---

① 《中国共产党中央委员会通知》,《人民日报》1966年5月17日。

硕、陆平、彭佩云在文化大革命中究竟干些什么?》的大字报。这张大字报后来被毛泽东称为是"全国第一张马列主义的大字报"。6月1日,新华社向全国播报了这篇大字报,次日,《人民日报》发表评论员文章《欢呼北大的一张大字报》。与此同时,《人民日报》还发表题为《横扫一切牛鬼蛇神》的社论,认为:"这一场文化大革命,正在大大推动中国人民社会主义事业的前进,也必将对世界的现在和未来,发生不可估量的深远影响。"①

在"全国第一张马列主义大字报"和《横扫一切牛鬼蛇神》社论的推动下,合肥市的"文化大革命"运动迅即展开。6月2日,中共安徽省委发出指示,要求放手发动群众,迅速掀起大鸣、大放、大字报、大辩论的热潮。6月3日,中共合肥市委将省委指示传达至全市各单位,要求各单位放手发动群众,要大鸣、大放、大字报、大辩论,以揭发本单位"小三家村"。② 10日,中共合肥市委成立合肥市委文化革命小组(简称"市文革小组"),下设办公室,以指挥全市各系统"文化大革命"运动的开展。"市文革小组"由杨效椿、高思明、范涡河、顾浩、刘继海、时吉欣、张斌等七人组成,市委书记杨效椿任组长,高思明、范涡河、顾浩任副组长,张斌任办公室主任。"市文革小组"成立后,即效仿中央和省委派工作组的做法,决定向市属学校和一些企业派出工作组,以直接领导这些单位的运动。

在市文革小组的领导下,全市的"文化大革命"运动迅猛扩展开来。以财贸系统为例,广大的财贸职工,很快行动起来,其势如暴风骤雨,迅猛异常。其发展之快,来势之猛,威力之大,是空前未有的。到15日止,各单位召开声讨会96次,参加会议的有1.1万人,发言的有1431人;向报社投稿的有260多份;贴出大字报6.9万张,其中

---

① 《横扫一切牛鬼蛇神》,《人民日报》1966年6月1日。
② 1961年9月,中共北京市委机关刊物《前线》开辟了一个专栏叫"三家村札记",文章由时任北京市委书记处书记邓拓、北京市副市长吴晗、北京市委统战部部长廖沫沙三人写,每期刊登一篇,三人轮流写稿。1966年5月,"三家村札记"遭到《解放日报》的批判,专栏被定性为"反党反社会主义的大毒草"。此后,全国各地掀起了揪斗大大小小"三家村"的运动,斗争矛头指向党政军的领导干部和文艺、理论、新闻、出版界的知识分子。

揭发本单位问题的大字报约 4 万张；初步揭发有反党反社会主义言行的有 145 人。而且，群众的发动越来越广，越来越深，揭发的问题越来越多，重点对象越来越突出。大字报的锋芒从声讨邓拓反党反社会主义罪行，转入到以揭发本单位问题为主，揭大是大非为主，揭有问题的人和事为主。市财贸系统政治部确定三条运动方针：一是抓好财贸机关、学校和全民所有制企业的"文化大革命"，组织职工学习文件，进行鸣放；二是组织各级领导干部和职工认真学习《无产阶级文化大革命万岁》《宣传教育要点》和《放手发动群众，彻底打倒反革命黑帮》等文章，以提高认识、武装思想，并且要边学、边议、边揭发、边批判；三是进一步加强领导，政治部、各局、行、社、公司都要成立文化革命办公室，并组织力量进行巡回检查，及时发现问题和加以解决，以保证运动的健康发展。

6 月中旬，中共安徽省委组织召开省、地（市）委一把手会议，传达学习中央有关"文化大革命"的文件和文章。20 日，中共合肥市委即向全市传达这次会议的精神，组织全市干部职工学习《人民日报》的多篇社论，以及毛泽东的有关著作和语录。

6 月 21 日，中共合肥市委通过《关于市区小学教师利用暑假假期开展文化大革命的意见》。合肥市区的公办小学，原定 7 月 10 日起放暑假，现在提前到 6 月 30 日。一至五年级学生不进行期末考试，也不写评语，学期总结推迟进行。从 7 月 1 日起，全市分区集中全体小学教师学习 20 天左右。主要是学习毛泽东著作，学习《红旗》《人民日报》及《解放军报》的有关社论和文章。边学、边议、边揭发，运用大鸣、大放、大字报、大辩论的形式，对于揭发的问题，要进行重点批判，需要处理的问题放在集中学习以后进行。《意见》还要求，对各校自动起来揭发"牛鬼蛇神"的革命群众，要满腔热情地支持他们的革命行动，积极领导，不要泼冷水。

在"文化大革命"运动初期，合肥全市各单位掀起了以大鸣、大放、大字报为主要特征的运动高潮。特别是写、贴大字报成为广大职工群众"开展斗争"的主要手段，有些单位职工写大字报搞通宵。截至7月2日,据不完全统计,全市共贴出大字报64.39万张。其中,工交系统有32.48万张,财贸系统有10.24万张,文教卫生系统有12.93万张,党群系统有2.26万张,四个区有6.48万张。通过这些大字报,初步揭发出有问题的重点对象有1401人,占全市职工总人数的1.51%。

在工交系统,运动声势大,来势迅猛,群众基本发动起来,"左派"队伍基本形成,并逐渐扩大,"文化大革命"普遍开展起来。7月2日,中共中央、国务院发出《关于工业交通企业和基本建设单位如何开展文化大革命的通知》,要求一切工业交通和基本建设部门,必须坚决地把无产阶级文化大革命进行到底。7月4日,中共合肥市委接到通知后立即组织各个企业单位进行学习和讨论。之后,各个企业单位又分别召开党委会议和有"左派"参加的党委扩大会议,认真学习文件,以领会中央文件精神,并结合本单位具体情况,研究了贯彻意见。随后,全市工交系统大胆放手发动群众大鸣、大放、大字报、大辩论。至7月下旬,工交系统贴出大字报41万张,其中揭发本单位各种问题的有29.9万张,占所贴大字报总数的73%。在运动中,被大字报点了名的有1.29万人,占职工总数的19.8%。其中问题严重,被初步列为"重点对象"的有1111人,占职工总数的1.71%。36个单位开始了对"重点人物"的批判斗争。

在财贸系统,"文化大革命"运动也呈现出一片热烈场面。6月下旬,财贸系统向党支部委员以上的党员干部1200余人传达了中共中央的若干文件,并组织干部、职工学习毛泽东的《在延安文艺座谈会上的讲话》等四篇著作,学习了有关"文化大革命"的一些文章。在开展大鸣、大放、大字报、大辩论的工作中,财贸系统还组织了215次声讨会和座谈会。同时,对领导力量弱、领导核心有问题和严重压制群众鸣放的18个大小单位,从四清工作队抽调了领导骨干84人组成工作组,加强对运动的领导。7月初,该系统又先后召开了系统内各局、行、社的负责人座谈会、各运动单位工作队的负责人座谈会以及各企业单位的基层干部和职工代表参加的座谈会,讨论如何贯彻中央、省委和市委的指示。从6月初到7月下旬,财贸系统共贴出大字报14万张,其中揭发本单位的有9.6万张,占所贴大字报总数的68%。

文教系统的"文化大革命"运动开展得更加"深入"。以文化局为例在6月初至7月初仅一个月的时间里,运动就从大鸣、大放、大字报、大辩论的揭发阶段发展到大批判和组织处理的阶段。具体来看,第一阶段是学习毛主席著作,掌握毛泽东思想,进一步放手发动群众,彻底揭发问题。首先,组织全体职工认真学习、讨论毛泽东的《在延安文艺座谈会上的讲话》《新民主主义论》《看了逼上梁山以后写给延安平剧院的信》《关于正确处理人民内部矛盾的问题》《在中国共产党全国宣传工作会议上的讲话》等五篇著作和《红旗》《人民日报》及《解放军报》的有关社论文章。接着,放手发动群众,运用大鸣、大放、大字报、大辩论的办法,彻底揭发各方面的问题,把隐蔽在文化系统内的一切反党反社会主义的牛鬼蛇神,统统揪出来,彻底搞掉反党反社会主义的黑线。然后,根据揭发出来的问题,了解情况,观察动向,识别左、中、右三派,组织革命队伍。在运动中发现左派,坚定地依靠左派,保护左派、支持左派,建立和扩大左派队伍,争取、团结和教育中间派。第二阶段是组织批判。对广大革命群众揭发出来的所有的黑线人物,根据影响大小,危害程度,分别采取大会、小会揭露批判和在报纸上公开批判(的方法),把他们揭深、批透、斗倒、斗臭。肃清他们的影响。对于那些受黑线影响较浅,说过一些错话,做过一些错事(的人),主要是进行正面教育,开展批评与自我批评,提高觉悟,使他们同黑线划清界限,积极参加斗争。对于那些受黑线影响深、错误多的人,通过严格批判,使他们认识错误,痛改前非,真正同黑线决裂。第三阶段是组织处理。审查干部、演职员的历史,对每个资产阶级代表人物,进行结案上报处理。

这样,在《"五一六"通知》发表后的两个多月的时间里,为批判、清理混进党里、政府里、军队里和文化领域的资产阶级代表人物,合肥各个系统都掀起了大鸣、大放、大字报的热潮。然而,谁人知晓,一场长达十年的"无产阶级文化大革命"运动,这时才刚刚开始。

二、红卫兵运动与"破四旧"

(一)红卫兵运动

1966年8月1日至12日,中共八届十一中全会在北京召开。会议开幕当天,毛泽东写给清华大学附属中学红卫兵的信印发全会。① 在这封信中,毛泽东对"造反有理"的精神给予了高度肯定,信中说:"不论在北京,在全国,在文化大革命运动中,凡是同你们采取同样革命态度的人们,我们一律给予热烈的支持。"8月8日,会议通过了《中国共产党中央委员会关于无产阶级文化大革命的决定》(简称"十六条")。② "十六条"指出:

广大的工农兵、革命的知识分子和革命的干部,是这场文化大革命的主力军。一大批本来不出名的革命青少年成了勇敢的闯将。他们有魄力、有智慧。他们用大字报、大辩论的形式,大鸣大放,大揭露,大批判,坚决地向那些公开的、隐蔽的资产阶级代表人物进行了进攻。在这样大的大革命运动中,他们难免有这样那样的缺点,但是,他们的革命大方向始终是正确的。这是无产阶级文化大革命的主流。

---

① 清华大学附属中学是最早成立红卫兵组织的。1966年6月24日、7月4日和7月27日,该校红卫兵在大字报《无产阶级的革命造反精神万岁》《再论无产阶级的革命造反精神万岁》《三论无产阶级的革命造反精神万岁》中写道:"革命就是造反,毛泽东思想的灵魂就是造反。敢想、敢说、敢做、敢闯、敢革命,一句话就是敢造反,这是无产阶级革命家最基本最可贵的品质,是无产阶级党性的基本原则!不造反就是百分之一百的修正主义!""今天的无产阶级文化大革命就是一次革命的大造反。"

② 《"五一六"通知》提出了"文化大革命"的纲领,但并未具体解决如何搞好这场运动的问题。1966年7月初,毛泽东就要求中央文革小组起草一个具体指导"文化大革命"的文件。这个文件的初稿名称为《无产阶级文化大革命的形势和党的若干方针问题》,因其共23条内容,当时被称为"二十三条"。至八届十一中全会,该文件被修订为16条。

8月18日,毛泽东身着绿军装,佩戴着红卫兵袖章,在北京天安门城楼第一次接见了来自全国各地的红卫兵,表示支持红卫兵运动。至当年11月底,毛泽东先后八次接见了红卫兵,接见红卫兵人数达1300多万。①

毛泽东写给清华大学附属中学红卫兵的信、"十六条"的通过以及毛泽东接见红卫兵等事件,极大地鼓舞了全国的红卫兵运动。8月20日下午,安徽省暨合肥市"庆祝无产阶级文化大革命"大会在省体育场举行,参会人数达15万。由此,合肥市的红卫兵运动迅速发展起来。

从8月下旬到10月初,合肥市各中学都先后建立了红卫兵组织。据不完全统计,全市中学生参加红卫兵的人数达5699人。红卫兵造反组织的名称众多。在高中,有一个32人的"遵义战斗队",一个48人的"八一战斗队",一个32人的"'八三一'革命造反队",三个共计334人的"红旗战斗队",一个84人的"井冈山战斗队"。还有名为"红战友战斗队""赤卫队""井冈山战斗队"和"长征战斗队"的红卫兵组织,共计229人,6个支持"八二七"革命造反派的红卫兵组织,分别为一个"赤卫队"、4个"毛泽东主义红卫兵"和一个"四中革命串联队",共计174人。在初中,也出现了"东风战斗组""雄鹰战斗组""红旗战斗队""刘英俊战斗组""赤峰战斗组""红卫战斗队"及"革命战斗队"等红卫兵组织。

红卫兵以及其他各种所谓的"革命组织"一经成立,就和学校里的"革命"师生们一道,纷纷走上街头,大张旗鼓地宣传《十六条》,宣传毛泽东思想,从而使学校里的"斗、批、改"运动发展到社会范围。8月下旬到10月初,合肥的红卫兵先后两次在社会上进行了大规模的

---

① 红卫兵组织最初是由一些青少年学生自发组织起来的,它成立的直接动因是为了与被他们认为是"烂掉了"的校领导以及执行了"修正主义路线"的工作组做斗争。这种少数学生自发组织起来的小型组织,起初并不被当局所承认,许多组织处于半地下的、秘密的甚至是非法的状态,这时它对外的影响相当有限,一般局限于一个学校或一个地区的学校内。但后来,红卫兵组织得到了毛泽东的肯定和支持,进而在全国迅速掀起运动高潮。红卫兵的主体是在校的大中学生。

"斗、批、改"运动,声称,揪出了一批暗藏在社会上各个角落里的渣滓、老寄生虫和反动的"四类分子",搜查出一些杀人武器、反动证件、变天账、金银财宝,并揭发批判了他们的罪行。

"大串联"是红卫兵的一大运动方式。在8月下旬后的一个多月时间里,外省、市以及省内各专区、市、县来到合肥市各校进行革命串联的学生,计有1.86万人。其中,外省、市的有7711人,本省的有1.09万人。以合肥三中为例,该校每天都要接待六七批串联学生,日接待100多人。9月16日,中共安徽省委根据中共中央、国务院《关于组织外地高等学校革命学生、中等学校革命学生代表和革命教职工代表来北京参观文化大革命运动的通知》,发出《关于组织我省中等学校革命学生代表和革命教职工代表赴京参观文化大革命运动的通知》。在此后近半个月的时间里,合肥市各校自发地和有组织地到北京和全国各地进行革命串联的学生达1100多人。

"大串联"推动了合肥地区红卫兵运动的进一步发展。

在"大串联"中,混乱现象屡屡出现。来肥串联的学生中,也有些人传了些不好的经验,如静坐示威、剃光头、给黑七类挂牌子等,散布一些流言蜚语,任意歪曲、篡改中央负责同志的讲话,造谣传谣,说某某同志犯错误了,某某地方又发生了什么事件,等等。

"武斗"是红卫兵的另一大运动方式。带着"造反有理"的口号,运动中不可避免地发生了武斗现象。合肥一中、十七中的学生就一再发生武斗现象,而且一犯再犯,领导不敢教育,不敢制止,只好任其发展。在一个多月的时间里,红卫兵打人事件发生了17起,被红卫兵戴高帽、游街或挂牌的有67人,被红卫兵剃阴阳头的有4人,被红卫兵变相体罚的约有30人。至10月下旬,社会上的各种群众组织不断产生,不同意见、不同观点的学生组织之间,经常发生冲突。有些学生宣传"自来红",实行"红色恐怖",对家庭出身不好的学生实行专政,取消他们的选举权,对他们普遍采取歧视态度,因而造成所谓"剥削阶级"家庭出身的学生普遍感到心理紧张。合肥一中就有四名学生因家庭出身不好而被打。

随着运动的发展,红卫兵组织的权力越来越大。不要党委领导的倾向在很多学校都很突出。有的学校片面地强调文化革命委员会是权力机关,文化革命委员会领导一切,要学校交出公章等,收发、看阅一切党内机密文件。甚至在有的学校,已经建立起来的文化革命委员会也起不上作用,无法得到红卫兵的信任,而实际发挥领导作用的就是红卫兵组织,红卫兵几乎样样都管。

由于红卫兵权力的增大,他们甚至可以任意搜户抄家。8月下旬至10月初,合肥市的红卫兵共计搜查了1379户人家,其中地主241户,富农15户,反革命分子292户,坏分子52户,右派分子30户,资产阶级220户,重点对象66户,神职人员57户,其他406户。在红卫兵的搜户抄家中,被搜查对象自杀、逃跑的有33人。其中自杀的21人,死亡12人;逃跑的12人,后有11人回家。①

(二)"破四旧"

中共八届十一中全会通过的"十六条"中提出"破四旧",是指大破剥削阶级的旧思想、旧文化、旧风俗、旧习惯。"破四旧"一经提出,最先行动的是北京市的红卫兵。他们纷纷走上街头和一些单位,给街道、工厂、学校、公社和各种老字号商店等"改名换姓"。8月23日的《人民日报》社论文章认为:"千千万万的红卫兵举起了铁扫帚,在短短几天之内,就把这些代表着剥削阶级思想的许多名称和风俗习惯,来了个大扫除。"

8月24日,合肥地区一些大专院校和中学红卫兵,以"大破剥削阶级的四旧,大立无产阶级的四新"②为名,盲目地焚烧古书、古戏剧服装、捣毁文物字画,破坏名胜古迹。一些受到错误批判的人被抄家。"破四旧"之风迅速波及全省。

---

① 中共合肥市委文化革命小组办公室:《关于红卫兵搜查对象和自杀、逃跑情况统计》,1966年10月7日。
② "四旧"指旧思想、旧文化、旧风俗、旧习惯;"四新"指新思想、新文化、新风俗、新习惯。

在"破四旧"运动中,学校首当其冲。红卫兵进驻学校图书馆,清理所谓封资修图书,到一些老师家查抄"四旧"物品。大到古玩字画、金银首饰,小到蚊帐、床单等,都被攫取一空。如合肥一中一位教师在1966年9月4日被揪斗后,还被拿走如下物品:方桌1张、棕绷床1张、椅子2把、大小皮箱各1、雨伞2把、洗脸盆1个、咔叽制服1套、黑紫兰皮袍及白羊皮袍各1件、电灯泡2个、电线3丈、丝织西湖风景画10余张、粮票、油票若干、白棉线1捆、象棋2副、扑克2副、金戒指3个、图书50余册、字典6册……① 不久,"破四旧"发展到通过街道组织登门入户到居民家去查抄,后"破四旧"逐渐失控,发展到擅自抄家、打人、挂"黑牌"、搞"喷气式"、剃"阴阳头"等,打、砸、抢、抄、抓、烧,由校内到校外蔓延开来。

在"破四旧"运动中,合肥宗教界遭到劫难,信教群众正常的宗教生活被禁锢,宗教组织遭破坏,宗教界人士被打成"牛鬼蛇神",寺庙教堂或被捣毁或被侵占,大量的宗教经籍(主要有明教寺两部珍贵藏经)、塑像及宗教设施被焚毁殆尽。在"破四旧"中,全市佛教寺庙17所,道教1所,天主教、基督教、伊斯兰教各有教堂1所,全部被破坏,内部宗教设施全部被毁坏。明教寺等主要寺庙僧尼,天主教和基督教的神职人员,全部被撵出门外。这些寺庙、教堂和附属房屋,均被其他单位强占或使用,天主教圣堂和修女楼,在后期又被拆掉,翻盖成商店。其他寺庙被捣毁后,大部分房屋也被一些单位或居民占用。② 宗教界的一些人士被批斗,如万福庵道士李崇云不堪折磨,自缢身亡。③

在单位,广大职工革命精神大振,大破"四旧"、大立"四新"。绝大多数工交企业的办公室、车间、营业部和职工宿舍,都去掉了带有封建主义、资本主义和修正主义的不健康的摆设和字画等,突出政治,挂上了毛主席像和毛主席语录。

---

① 《合肥市社会主义时期党史专题资料辑存》,第165页。
② 李鸿猷:《认真落实党的宗教政策》,《五十年征程(1949—1999)》,第264页。
③ 《合肥概览》,第430—431页。

"胡开文笔墨店"①是一家老字号招牌店,该店职工在接到合肥三中红卫兵关于砸碎"胡开文"招牌换上"工农兵"招牌的"倡议"后,立即召开座谈会讨论。职工们一致表示,坚决支持合肥三中红卫兵的"倡议"。很快,职工们把标有"胡开文"字样的笔杆、黑墨等商品都毁了重做,"胡开文笔墨店"改成了"工农兵笔墨店"。

合肥制革厂生产的皮鞋有多种款式,红卫兵认为其中有不少款式"不大众化"。对此,该厂展开了清理整顿工作,共计查出了39种"式样不好"的皮鞋款式,还废除了"金狮"牌皮鞋商标。同时,该厂还自觉发动全体职工对厂内所有产品的式样进行全面检查,结果发现有200多双"奇形"鞋楦和10种已经做好的约800双"不大众化"的皮鞋帮子,这些产品后来都被改制。不少职工还自觉交出旧书籍100多本和"奇形"照片61张。

合肥服装厂、新中服装社和新民服装社等单位对红卫兵提出的"不再生产和出售奇装异服"的"要求"也表示完全接受。他们把厂里"妖里妖气"的模特儿全部砸碎,并表示决心要"面向工农兵","为工农兵服务"。

合肥印刷厂职工还没等红卫兵提出"要求",就主动打电话给安徽大学的红卫兵,邀请该校红卫兵到厂里开展检查工作。红卫兵来厂后,职工"热情接待,主动介绍情况,密切配合,将厂里过去印刷的书、画进行彻底清理,共查出内容不健康的书籍两千多本,带有封建迷信、才子佳人的玻璃底板几千块,分别进行了处理"。

合肥制盒厂一些职工自发搞"四旧"检查组,说厂里的卫生香是迷信品,后将厂里库存的6.72万盒卫生香统统烧掉,价值约9600余元。

合肥美术工艺厂组织了50多名职工,将仓库里的800多件古装戏衣清理出来后,全部拆掉,改制成其他小商品。该厂职工还将800多顶戏帽烧毁,价值约8000元。

---

① 胡开文,字柱臣,号在丰,著名徽商,是清代乾隆时期的制墨名家。

合肥电机厂二科有 30 多名职工自己成立红卫兵组织，派 10 多人到工读学校教师方××的宿舍里搜查，共计查出两个圣母像、37 张西洋唱片和一些古书。

合肥搪瓷厂也清理出了一批用于美术设计的铜人、菩萨以及带有国民党党徽的设计资料。这些东西随即被全部销毁。

建国木器社职工把生产出来的 3 口棺材也砸碎了。

除单位外，合肥市的公众场合也进行了大规模的"破四旧"运动。在"破四旧"运动中，合肥市很多传统的地名、街名、巷名、店号、商标，都被换上了具有红色革命意义的新名称，不少所谓的"奇装异服""反动书刊"和古玩旧画都被销毁。不少公共汽车上都悬挂上了毛主席像和毛主席语录。许多传统老字号商店被认为是封建主义、资本主义、修正主义（简称"封资修"）典型而遭到破坏。1882 年创建的合肥糕点行业名店"张顺兴号"被迫改为"立新门市部"，作坊被迁到长丰县。许多以安徽省内城市、河流命名的街道、马路以及公园等，都被换上了富有革命意义的新路名、新街巷名、新公园名等。长江路被改为反帝路，淮河路被改为反修路，蚌埠路被改为大庆路，芜湖路改为延安路，庙后街被改为劳动巷，逍遥津公园被改为东风公园。包公祠遭到严重破坏，包公塑像、石刻像及王朝、马汉、张龙、赵虎塑像被砸，匾额被毁；包河公园被改名为"人民公园"。"革命""造反"的氛围填满了全市大街小巷及各公共场所。

三、批斗"资产阶级当权派"

1966 年 8 月 26 日下午，合肥百货大楼面街的墙壁上赫然出现了标题为《炮轰安徽省委司令部——造李葆华的反》的大字报。这张署名为"合肥工业大学无线电系六七级全体革命同学"的大字报一经贴出，立即引发社会上的轩然大波，所谓"造反派"和"保守派"间的持续冲突由此开始。

从批斗"资产阶级当权派"伊始，机关、学校、厂矿企业及农村公社等社会各方就有不同认识,群众意见并不一致,而且分歧明显。就在大字报《炮轰安徽省委司令部——造李葆华的反》贴出的第二天,即8月27日,合肥地区一部分机关干部、职工和市民同一部分高等学校学生因对大字报认识不一致,在大街上争论,进而发生扭打事件,即所谓"八二七"事件。① 随后,合肥工业大学学生成立"八二七"革命造反队,其他大中学校先后出现了红卫兵造反组织。

9月1日上午,来合肥串联的清华大学和陕西工业大学学生约百余人进入中共安徽省委机关大院。他们为进到办公楼看大字报与省委机关的干部发生争执,进而在大楼前静坐示威。下午,合肥工业大学、安徽工学院等院校的"造反派"千余人也涌进省委机关大院,加入了静坐示威的队伍。示威者与前来省委机关大院报告"文化大革命"喜讯的工人、学生队伍发生冲突,一直辩论、争吵到次日凌晨4时才各自散去。这也是省委机关大院首次遭到造反派冲击。

10月9日,合肥工人革命造反派联系委员会(简称"工联会")成立。这是合肥部分工人自发成立的造反组织。10月11日,在中共安徽省委、合肥市委支持下,合肥地区大中学校红卫兵总部(简称"红总")成立。该组织原来被称为"保皇派""保守派"。18日,与"红总"相对立的合肥地区大中学校红卫兵革命造反司令部(简称"红革会")成立。由此,合肥地区两个相互对峙的红卫兵组织正式登场亮相。

11月9日,合肥地区部分造反群众冲进安徽省三级干部会议的住地——稻香楼宾馆,并在那里围攻、批斗李葆华等省委主要领导。②

11月16日下午4时,合肥4家工厂的670名职工与进驻中共安徽省委机关礼堂的合肥师范学院毛泽东主义红卫兵发生冲突,互相扭打。冲突持续到17日晚,双方均有多人受伤。此时,省委第一书记李葆华、市委书记杨效椿等省、市委负责人都被造反派视为"走资本主义道路的当权派"而"靠边站",省委领导机关及工作机构已无法

---

① 《合肥市志》,第49页。
② 1967年1月14日,周恩来在接见各大区和省委书记的讲话中提到这件事时,说李葆华在稻香楼宾馆被围困了四昼夜。参见《中国文化大革命文库》。

正常工作。

之后,在所谓"造反派"和"保守派"之间,大小冲突事件经常发生。"造反派"攻击"保守派"是"右派""保皇派";而"保守派"则批评"造反派"是"反革命""假左派、真右派"。刚开始,"保守派"占据上风,他们喊出"誓死保卫省委""誓死保卫李葆华"的口号,将"造反派"与当时安徽的"反革命修正主义头子"刘秀山①联系到了一起,进而对"造反派"进行围攻、逮捕。11月25日,淮南造反组织"红卫军"100多人带枪窜到合肥,由此引发全市武斗,社会秩序更深地陷入混乱之中。

"造反派"认为,他们是毛泽东和中央文件所肯定的富有"造反"精神的"革命闯将",是批判、揪斗"走资本主义道路当权派"的先锋,却被"保守派""保皇派"打成了"反革命"。这样,从10月份开始,大批"造反派"的工人、学生陆续从安徽各地赴京"请愿"。

中央文革小组的态度十分明确,即支持"造反派"。11月12日、14日和12月2日,时任中央政治局委员、国务院副总理谢富治和时任中央书记处书记、人大常委会副委员长、中华全国总工会主席刘宁一在京三次接见安徽的"造反派"代表。11月16日,时任中央政治局委员、国务院副总理李富春接见合肥"'八二七'革命造反队"的红卫兵代表。上述接见中,中央领导人明确肯定了"造反派"的"革命"行动,认为:"造反派"贴省委的大字报、批评省委和市委以及批斗李葆华、杨效椿的做法属于"革命"性质,"大方向正确","中央完全支持"。"根据你们(指造反派)的材料,不但不是反革命,而且都是要革命的。你们贴省委大字报是有权利的,批评省委、市委是完全合法的,有这个权利。凡因贴省委、市委大字报被打成'反革命''假左派、真右派'

---

① 刘秀山,参加过抗日战争和解放战争,新中国成立后曾担任皖西第一区专员、安庆专署专员、安徽省民政厅长、治淮工程指挥部政治部主任等职务。1953年"三反"时,他写报告对安徽省委主要负责人(时曾希圣任安徽省委第一书记)的工作方法和工作作风进行了批评,结果,由此而受到诬陷迫害。1962年在刘少奇的指示下,安徽省委为其平反,并安排其任省文联副主席。"文化大革命"发动后,刘秀山被列为"黑线人物"迫害致死。

的,统统平反,公开宣布平反。"①

在中央文革小组的支持下,安徽的"造反派"不仅站稳了脚跟,且势力日增。为躲避"右派""保皇派"的"帽子"戴到自己头上,原先属于"保守派"阵营的群众或退出了"保守派"组织,或加入了"造反派"的组织,或成立了新的"造反派"组织,从而也扛起了"革命"的旗帜。但是,在这一庞大的"造反派"阵营内部,思想认识上"激进"与"保守"的意见分歧并未消除。

四、"造反派"的夺权

1967年1月4日,上海的"革命造反派"接管了《文汇报》,次日《文汇报》发表了上海工人"革命造反派总司令部"等11个"革命"群众组织的《告上海全市人民书》。同日,"革命造反派"又接管了《解放日报》。6日,张春桥、姚文元等组织全市各"造反派",召开"打倒市委"的大会,批斗了陈丕显、曹荻秋等中共上海市委、市政府的领导人。会后,市委、市政府所有机构被迫停止办公,张春桥、姚文元等人掌握了上海的市政大权。

毛泽东对上海"革命造反派"的做法给予高度肯定,8日,他在对中央文革小组的谈话中说:"上海市革命力量起来,全国就有希望,它不能不影响华东,以及全国各省市。《告上海全市人民书》是少有的好文章,讲的是上海市问题,是全国性的。"②9日,《人民日报》刊登《告上海全市人民书》,并以编者按的形式传达了毛泽东的谈话。22日,《人民日报》社论赞扬上海的"夺权"行为,并呼吁全国的"革命造

---

① 《谢富治、刘宁一接见安徽部分革命师生工人代表时的讲话》(1966年11月12日)、《谢富治、刘宁一再次接见安徽"八二七"红卫兵时的讲话》(1966年11月14日)、《李富春接见安徽"八二七"革命造反队红卫兵时的讲话》(1966年11月16日)、《谢富治、刘宁一等在接见安徽造反派时的讲话》(1966年12月2日)。转引自《中国文化大革命文库》。

② 《对中央文革小组就〈文汇报〉〈解放日报〉夺权事件的谈话》。转引自《中国文化大革命文库》。

反派"都起来夺权。文章说:"有了权,就有了一切;没有权,就没有一切。千重要,万重要,掌握大权最重要!于是,革命群众凝聚起对阶级敌人的深仇大恨,咬紧牙关,斩钉截铁,下定决心:联合起来,团结起来,夺权!夺权!!夺权!!!"①

在上海所谓"一月革命"风暴影响下,全国掀起一股夺权风潮。1月6日,《安徽日报》被合肥的"造反派"查封,报社被夺权。11日,《安徽日报》改名为《新安徽报》。17日,合肥钢铁厂的"工人造反派联合委员会"在该厂的露天舞台召开了夺权大会,宣布"夺了合钢党、政、财、文一切大权"。23日,合肥与周边城市的"造反派"组织举行所谓"斗争反革命修正主义分子李葆华之流大会",安徽省、合肥市的党政领导人李葆华、李任之、杨效椿、桂蓬、赵凯等均遭到批斗游街。与此同时,合肥市的东市、西市、中市各区和郊区、长丰县成立起来的"造反派"组织也纷纷开始夺权,一大批领导干部及基层负责人被认定为是"走资本主义道路的当权派""反革命修正主义分子",并因此而受到错误的批判和迫害。②

1月26日,"安徽省合肥工人革命造反派联合委员会""安徽贫下中农革命造反派联合委员会筹备处""中国人民解放军安徽省军区全体革命军人""安徽省'八二七'革命造反兵团"等28个造反组织进占省委、省人委等机关,并在省人委办公大楼前广场上举行夺权大会。会上,"安徽省合肥工人革命造反派联合委员会"的代表宣读《夺权通告》,宣告"把安徽省委、省人委和合肥市委、市人委的一切大权统统夺过来。""安徽省'八二七'革命造反兵团"的代表宣读《罢官通令》,宣布"自1967年1月26日12时起,正式罢掉原中共中央委员、中共安徽省委第一书记李葆华,原中共安徽省委书记处书记李任之,原中共安徽省委常委、副省长桂蓬,原中共合肥市委书记杨效椿,原合肥市市长赵凯的官,并撤销其党内外一切职务,交广大革命造反派群众

---

① 《无产阶级革命派大联合,夺走资本主义道路当权派的权!》,《人民日报》1967年1月22日。

② 《安徽省志·政党志》,第470页。

监督改造。"随后,这些"造反派"组织成立"革命造反派夺权联合指挥部",又称为"安徽省革命造反总指挥部"。27日,《新安徽报》刊登《夺权通告》和《罢官通令》,并发表社论《群众罢官好得很》。

"一·二六"夺权后,"夺权""罢官"之风很快席卷全市各级党政机关、企事业单位、街道和农村的人民公社、生产大队等基层组织。一大批党政领导干部和单位负责人被"罢官"、批斗,甚至被迫害致死。

第二节 从实行军事管制到革命委员会成立

一、造反派的分裂与实行军事管制

"一·二六"夺权后,合肥的"造反派"组织由于认识上产生分歧,随即陷入分裂。2月7日,"安徽省合肥工人革命造反派联合委员会"内部的一部分人退出该组织,成立"安徽省合肥工人第一革命造反司令部"。随后,围绕"一·二六"夺权究竟好不好的问题,合肥的"造反派"组织形成了相互对立的两大派别:一派认为夺权"好个屁",是"假夺权",这就是所谓的"屁派",也称"P派";另一派认为夺权"好极了",大方向是正确的,反对夺权就是"反革命",这就是所谓的"极派",也称"G派"。

"造反派"组织分裂后,两派间相互攻击谩骂,都自称是真正的"造反派",是最最忠于毛主席的"革命派",甚至发展到相互抓人,甚至武斗。一些造反组织的头头因遭到对方通缉而逃到外地,当时就出现了"造反派"组织到北京抓人的情况。武斗使得合肥的社会秩序更为混乱,恐怖气氛笼罩全城。武斗也严重影响了生产,大型国营军工企业江淮仪表厂各类"造反派"组织如"工联会"所属的"工人造反大队""厂一司""厂三司""革命到底联络站"及"'八二七'革命联络站"等多达11个,自1967年1月27日厂级的党、政、财、文大权被夺后,生产就一直处于混乱状态,各项生产计划根本无法实施。

为调解安徽各派之间的争斗,理清混乱局面,3月间,中共中央召集安徽省军区负责人、"安徽革命造反总指挥部"的代表、持有不同意见的各派群众代表以及省市的一些机关干部,举行多次座谈,也分别找各派头头多次个别谈话。中共中央认为:"根据两个月实践检验,安徽'一·二六'夺权没有实现无产阶级革命派大联合,没有把矛头指向省委内一小撮走资本主义道路当权派,没有实行革命的'三结合','安徽革命造反总指挥部'个别领导人实行了一系列的错误政策,压制了有不同意见的左派群众和革命干部。"

接着,3月27日,中共中央发出《关于安徽问题的决定》,决定成立以时任中国人民解放军南京军区副司令员钱钧为首的军事管制委员会,把省的领导权掌握起来。

军事管制委员会的主要任务,一是彻底批判资产阶级反动路线,集中揭露和打击以李葆华为首的党内一小撮走资本主义道路的当权派。二是要放手发动群众,在工作中走群众路线,不要包办代替。坚决支持各左派群众组织,在左派组织之间不能片面支持一方,打击另一方。三是对于左派组织,要帮助他们克服缺点和错误,帮助他们整顿思想、整顿作风、整顿组织,通过各项工作,实现真正的无产阶级革命派大联合,筹备革命的"三结合"的临时权力机构。四是立即接管公安厅、公安局,要坚决纠正乱通缉、乱逮捕的错误做法,对"一·二六"夺权有不同意见被逮捕的人一律释放,被打成"反革命"的,一律平反。五是接管《新安徽报》,立即停止以对"一·二六"的态度作为革命与反革命标准的错误宣传。[①] 自此,安徽全省进入了军事管制时期。

4月10日,安徽省军事管制委员会决定成立合肥市工作委员会,

[①] 《中共中央关于安徽问题的决定》。转引自《中国文化大革命文库》。

行使合肥军事管制之权。省军区副司令员钟国楚为主任,苗扶中、孙正华、张文治、胡景义、刘智惠为副主任。工作委员会内设革命指挥部、生产指挥部和办公室。17日,4个市属区以人武部为主,也相继成立各区的军管领导小组。①

二、"造反派"的"全面内战"

安徽省军事管制委员会和合肥市工作委员会的成立未能制止"造反派"之间的武斗,而且武斗愈演愈烈。从6月起,合肥地区的局势进一步恶化,各"造反派"组织纷纷成立武斗班子,指挥抢夺各县、区、厂矿、人武部、公检法等部门的枪支,占据工厂、办公楼等作为武斗据点,积极进行武斗准备。全市"武斗成风,打、砸、抢、抄、抓不断,P、G两大派群众对立情绪严重"。从6月中旬至8月初,合肥发生严重的武斗事件有20多起,大部分工厂、企业停工、停产。

1967年8月4日,P派组织一名成员被G派组织成员开枪打伤,送到解放军104医院抢救无效死亡。8月7日上午,经P派组织头头策划,两派在医院门口发生冲突。G派组织"工联会"的"警卫班"正好遇上,P派认为形势不妙,立即占领了医院大楼,双方开枪射击。G派组织"工联会"的曹在凤等头头知悉后,在合肥工业大学G派据点研究、确定了作战方案。在这场武斗中,P派组织死亡1人,G派组织死亡3人。

1967年8月8日,P派武斗组织独立二师四团等攻打合肥六中和六安路小学G派驻地。在当天下午的武斗中,P派先后抓捕了安徽工学院、合肥工业大学、合肥四中、合肥六中的部分教职工和学生共8人,分别关押于省民政厅招待所、合肥市第一人民医院等处,私设公堂,对他们非法审讯,严刑拷打。P派武斗人员于8月8日夜和次日下午,先后将所抓8人中的7人枪杀。此次武斗中,双方伤亡30

---

① 《合肥市志》,第51页。

余人。

1967年8月,合肥地区的P派和G派组织都要求8月27日在省体育场召开大会。省军管会为防止发生武斗事件,召集两派头头会议,商定P派8月26日开会,G派27日开会。为避免P派会后游行经过市工人文化宫、铁路大楼等G派驻地,省军管会确定了P派的游行路线:省体育场—延安路(今芜湖路)—巢湖路—长江路—农学院。26日,P派头头擅自决定,改变游行路线,把游行队伍带过延安路桥,经过市工人文化宫,向G派示威。当游行队伍经过铁路大楼时,G派成员向游行队伍开枪射击,双方随即发生武斗。造成两名P派人员和一名旁观群众死亡,解放军战士和附近群众多人受伤。

肥东县造反派组织"县大联委"(G派)和"县联合造反司令部"(P派)在1967年8月至9月间先后发动抢夺县人武部枪支事件和磨店、高塘、撮镇、众兴、陈集、南京抢枪事件等,共抢夺机枪6挺、冲锋枪及刺刀100多支,步枪40支,手枪2支、手榴弹10枚,造成多人伤亡。

长丰县地区发生造反派抢夺县人武部枪、弹事件,1967年7月29日,长丰县人武部枪、弹被淮南"炮轰派"和长丰县P派一抢而空,共被抢冲锋枪、机枪、手枪、步枪等各种类型的枪支1288支,各种子弹18.09万发。

这样,这一时期里,合肥的主要街道长江路上,大白天也极少有行人,有的武斗组织占据的地方,群众甚至在窗口不敢伸头。发生枪弹直接对射的地区,更是子弹横飞,成了生死搏斗的战场。两大派造反组织形成尖锐的对抗,整个城市笼罩着恐怖气氛……8月份,一度出现两大革命群众组织之间的大规模武斗,对立情绪极端尖锐。

为防止局势失控,合肥市工作委员会发出《关于对待当前武斗情况的通知》,规定:"一、要保证在任何情况下,任何人绝对不能开枪;二、军管单位的军代表如在工作上有缺点、错误,应尽快向群众公开检讨;三、部队劝说无效,群众发生武斗时,部队千万不要介入。"尽管如此,局势仍难扭转。不仅武斗严重,还导致全市工厂大多停止生产。据市属 120 个工厂的统计,有 90 个工厂停止生产,外流职工 3.2 万余人,占职工总人数的 60% 以上。

三、"三支两军"

所谓"三支两军",即"支左、支农、支工、军管、军训"。1967 年 1 月 23 日,中共中央、国务院、中央军委、中央文革小组做出《关于人民解放军坚决支持左派群众的决定》,提出:"在这场伟大的无产阶级向资产阶级的夺权斗争中,人民解放军必须坚决站在无产阶级革命派一边,坚决支持和援助无产阶级革命左派。"3 月 19 日,中央军委做出《关于集中力量执行支左、支农、支工、军管、军训任务的决定》,全国各地"三支两军"全面展开。直到 1972 年 8 月 21 日,中共中央、中央军委发出《关于征询对三支两军问题的意见的通知》,并附有《关于三支两军若干问题的决定(草案)》,指出:"凡是实行军管的地方和单位,在党委建立后,军管即可撤销。军管人员除少数需要留下担任地方工作的以外,其余调回部队。"① 自此,"三支两军"遂告结束。

针对安徽混乱的武斗局面,中共中央十分担忧。1967 年 7 月底,周恩来在北京紧急召见时任中国人民解放军第十二军军长李德生。② 周恩来首先介绍了一些安徽武斗的情况,他说:"两派(P 派和 G 派)互相指责对方是'反革命''保皇派',出现了打人、抓人,发'通缉令',并发生了动刀、动枪的武斗,而且这些组织上下串联,全省各地、市、县,都以夺权划分,从上到下形成了对立的两大派,各自经常相互策应,采取统一行动,这就使得问题涉及面广,解决起来更为困难……而武斗不断升级,越演越烈,在合肥、淮南、安庆、芜湖等地区,两派正酝酿一场一触即发的大规模武斗,这将给安徽人民带来难以想象的

---

① 《关于人民解放军坚决支持左派群众的决定》《关于集中力量执行支左、支农、支工、军管、军训任务的决定》《关于征询对三支两军问题的意见的通知》。转引自《中国文化大革命文库》。

② 李德生当时率人民解放军第十二军驻守在苏北。

灾难。"接着,他表达了中央对安徽形势的担忧。"党中央对安徽的形势非常担心,非常着急,在这紧急时刻,派十二军去安徽,是毛主席亲自决定的。安徽武斗太厉害,已影响到中央的指示贯彻不下去,军管会指挥不灵,难以控制局面。"他指示李德生说:"你回去紧急动员一下,立即带部队去安徽。去了以后不要陷到派性里去,要广泛听取意见,深入调查研究,把情况搞准确,最重要的是要做好群众工作,总起来说就是制止武斗,消除派性,促进联合,稳定局势,抓革命,促生产。"①

8月5日,安徽省军事管制委员会发出通知:"为了进一步加强'支左'工作,保卫'文化大革命',中共中央决定调中国人民解放军第12军进驻合肥及其他一些城市。"8日,李德生率第十二军"浩浩荡荡开进合肥"。② 26日,中共中央改组安徽省军事管制委员会,李德生任主任。

为平息武斗,十二军在合肥及安徽其他城市做了大量工作。一是不管遇到大小武斗,解放军要坚决把两派人员隔开,哪怕受到伤亡,做到骂不还口,打不还手,绝不开枪。二是通过各种渠道和形式听取多方面的意见,既要做群众的工作,又要做P派和G派头头的工作。三是占领城市的制高点,在交通要道派驻小分队,并派出巡逻队日夜巡逻,严禁武斗活动,维护社会秩序。四是派出联络组,各由一名处长带领几个干部,分别住在两派群众组织的总部,及时了解他们的动向。五是大张旗鼓地宣传有关法令法规。9月5日,中共中央、国务院、中央军委、中央文革小组发出《关于不准抢夺人民解放军武器、装备和各种军用物资的命令》,并要求合肥及安徽其他各地两派造反组织实行大联合。第十二军"立即抓住这个时机大造舆论,军管会迅速将'九五'命令翻印张贴","部队和群众组织都出动宣传车,从早到晚流动广播"。六、部队派出大批收缴武器分队,深入到群众组

---

① 《李德生回忆录》,解放军出版社1997年版,第347—348页。
② 《李德生回忆录》,第352页。

织各据点,动员他们交出武器。①

9月,第12军的广大官兵和安徽各地人民群众以开展"拥军爱民"活动为契机,制止武斗,开展大批判,促进各派之间的大联合。在这个过程中,第12军在合肥及安徽各地站稳了脚跟,武斗混乱局势有所缓解。

至9月28日,合肥市有780多个单位实现了大联合。至月底,全市共收缴各种汽车32辆,各种枪支1.15万支,子弹222.87万发,各种炮31门,各种炮弹65发,手榴弹527枚,各种雷496个,炸药3366千克,毒气弹25个,喷火器两具,火箭筒32具,以及大量的武器配件。10月10日,合肥等7个市和专区赴京汇报代表团,在周恩来的主持下达成了《关于制止武斗,抓革命,促生产,拥军爱民等问题的协议》。两派协议解散所有武斗组织,实现大联合,把斗争的锋芒指向党内最大的一小撮走资本主义道路的当权派及其在安徽的代理人。自此,合肥武斗暂时得以平息。

四、成立革命委员会

1968年2月,安徽省革命委员会筹备小组成立,为组建军队、干部、群众"三结合"的革命委员会做准备。② 后经与合肥地区P派和G派组织协商,提出了安徽省革命委员会组成人员名单,4月10日,筹备小组将人员名单报告了中共中央。14日,中共中央、国务院、中央军委、中央文革小组做出关于成立安徽省革命委员会的批示:

中央同意报告中所提的革命委员会委员和常委的名单,同意由李德生同志任革命委员会主任,廖成美、宋佩璋、李任之、杨效椿、徐文成、张秀英(女)、张家云(女)同志任付(副)主任,另留二名付主任

---

① 《李德生回忆录》,第353—361页。
② 即由军队干部、原来的地方领导干部、"造反派"组织代表三部分组成。

的名额,待以后增补。①

1966年,"五一六"通知后合肥"文化大革命"运动开始

而早在安徽省革命委员会成立前,合肥市一些基层单位就已经成立了革命委员会。1968年1月13日,长丰县陶湖公社革命委员会成立,两天后,皖安机械厂革命委员会成立,这是"文化大革命"中全省最早成立的两个基层革命委员会。同年4月3日,经人民解放军南京军区党委批准,合肥市革命委员会(简称市革委会)成立。市革委会由59名委员组成,李全贵为主任委员,陈玉、孙正华为副主任委员。

至7月份,合肥全市成立革命委员会的基层单位有790个,占全市975个基层单位的81%。在农村和郊区,共有535个生产大队成立了革命委员会,计有革委会成员4363人。至8月25日,全市县以上单位全部成立了革命委员会。至年底,全市各单位基本上都成立了革命委员会或革命领导小组。

---

① 《中共中央、国务院、中央军委、中央文革关于成立安徽省革命委员会的批示》。转引自《中国文化大革命文库》。

第三节　开展思想政治领域的革命

一、"斗、批、改"运动

1966年8月8日,中共八届十一中全会通过"十六条",提出:"文化大革命"的目的是"斗垮走资本主义道路的当权派,批判资产阶级的反动学术'权威',批判资产阶级和一切剥削阶级的意识形态,改革教育,改革文艺,改革一切不适应社会主义经济基础的上层建筑,以利于巩固和发展社会主义制度。"以上表述后来被概括为"斗、批、改"。1968年8月21日,《人民日报》《解放军报》在社论中传达了毛泽东关于"认真搞好斗、批、改"的指示。9月7日,《人民日报》《解放军报》发表社论提出全国除台湾省以外的省、市、自治区全部成立了革命委员会。全国山河一片红,这极其壮丽的一幕,是夺取"文化大革命"全面胜利进程中的重大事件,它标志着整个运动已在全国范围内进入了斗、批、改的阶段。

按照毛泽东的设想,"斗、批、改"包括建立三结合的革命委员会,大批判,清理阶级队伍,整党,精简机构、改革不合理的规章制度,下放科室人员等。在实际工作中,"斗、批、改"还包括"教育革命"、知识青年上山下乡等内容。全国范围的"斗、批、改"运动从1968年9月开始,至1971年9月林彪事件发生后,"斗、批、改"被中断、打乱,进入"批林批孔"运动。

"斗、批、改"是在各级革命委员会领导下进行的。1968年9月14日至16日,合肥市革委会召开了全市干部大会,合肥地区的各级革委会的代表共计2000多人参加会议。大会明确要求:"各级革命委员会要更高地举起毛泽东思想伟大旗帜,立即在全市范围内掀起

'斗、批、改'的高潮,不失时机地完成各条战线的'斗、批、改'任务,更快地夺取无产阶级'文化大革命'的全面胜利。要在全市掀起'革命大批判'和清理阶级队伍的高潮。"会后,市革委会组织53个工人毛泽东思想宣传队,进驻到全市的大、中、小学校及部分文艺团体、医疗单位,以促进这些单位的"斗、批、改"运动。市革委会还决定以合肥开关厂、合肥市百货公司、曙光公社、合肥一中为市革委会常抓的四个点,由常委和委员分别下去,进行调查研究,抓好点的工作,以吸取经验,从而带动面的工作。

在开展"斗、批、改"运动中,全市城乡各单位都举办了毛泽东思想学习班、活学活用毛泽东思想经验交流会和讲用会等各种类型的活动。从车间、班组,到田头、课堂以及家庭,人人口诛笔伐,到处摆开了大批判的战场。声势浩大,火力猛烈。合肥精密铸造厂、合肥矿机厂四连、红旗百货商店、电焊条厂、肉联厂、机床配件厂、电机厂、铜陵路百货商店、中市区前进街道革委会、长丰县陶湖公社万岗大队等单位都是开展"斗、批、改"运动的"先进单位"。

学校的"斗、批、改"。1968年8月29日,市革委会按照中共中央、国务院、中央军委、中央文革小组《关于派工人宣传队近学校的通知》精神,向全市大专院校、部分中小学和其他上层建筑部门共37个单位派出了第一批毛泽东思想宣传队(参加这批宣传队的工人、贫下中农、解放军战士共1396人),领导这些单位的"斗、批、改"运动。知识分子被称为"臭老九"受到审查、批判。到1971年9月,合肥市已有2000多名工人配合解放军组成的工宣队进驻100多所中小学,实行工人阶级领导。与此同时,三县一郊的中小学,也根据毛泽东"贫下中农管理学校"的号召,全部实行"贫管"。是月,合肥市召开教育工作会议,要求分期分批组织教师下厂、下乡参加劳动,各工厂、社、队选送工人和贫下中农到学校任教,建立健全贫下中农管理学校委员会或贫管组。1975年3月,合肥市教育工作会议,继续要求坚持面向农村、开门办学的方向。要求师生深入工厂、农村,边学、边编、边改,总结一套适应城市、农村三大革命的新教材,把毛泽东著作列为中学必读课。1977年11月起,驻校的工宣队开始撤出学校。

在农村,"斗、批、改"运动的重要内容是组织建立贫下中农宣传队和整顿社队领导班子。1968年冬至次年春,合肥市郊区和长丰县共组织约1.73万人参加的贫下中农宣传队,共计组成30个宣传分队,535个宣传小队,5547个宣传小组。这些宣传队员们深入各生产队,和广大贫下中农结合在一起,登上农村斗、批、改的舞台,开展了以大批判、清理阶级队伍、整党和解决社队领导班子为中心的"斗、批、改"群众运动。

合肥市街道的"斗、批、改"运动从1971年下半年开始。10月,东市区三里街、中市区东风、西市区光明三个街道首先进行了"斗、批、改"试点。但是,随着林彪事件一级一级向下传达,到1972年上半年,合肥各街道的"斗、批、改"未及深入展开,便偃旗息鼓了。

二、整党建党

整党建党是"斗、批、改"运动重要内容。合肥的各级革委会把整党建党放在"斗、批、改"的非常重要的位置上。从1968年11月开始,全市各级党组织按照毛泽东提出的无产阶级政党要"吐故纳新"的指示和"五十字"[①]建党方针,开展整党建党。至1969年2月,全市已恢复党组织生活的占80%以上。其中皖安机械厂等5家工厂建立起厂一级的党的核心领导组织。郊区和长丰县各公社、大队,已全部开展整党。通过开门整党,大大提高了广大党员的两条路线斗争觉悟,进一步纯洁了党的组织,进一步密切了党群关系,使各级党组织更加革命化、战斗化,更加朝气蓬勃。[②]

至1969年7月,全市1447个党支部,已经结束整党的占97%,已恢复组织生活的党员占党员总数的92%;全市1197个团支部,已

---

① "五十字"指:党组织应是无产阶级先进分子所组成,应能领导无产阶级和革命群众对于阶级敌人进行战斗的朝气蓬勃的先锋队组织。

② 《我市革命生产形势一片大好越来越好》,《新合肥报》1969年2月7日。

整顿了915个,占89.8%;全市已解放各级领导干部901人,占应解放干部数的75.5%。至11月,有99%的支部经过初步整顿,93%的党员恢复了组织生活,80%以上的农村人民公社建立了党委,50%的工厂、企业建立了党委、总支,70%的基层单位建立了党支部。另据33个工厂党委、总支的统计,在210名委员中,老委员65名,占30%,新委员145名,占70%,干部党员118名,军代表党员32名,工人党员60名。此外,经过组织整顿,清除了混进党内的叛徒、特务、蜕化变质分子和阶级异己分子300多人。[①]

经过这次整党,停止了两年多的党组织生活得以恢复。但是,有一批党员干部特别是领导干部被错误地当作"叛徒""特务""死不悔改的走资派",仍未能参加组织生活,而一些靠造反起家的人反被作为无产阶级的先进分子吸收入党,从而造成中共党组织成分的严重不纯。

经过整党,全市各级党组组恢复组织生活后,实行党政合一、党政不分领导体制的革委会,已不能适应形势发展和党的建设的需要,党的组织机构的重新建立势在必行。1970年12月18日至25日,中共合肥市第三次代表大会召开,出席代表880名,大会选举了中共合肥市第三届委员会委员,李全贵任书记。至此,因造反派夺权而停止行使权力的中共合肥市委得到恢复,各级党组织也通过整党建党重新建立而恢复了组织生活。

三、"清理阶级队伍"

所谓"清理阶级队伍",主要是指清理地、富、反、坏、右"五类分子"和叛徒、特务、走资派、现行反革命分子共"九种人",但这场运动后来与"斗、批、改""一打三反"、清查"五一六"分子、批林整风等运动都混杂在一起,其清理、打击的对象远远超出了"九种人"的范围。

---

① 陈玉:《合肥市革委会第七次全委扩大会议总结》,1969年11月6日。

1968年5月19日,新华社《文化革命动向》第1220期发表了《北京新华印刷厂军管会发动群众开展对敌斗争的经验》一文,文章写道:"建国十八年来,这个厂(新华印刷厂)的阶级斗争一直是极其复杂,尖锐,激烈的。针对这种情况,军管人员进厂后……不论是搞革命大联合还是促进革命三结合,不论是开展革命大批判还是进行本厂的斗批改,他们都狠抓阶级斗争不转向。"毛泽东认为,"在我看过的同类材料中,此件是写得最好的","建议此件批发全国"。25日,中共中央、中央文革转发了这篇文章,并要求各地"有步骤有领导地把清理阶级队伍这项工作做好"。①

安徽省从1968年1月起着手"清理阶级队伍"。"清理"采取群众运动的方式,从一开始就大搞逼、供、信,制造了大批冤假错案。到9月底,共清理出所谓"死不悔改的走资派""叛徒""特务""坏人"等10万多人。到11月底,清理出的人数又增加了一倍。据1969年4月的统计,全省共清理出"坏人"43万多人。②

在合肥的清查工作中,规定了具体的处理方式。对于清查出来的坏人,首先要把他们当做"活靶子",深入开展革命大批判,把他们及其黑主子从政治上、思想上批深批透、批倒批臭,肃清其流毒,然后再根据党的方针政策,逐步进行处理:现行反革命和刑事犯罪分子,在弄清问题、核实结案后,可即交专政机关依法判处;清理出来的其他坏人,根据群众揭发和本人交代,经过调查核实后,能够定案的即可定案,解除其关押和隔离,暂由本单位群众监督劳动,听候处理;对清查出来的漏划五类分子,如情况属实,材料充分,经调查核实后,可报请市革委会批准,戴上"五类分子"的"帽子"。

从1968年5月底开始,合肥全市各系统、各单位在"军宣队""工

---

① 《中共中央、中央文革转发毛主席关于"北京新华印刷厂军管会发动群众开展对敌斗争的经验"的批示》。转引自宋永毅主编:《中国文化大革命文库》(光盘资料),香港中文大学中国研究服务中心2006年版。

② 中共安徽省委党史研究室:《中共安徽80年简史》,安徽人民出版社2003年版,第182页。

宣队"领导下,进行了"清理阶级队伍"。6月中旬,全市各工厂、公社、街道、机关、学校全面开展阶级斗争和路线斗争的形势教育,分别举行所谓"反右倾、鼓干劲、主动持久地向阶级敌人发动更加猛烈进攻"的誓师大会。6月至7月,仅郊区各公社、场(厂)站、小学等单位便组织了30场轮流斗争省市领导李葆华、刘征田、赵凯等人的大会,揪斗了本单位的"叛徒""特务""走资派"和"没有改造好的地、富、反、坏、右分子",展开"大揭发、大批判、大斗争"。到年底,全市共清理出"叛徒""特务""走资派"和"没有改造好的地、富、反、坏、右分子"9782人。[①]

至1969年2月,全市绝大部分单位的阶级斗争盖子已经揭开,或基本揭开,"挖出了隐藏得很深的阶级敌人",并将已经定性的"阶级敌人",交给群众监督劳动,群众反映说:"我们天天见到敌人,天天不忘阶级斗争,敌人不老实,我们随时都可以批斗。"许多"可以教育好的子女",纷纷表示要积极揭发坏人坏事,与家庭划清界限。[②]

但是,从"清理阶级队伍"伊始,就出现严重扩大化的倾向。据宿州路小学反映:开展对敌斗争是,专案组搞材料,群众跟着喊口号,你说打倒就打倒。合肥竹器社的人员反映:竹器社办案子,搞神秘化,搞逼、供、信,硬逼着两个清理对象交代问题,逼得他们不得已就随口乱供别人,供一个抓一个,结果这个200余人的单位,一下就抓起来40多人。[③]

"清理阶级队伍"严重扩大化的倾向引起各方关注和社会恐慌。特别是被定为所谓"死不悔改的走资派""特务"等,这些人原本还是"革命干部",一夜之间被打成了阶级敌人,由此引起的对个人、家庭、群体和社会的震荡,可想而知。

1968年10月,毛泽东在中共八届十二中全会上提出"清理阶级

[①] 《合肥市社会主义时期党史专题资料辑存(1949—1978)》,第39页。
[②] 《我市革命生产形势一片大好 越来越好》,《新合肥报》1969年2月7日。
[③] 合肥市革委会政工组:《关于我市当前学习、宣传、落实毛主席的各项无产阶级政策的情况报告》,1969年3月5日。

队伍,一是要抓紧,二是要注意政策"。① 从 12 月开始,"清理阶级队伍"的工做出现稍许变化。12 月 3 日,合肥市革委会连夜召开常委扩大会议,学习、讨论上级新的政策指示。会议开了三天,深刻分析合肥市当前阶级斗争的新特点、新动向、新问题,研究了进一步落实各项政策的措施。1969 年 2 月 22 日,合肥市革委会发出通知,要求全市革命群众立即行动起来,掀起一个大学习、大宣传、大落实党的政策的群众运动,并决定从 2 月 22 日到 28 日为全市人民的政策学习周、宣传周。

2 月 22 日上午,市革委会在省体育场召开带有示范性的"对反革命分子'坦白从宽,抗拒从严'处理大会",参加会议的有各单位革委会成员、专政队负责人、专案人员等,很多单位把揪斗对象带到大会会场。在这次"处理大会"上,有 7 个"反革命分子"分别被作了"从宽""从严"处理。

2 月 26 日到 3 月 2 日,市革委会又举办"贯彻落实毛主席的各项无产阶级政策学习班",参加学习的对象,主要是各级革委会成员、各单位的军代表、工宣队、工代会、专政组织、专案人员,共 2500 人。学习班主要学习《北京新华印刷厂革委会在对敌斗争中坚决执行党的"给出路"政策的经验的报告》《北京清华大学宣传队关于"坚决贯彻执行对知识分子'再教育''给出路'的政策"的报告》以及《人民日报》《新安徽报》的有关社论。"给出路"政策在一定程度上纠正了清理阶级队伍工作中的扩大化倾向。如化工机械厂革命委员会代表,在学习班头一天听了李全贵同志报告后,回去后就把清理对象不分青红皂白统统放掉了。

截至 1969 年 11 月份,据重工、轻工等九个系统和四个区的统计,清理阶级队伍工作中被群众揪斗列入专案审查的有 4654 人。后经过落实政策,作为人民内部矛盾处理的有 1160 人,占 24.9%;属于

---

① 《关于清理阶级队伍的意见》,1968 年 10 月 31 日。转引自《中国文化大革命文库》。

运动前已定的"五类分子"仍不改变的456人,占9.8%;定为"九种人"的66人,占1.4%;尚待继续查清的1430人,占30.7%。全市机关、工厂企业、学校、公社以上领导干部,已解放的达90.7%。

至此,合肥全市"清理阶级队伍"运动基本结束。

在"清理阶级队伍"运动中,一大批领导干部、知识分子和无辜群众被当作阶级敌人受到关押审查或批判斗争,有一些被迫害致残、致死,造成了无法挽回的严重后果。其中,黄梅戏表演艺术家严凤英之死,从一个侧面反映出了这场运动给人们带来的灾难与伤痛。

四、干部下放

1968年10月5日,《人民日报》以《柳河"五七"干校为机关革命化提供了新的经验》为题,在编者按里发表了毛泽东的批示和柳河的经验,号召广大干部下放劳动。毛泽东的指示为:"广大干部下放劳动,这对干部是一种重新学习的极好机会,除老弱病残者外都应这样做。在职干部也应分批下放劳动。"①

毛泽东的指示发表后,全国各地立即掀起干部下放的浪潮。而早在此指示发表的前一天,即1968年10月4日,合肥市革委会即发出《关于大力宣传、坚决执行毛主席关于干部下放劳动的最新指示的通知》,要求全市机关干部下放劳动,支援农村的斗、批、改。10月8日,合肥市革委会召开常委扩大会议,决定:立即组织一大批市直机关干部下放到农场进行劳动锻炼。"市革命委员会工作的在职干部要起带头作用,分批下放劳动。原市直机关干部,除老弱病残者外,原则上全部下放劳动。分口进行组织,一面参加劳动,一面搞好斗、批、改","在本月(10月)20日左右,第一批下放干部要开赴劳动第一线","要遵照'精兵简政'的要求,立即组织一个少而精的班子,负责

---

① 《柳河"五七"干校为机关革命化提供了新的经验》(1968年10月5日)。转引自《中国文化大革命文库》。

本单位'抓革命,促生产'的工作,其余人员统由市直机关革命小组负责安排学习和市直机关干部一道下放劳动,市直机关干部下放劳动地点暂定为长丰县杜集、庄墓农垦学校和巢湖农场、红光耕织场四个地方,并定名为'一〇四'干校;市区、郊区干部下放劳动各区自行安排。"①

会后,市革委会一方面在全市范围内开展对干部下放工作的宣传、学习、落实,一方面派出工作人员到生产劳动基地整理现场,准备用具,布置环境。很快,分设为四个劳动点的"一〇四"干校筹备成立。

10月12日,长丰县第一批135名干部奔赴农业生产第一线。②

10月18日,省、市革委会在安徽省体育场联合举行10万人大会,热烈欢送省直、市直机关第一批3000余名干部下放劳动。③

长丰杜集"五七"干校南瓜丰收

---

① 《市革命委员会召开常委扩大会议决定立即组织大批干部下放劳动》,《新合肥报》1968年10月9日。
② 《长丰县革委会落实毛主席最新指示雷厉风行首批干部奔赴生产第一线》,《新合肥报》1968年10月15日。
③ 《以柳河"五七"干校为榜样接受工农兵再教育——省市机关三千余名干部奔赴农村》,《新合肥报》1968年10月19日。

11月6日,合肥市直第二批300余名干部"下放农村,接受贫下中农的再教育"。①

1968年12月,安徽省革委会提出关于干部下放劳动的四种去向,即:充实各级革命委员会,参加农村基层领导班子,去"五七干校",下工矿农村劳动锻炼。

合肥市革委会立即响应这一号召,加快干部下放步伐。据不完全统计,到1969年10月份,"全市已经下放的各类人员32320人"。其中,市直机关、公检法、商业、物资、银行五个系统,"应下放的干部747人,到1969年10月13日止,已经下放的有292人,占38.7%,待下放的455人"。②

但是,市革委会认为:"干部下放的进度还需要更快些。"于是,合肥全市干部下放工作紧锣密鼓地展开。"原党群口干部,除老弱病残外,已基本全部定点,宣布结束,11月底前,绝大部分干部可以下放到农村。商业学习班,9月份以前仅下放9人,现在已经下去了45人,预计11月底还可以走一批同志,市公检法已经下去52人,11月底还可以走20人。"

干部下放,劳动锻炼,完全是组织号召,组织安排。这给他们正常的工作、生活带来极大的不便,所以干部多要求去离家较近的长丰县,不愿到阜阳和其他距离较远的地区。干部下放的地区,原确定到阜阳60%,长丰40%。但从市直已下去的情况看,到阜阳的只有47人,仅占16%,到长丰和郊区的200人,占68%。商业、银行系统也是这个情况。

1970年2月,市革委会发出《关于市一○四干校增补、调整革命委员会成员和改名为"五七"干校的批复》,同意将"合肥市一○四干校"更名为"合肥市杜集五七干校"。1971年春,"合肥市杜集五七干

---

① 《我市第二批下放干部奔向农村》,《新合肥报》1968年11月7日。
② 合肥市革委会支农办公室:《合肥市当前下放工作情况和主要问题的报告》,1969年11月8日。

校"成立附属农场,"接受市财贸,文教系统各类犯错误人员174人,其中粮食系统47人,商业系统87人,物资系统11人,教育系统13人,银行12人,中市区2人,市直机关2人,集体所有制8人,按内部矛盾处理45人,敌我矛盾29人,定性未带"帽子"27人,尚未定案73人,老弱病残10余人。"①

五、知识青年上山下乡

1968年12月22日,《人民日报》引述毛泽东的指示:"知识青年到农村去,接受贫下中农的再教育,很有必要。"②全国各地立即掀起了知识青年上山下乡的热潮。

1975年,合肥火车站广场欢送知青下乡

其实,知识青年上山下乡到农村去,在20世纪五六十年代就已经发生,但规模不大,也没有形成运动。此时发表毛泽东的指示,使

---

① 《合肥五七干校始末》,《长丰》2012年2月23日。
② 《在毛主席革命路线指引下,会宁县部分城镇居民纷纷奔赴农业生产第一线,到农村安家落户》,《人民日报》1968年12月22日。

知识青年上山下乡迅速形成运动,甚至成为检验知识青年是否忠于毛泽东,是否拥护"文化大革命"的重要标尺。

《人民日报》的文章发表后,合肥全市从市革委会到街道居委会,从学生学校到家长单位,上上下下,全面动员、宣传、讨论、表决心等活动大规模展开。据《新合肥报》报道,"合肥市文攻武卫指挥部同志们一听完广播,立即出动宣传车到大街小巷宣传毛主席的最新指示,广播《人民日报》的按语,华东电建三公司毛泽东思想宣传队,连夜把毛主席的最新指示谱成曲、编成舞,加紧排练,准备到街头宣传演出。合肥工代会毛泽东思想第一宣传站革命职工,在驻站工人毛泽东思想宣传队领导下,以最高的政治热情,最快的速度,把毛主席最新指示刻写油印了1200多份,分头到街头巷尾散发,又把最新指示谱了曲,油印600多份,连夜到职工家属宿舍区教唱。""合肥针织厂、软木厂、起运机厂、晶体管厂、矿机厂、驻省立医院工宣队、合肥师范学院函授部、合肥一中、八中、实验中学、合肥市土产杂品分公司、合肥纺织品站、六四〇八部队一二五部队、一四四部队七分队、长江饭店等许多单位,连夜组织职工座谈讨论。他们坚定表示:毛主席挥手我前进,奔向农村干革命。"①

23日,市革委会发出《关于认真学习、迅速落实毛主席最新指示的通知》。该通知要求:

一、立即在全市范围内掀起一个群众性的大学习、大宣传毛主席最新指示的新高潮。二、以毛主席最新指示为强大动力,掀起一个知识青年上山下乡,向农村进军的新高潮。三、长丰县、郊区各人民公社,要通过学习、宣传、落实毛主席最新指示,对前一段城市知识青年插队落户的接收工作,进行一次认真的检查,总结经验,发现问题,及时妥善解决;并进一步动员群众,使广大的群众都深刻认识到欢迎城市知识青年下放农村这是伟大领袖毛主席提出的伟大号召,并进一

---

① 《动员起来向农村进军,建设社会主义新农村》,《新合肥报》1968年12月22日。

步动员群众,采取有效措施,像中国人民解放军欢迎新兵入伍那样做好迎接城市下放插队人员的一切准备工作。①

同日,全市举行10万人参加的"坚决贯彻毛主席最新指示向农村进军誓师大会"②为动员中学生上山下乡造势,市红卫兵代表在合肥师范学院广场召开"合肥市高、初中毕业生上山下乡誓师大会",2万多名高、初中毕业生表示,"坚决响应毛主席的伟大号召,走与工农相结合的道路,上山下乡,接受贫下中农再教育。"③

据报道,在《人民日报》文章发表仅两天后,合肥全市已有1万多名毕业生报名要求回乡生产和到农村插队落户。25日,全市10万余人在东风公园和长江路隆重集会,欢送最早一批5000余名中小学毕业生上山下乡。④

1969年1月18日,安徽省暨合肥市10万人集会,欢送来自全市各个中学的六六、六七、六八三届高、初中毕业生(俗称"老三届")上山下乡。此后,几乎每个月都有类似的欢送活动,上山下乡成为城市中学生唯一去向,上山下乡运动持续不断地展开。⑤ 至当年11月份,全市共有20570名知识青年上山下乡。"应走未走"的有963人,转由街道继续动员。

1970年8月7日至9日,市革委会召开"合肥地区上山下乡知识青年革命家长代表会"。会议主要是交流经验、学习先进、树立典型,继续抓好下乡知识青年的工作,做好毕业生分配和上山下乡工作。参加会议的有积极动员、热情鼓励、坚决支持自己子女到农村去的革命家长代表,有即将送子务农的应届毕业生革命家长代表,有上山下

---

① 《合肥市革命委员会关于认真学习、迅速落实毛主席最新指示的通知》,《新合肥报》1968年12月24日。
② 《我市十万人集会掀起上山下乡新高潮》,《新合肥报》1968年12月24日。
③ 《我市二万余名高、初中毕业生举行上山下乡誓师大会——到农村滚一身泥巴,在斗争中锤炼忠心》,《新合肥报》1968年10月23日。
④ 《我市五千余名知识青年奔赴农村广阔天地》,《新合肥报》1968年10月26日。
⑤ 《合肥市志》,第53页。

乡工作做得好的先进集体代表等。①

8月25日,全市1万多名应届初中毕业生和家长在东风公园,举行上山下乡誓师大会。② 会后,这些初中毕业生绝大多数去长丰、肥西、肥东等地上山下乡,其中约800多人赴萧县插队落户,这也是合肥最早一批远赴淮北农村插队落户的中学生。

自1968年12月到1973年10月的近5年间,全市总计有3.1万知识青年上山下乡,其中,约2万余人为"老三届",其余多是社会青年和应届毕业生。

知识青年上山下乡的人数众多,且连年不断。按照省革委会的指示和要求,合肥从市到农村公社一级,纷纷成立"知识青年上山下乡办公室",主管知识青年上山下乡及在农村插队落户等工作。1970年后,大规模发动全社会力量动员知识青年上山下乡的运动难以为继,上山下乡运动逐渐转入常态化。每年的初、高中毕业生大多仍是上山下乡,到农村去。这种状况直到1978年中共十一届三中全会以后,才逐步取消。

六、"一打三反"

1970年1月31日,中共中央发出《关于打击反革命破坏活动的指示》,要求"对反革命分子的破坏活动,必须坚决地稳、准、狠地予以打击。"③

而此前的1月中旬,合肥市革委会就已经成立了"四反"领导小组和"四反"办公室,办公室下设有办事、调研、审理、组织、农村、工厂六个小组(后来又增加了赃物处理组和整顿财贸队伍组)。30日,全市又召开万人誓师大会,市革委会主任李全贵作报告,动员全市开展

---

① 《掀起知识青年下乡上山新高潮——市召开下乡上山知识青年革命家长代表会》,《新合肥报》1970年8月14日。
② 《到祖国最需要的地方去》,《新合肥报》1970年8月26日。
③ 《中共中央关于打击反革命破坏活动的指示》。转引自《中国文化大革命文库》。

"三清四反一深挖"运动。① 中共中央《关于打击反革命破坏活动的指示》发出后,2月4日,李全贵在全市各单位负责人会议上传达了中共中央的指示,对开展打击反革命破坏活动做动员工作。

2月5日,中共中央又发出《关于反对贪污盗窃、投机倒把的指示》,认为"国内存在着一小撮阶级敌人,他们内外勾结,破坏社会主义经济。"因此,"开展一场反对贪污盗窃、投机倒把的群众运动,彻底揭露一切大中小贪污盗窃、投机倒把的违法犯罪事件,轻者批评教育,重者撤职、惩办,判处徒刑,直至枪毙一小批最严重的贪污盗窃犯和投机倒把犯,才能解决问题。"②

同日,中共中央还发出《关于反对铺张浪费的通知》,指出,"必须在全国范围内,发动群众,雷厉风行地开展反对铺张浪费的斗争,坚决刹住这股资产阶级歪风;保持和发扬无产阶级勤俭节约,艰苦奋斗,自力更生的优良传统。"③

根据中共中央连续发布的上述三个文件,全国展开了一场"一打三反"运动。④ 合肥市迅速由"三清四反一深挖"运动转入了"一打三反"运动,这场运动在合肥市亦被称为"四反"运动。

中央三个文件下达后,合肥市革委会即决定抽调1203名干部、工人,经过短期学习后,成立73个"四反宣传队",于2月间分别进驻重工、轻工、手工、交通、商业、物资、基建、银行、民政劳动等9个系统的70多个单位。⑤ 其中,金笔厂、电机厂、丝绸厂、搬运公司、百货大

---

① "三清四反一深挖"即:清账目、清仓库、清财物,反贪污盗窃、反投机倒把、反铺张浪费、反资本主义经营,深挖隐藏的阶级敌人。
② 《关于反对贪污盗窃、投机倒把的指示》。转引自《中国文化大革命文库》。
③ 《关于反对铺张浪费的通知》。转引自《中国文化大革命文库》。
④ "一打三反"运动即:打击反革命破坏活动,反对贪污盗窃、反对投机倒把、反对铺张浪费的运动。
⑤ 1970年全市从干部、工人中选调了1300多人,组成了"一打三反"毛泽东思想宣传队,先后进驻了机械、电化、轻工、基建、交通、商业、粮棉、物资、财政、银行、卫生、农业等17个系统共116个单位,协同所在单位党组织、革委会深入开展运动。

楼、粮食二库等7个单位是由市革委会直接抓的市属点。①

2月25日,市"四反"领导小组召开第一次扩大会议,对"一打三反"运动作具体部署。3月2日,市革委会在丝绸厂召开了"四反"经验交流会,由丝绸厂、玻璃厂、长江饭店三个单位,介绍开展运动的若干经验。3月13日,全市"一打三反"宣传队员会议召开,对宣传队的工作作具体部署。当晚,市"四反"领导小组召开第二次会议,分析运动的形势,研究措施,并制定了"四反"案件的审批权限和临时处置及冻结银行存款等审批手续。

在农村,长丰县革委会也很快采取行动,对全县各条战线进行工作布置。4月份,该县在岗集公社和东风公社先后召开两次"一打三反"运动经验交流会议,推动运动向纵深发展。

在仅仅一个月的时间里,合肥揭发出所谓的"中华反共救国军""共明党"等反革命组织和集团26个,现行反革命分子117个,有现行破坏活动的历史反革命分子99人。2月16日,合肥召开有30多万人参加的公判大会,宣判16人死刑,立即执行。破获反动标语案件107起。揭发出贪污盗窃、投机倒把集团64个,千元以上的贪污盗窃分子149人,万元以上的3人。5月21日,市革委会在合肥电机厂召开"破案经验交流会"。②

8月18日,市革委会召开"反右倾,鼓干劲,誓把'一打三反'运动进行到底"大会。

合肥"一打三反"运动发展很快、规模也很大。1970年第三季度,全市组织有400多场批斗会。截至9月下旬,全市共挖出反革命组织和集团30个,现行反革命451人,历史反革命412人,侦破反标705起,挖出千元以上贪污犯566人,5000元以上22人,万元以上4人。破获贪污盗窃、投机倒把集团495个。

---

① 5月份,又组织了26个"四反宣传队"进驻了20多个单位,即第二批三分之一单位。各宣传队经过一年左右的工作,于1971年下半年先后撤回,运动完全由本单位党组织负责。

② 《合肥市"一打三反"运动情况汇报》,1970年4月1日。

从 1970 年 2 月至 9 月,合肥市的"一打三反"运动以"一打"为主,迅速推开,在全市范围内掀起了一个"大检举、大揭发、大清查、大批判"的运动高潮。

1970 年 8 月 23 日至 9 月 6 日,中共九届二中全会在庐山召开。会后发表的《会议公报》指出:"要把'一打三反'运动抓紧,继续有力地打击一小撮破坏社会主义革命和建设、妄图复辟资本主义的反革命分子。"为响应《会议公报》的号召,合肥市集中力量继续深挖隐藏的"阶级敌人",重点抓 27 个"后进单位"和一些系统中的"死角",抓定案处理,抓整顿财贸队伍工作。

1971 年 9 月,林彪事件发生后,"批林整风"运动在全国掀起,"一打三反"运动退居次席,逐渐进入收尾阶段。次年 12 月 8 日,合肥市革委会"四反"办公室发出《关于做好"一打三反"运动总结的通知》,要求长丰县和各区、局的"四反"办公室对本地区、本部门 3 年来的运动情况作认真、全面的总结。

直到 1973 年 3 月,合肥全市的"一打三反"运动基本结束。5 月份,各区、局和长丰县的"一打三反"办公室相继撤销。

合肥的"一打三反"运动,全市立为专案审查的各种政治、经济案件共 8822 起,结案 8590 起。包括反革命集团 21 个,贪污盗窃集团 74 个,投机倒把集团 19 个,现行反革命分子 116 人,历史反革命分子 55 人,贪污盗窃、投机倒把分子 53 人,坏分子和地主分子 158 人,犯有各种政治和经济错误的 7539 人。核实贪污盗窃、投机倒把赃款 147 万元,后在政策检查过程中退回 72 万元。其中,长丰县破获反革命集团 2 个,反标案件 12 起,挖出现行反革命分子 2 人,揭露出有其他政治问题的 5 人,判处了一批反革命分子和其他犯罪分子。在经济问题上,长丰县共审查了 841 起经济案件,破获贪污盗窃、投机倒把集团 53 个,涉案总金额达 27.66 万多元。①

---

① 长丰县革命委员会四反办公室:《关于全县"一打三反"运动的总结报告》,1973 年 1 月 10 日。

但是，在"文化大革命"极左路线的指导下，"一打三反"运动中发生了许多冤假错案。直到"文化大革命"结束以后，这些冤假错案才得以纠正、平反。

七、清查"五一六"分子

1967年6月，在反击所谓"二月逆流"的背景下，"北京钢铁学院五一六红卫兵团"等造反派组织在北京成立了"首都五一六红卫兵团"，它以极左面目出现，公开提出"炮打周恩来"。8月，在国内极左思潮的影响下，中国发生了"纠军内一小撮"和"外交部夺权"两个事件。对于两个事件所产生的负面影响，毛泽东深为震怒，认为"首都五一六红卫兵团"是个反革命阴谋集团。该集团的主要组织者很快被抓捕。但林彪、江青等人极力把清查工作推向全国，清查工作出现了严重扩大化的倾向。1970年3月27日，中共中央发出《关于清查"五一六"反革命阴谋集团的通知》，在全国拉开了清查"五一六"运动的序幕。

合肥清查"五一六"分子大体经历了四个阶段。第一阶段，从1971年3月初至4月底，全市掀起了一场大宣传、大学习、大批判的热潮。第二阶段，自5月至10月，全市各单位负责人和职工相结合，检举揭发、调查研究，又举办知情人学习班，从而揭发出了大量材料。但是，这一阶段的清查工作遭到了不少干部、群众的抵制。第三阶段，1971年10月至次年10月，全市对已经排出的重大事件和涉及的重点对象展开深入调查研究，举办重点对象学习班，并进行审查。第四阶段，1972年10月至1973年3月，是结案处理阶段，绝大多数单位清理工作基本结束。

事实上，合肥本没有"五一六"组织和"五一六"分子。但是，清查"五一六"是中共中央布置下来的政治任务。于是，合肥主要围绕与"五一六"勉强扯上关系的八个事件展开清查。为此，市"五一六"清查办公室抽调大批人力，对与八个事件有关联的166人举办不同类型、时间长短不一的学习班，还对32人"背靠背"地进行审查。

最终，与"五一六"有关联的八个事件的清查结果是：关于策划南京抢枪，妄图武装暴乱，复辟篡权事件，合肥市参与这一事件的人员，主要属于在一小撮坏人蒙蔽下犯的错误。关于阴谋推翻"九条"和成立反康组织问题，清查结果没有发现黑线关系，涉及这一事件的人员，主要属于受资产阶级派性和错误思潮影响犯错误。关于"七一六"反革命事件，所涉及的参与这一事件的人员，主要属于受资产阶级派性和错误思潮影响犯错误。关于参与"围困中南海"反革命事件。1967年夏，合肥地区部分人员在北京参与了这一事件，但他们只是参与了一般活动，属于受资产阶级派性和错误思潮影响犯错误。关于"仇侃事件"和"八五列车事件"，从审查结果看，属于受资产阶级派性和错误思潮影响犯错误。关于冲省军管会和其他反军问题，主要属于受资产阶级派性和错误思潮影响犯错误。合肥地区出现过公开署名"五一六"的组织，经过审查，属于一般群众组织。

这样，在近200个清查对象中，除一人因其他问题被定为现行反革命外，全市没有发现一起与"五一六"相关的组织和成员。对此，李德生是这样回忆的：抓所谓"五一六"分子，省里有关部门接到中央通知后，几次向我请示，要布置这项工作，说是别的地方行动快，已经抓了多少多少。我答复说："到现在还没有发现安徽有'五一六'分子，没有'五一六'抓什么'五一六'？结果安徽一个'五一六'也没有抓。"①

八、掀起"献忠心"运动

"文化大革命"从爆发直至结束，群众对领导人的崇拜贯穿始终。1968年，全国各地区都成立了革命委员会，实现"全国山河一片红"以后，一个以"三忠于四无限"②为中心、用"天天读""早请示晚汇报""像章热""忠字舞"等形式表现出来的向毛泽东"献忠心"的运动，遍及全

---

① 《李德生回忆录》，第361页。
② "三忠于四无限"，即"忠于毛主席、忠于毛泽东思想、忠于毛主席的无产阶级革命路线"；"对毛主席要无限热爱、无限信仰、无限崇拜、无限忠诚"。

国各地。

在合肥,为持久、热烈地开展"献忠心"运动,市革委会精心组织,连续不断地举办各种类型的毛泽东思想学习班,以表达对毛泽东的无限忠心。是否认真办好毛泽东思想学习班,是对毛主席忠不忠的根本态度问题。大办就是大忠,小办就是小忠,不办就是不忠。同时,市革委会还多次召开大办毛泽东思想学习班经验交流会,并组织"先进单位"到工厂、农村、商店、学校传播经验。

7月下旬,市革委会召开全市学习毛泽东思想积极分子代表大会,对活学活用毛泽东思想进行了群众性的大总结、大讲用、大交流,把全市活学活用毛泽东思想的群众运动推向新阶段。

在大办毛泽东思想学习班的同时,全市的"三忠于四无限"的活动也不断掀起高潮。"现在,各行各业的早请示、晚汇报、天天读,已成为雷打不动的制度。无论是机关的办公室,工厂的车间,学校的课堂,居民的家庭,处处都有宝书台,处处都有毛主席的光辉画像。从大人到小学生,毛主席的红色宝书几乎人手一册,毛主席的光辉像章几乎人人佩戴。在街道两旁,在高大建筑物的墙壁上,毛主席语录闪闪发光,全城各处都闪耀着毛泽东思想的万丈光芒。"①

至此,"献忠心"运动成为一场全市人民参与的群众运动,家家设"宝书台",人人唱"语录歌",集体跳"忠"字舞,全民全社会"献忠心"运动达到高峰。

1969年6月12日,中共中央发出《关于宣传毛主席形象应注意的几个问题的通知》,指出:"'忠'字是有阶级内容的,不要乱贴滥用;不要搞'忠字化'运动;不要修建封建式的建筑,如有,应作适当处理;不要搞'早请示、晚汇报'、饭前读语录、向主席像行礼等形式主义活动。"②自此,全民"献忠心"运动中许多庸俗化的做法逐渐消退,有组

---

① 《我市活学活用毛泽东思想群众运动出现一个崭新局面》,《新合肥报》1968年9月26日。

② 《关于宣传毛主席形象应注意的几个问题的通知》(1969年6月12日)。转引自《中国文化大革命文库》。

织地大规模举办跳"忠字舞"、唱"语录歌"等活动明显减少。但是,群众对毛泽东的个人崇拜仍在继续。

第四节 从"批林批孔"到"十年浩劫"的结束

一、"批林批孔"运动

1971年9月13日,林彪乘专机外逃,摔死在蒙古的温都尔汗,这一事件被称为"九一三"事件或林彪事件,全国范围内的"批林整风"运动开始。

从1972年年初开始,合肥"批林整风"运动迅速展开,运动主要围绕批判林彪反党集团的《"571"工程纪要》,清查林彪反革命集团罪行。

全市各行各业、各个部门的干部职工和公社社员在各级革委会组织领导下,开展查路线、查政策、查纪律、查浪费的"四查"运动。从9月至12月,又学习中共中央批林整风过程中下发的若干文件,持续开展对林彪反党集团的揭发和批判。

当年,合肥把批林整风运动始终作为头等大事来抓。市革委会集中举办五期"批林整风"学习班,县、区、局也分别举办学习班,培训骨干,全市共培训骨干4.5万多人次(不包括基层单位自己培训的骨干),抓了18个试点单位,分别在合肥钢铁厂和省农机厂召开两次"批林整风"现场经验交流会。

长丰县、郊区党委先后组织几百名机关干部,到农村去,通过"批林整风"运动,总结两条路线斗争的经验教训,广泛宣传党的各项方针政策,许多区、局和安徽纺织厂、合肥钢铁厂还举办了有群众代表参加的政治学习班,把党的政策交给群众。在"批林整风"运动中,合肥还根据中共中央和安徽省委的指示,加快落实干部政策,从而解放了一批干部。全市原县级以上干部401人,至1972年年底已解放97%以上,并已有94%以上安排了工作。

全市的"批林整风"运动持续了两年,至1973年年底基本结束。

"文化大革命"中的各种运动持续不断,运动一个接一个。1973年,毛泽东几次谈到批判孔子的问题。当年底,"批林整风"运动演绎为"批林批孔"运动,随即在全国展开。江青则借机攻击周恩来,暗喻周恩来为"党内大儒"。

绝大多数人民群众并不了解江青一伙的阴谋。1974年元旦,江青等人控制下的"两报一刊"社论提出:"批孔是批林的一个组成部分。"元旦以后,中央抓的第一件大事就是"批林批孔"。1月18日,中央2、3、4号文件都是关于"批林批孔"的。

为开展"批林批孔"运动,中共合肥市委确定手扶拖拉机厂、汽车配件厂、机床配件厂、矿机厂、丝绸厂、合肥一中、合肥十中、合肥市文工团、合肥市人民医院、食品公司中市商店、长丰县松棵大队、郊区永丰大队等单位为市委常抓的点。

同时,中共合肥市委沿用过去的办法,层层举办学习班,训练骨干,组织大批判小分队,召开各种类型的批判会,贴出"批林批孔"的大字报。工厂、农村、商店、机关、学校、城镇居民到处都在开展"批林批孔"运动。

在"批林批孔"运动中,全市城乡普遍建立各种理论队伍。从1974年2月开始,全市各单位普遍建立所谓"评法批儒"理论小组,建设理论队伍,开展"批林批孔"运动。

到1975年,全国及合肥的"批林批孔"运动逐渐退出政治舞台。

二、1975年的全面整顿

1975年年初,邓小平主持中央日常工作。他根据毛泽东提出的要安定团结、把国民经济搞上去的指示,明确提出进行整顿的主张。全国各方面的整顿由此开始。

1975年3月25日,中共安徽省委、省革委会暨合肥市委、市革委会召开10万人大会,拥护邓小平提出的全面整顿主张,传达邓小平关于在各条战线进行全面整顿,把国民经济搞上去的指示,号召全市干部、职工迅速行动起来,大干快上,掀起新的建设高潮。6月7日,合肥市委召开"掀起工业生产新高潮誓师大会",要求按照中共中央有关文件精神,"对那些软班子、散班子、懒班子,要抓紧进行整顿,充实加强"。要加强企业管理,建立规章制度,"坚决扭转有章不循,无章可循的现象"。

合肥的全面整顿首先从整顿各级领导班子开始。这也是针对各级领导班子存在派性、混乱等情况而对症下药。一批突击入党、突击提干的造反派占据领导岗位;许多老干部被挤出领导班子,甚至有些还未解放。8月6日开始,中共合肥市委分两批组织县、区、局领导班子进行整风,参与单位共45个,276人。同时,着手调整各级领导班子,一些干部获得解放,重新走上领导岗位,对一些造反派视不同情况分别做出处理。

此后,鉴于全市各企业单位普遍存在的管理混乱、有章不循的局面,市革委会组织开展全市企业管理大检查,制定6条检查内容,包括:制度执行、设备管理、质量标准、劳动规章,等等。规定必须将检查出的问题限期整顿,以此规范企业各项工作。

全面整顿稳步推进,混乱局面有所遏制,企业规章和生产秩序得到一定程度的恢复,工业生产值全面回升。1975年,全市工交战线提前9天完成国家计划,全年实现工农业总产值18.04亿元,比1970年增长54%,财政收入2.55亿元,比1970年增长51.6%,创历史最高水平,也是"文化大革命"中的最好水平。①

三、"反击右倾翻案风"与党的基本路线教育

邓小平主持的全面整顿,势必触及"文化大革命"及许多"左"的

---

① 《中国共产党合肥简史》,第173页。

政策。1975年11月,毛泽东的有关讲话传达后,邓小平的全面整顿被迫中断,"反击右倾翻案风"运动逐渐展开。

1975年12月9日至10日,中共安徽省委召开地、市委书记会议,就全国教育战线开展的"反击右倾翻案风"问题,向与会者"打招呼",并研究布置全省教育战线"反击右倾翻案风"问题。1976年3月8日至15日,中共安徽省委召开三届十次全委扩大会,县级以上680多名干部参加会议。随后,全省的"反击右倾翻案风"运动逐渐升级。

在这一时期的"反击右倾翻案风"运动中,中共合肥市委及全市各机关单位、各系统,主要是举办各种类型的学习班,培训骨干。不断召开批判会是"反击右倾翻案风"运动的又一种形式。最初的两个月里,各种"大学习""大批判""大检举""大揭发"活动层出不穷。还有许多单位通过回忆村史、厂史、家史、个人成长史,开展批判活动。

1976年4月5日,北京发生大规模的悼念周恩来、反对"四人帮"的抗议活动,却被"四人帮"定性为反革命事件。此后,"批邓、反击右倾翻案风"运动进一步升级,以更大的规模和声势在全国强行展开。

在强大的政治压力和统一安排下,4月7日以后,合肥各县、区、社、队都层层召开万人大会、千人大会,拥护中共中央关于"天安门事件"的处理决议,开展"反击右倾翻案风"运动。

为促使农村的"反击右倾翻案风"运动开展下去,并结合农业学大寨运动,合肥从市、县、郊区逐步增调3000多名干部,组成农村党的基本路线教育宣传队,分批进驻到长丰县农村和合肥郊区。党的基本路线教育宣传队以狠抓阶级斗争的办法,开展"反击右倾翻案风"运动,并以查办政治、经济案件等为突破口。

5月上旬,中共合肥市委召开有3700人参加的党的基本路线教育会议,参观和听取肥东县、省交通局的经验介绍。会后,全市成立了4个前线指挥部,以抓阶级斗争,抓政治案件的形式,继续开展"反击右倾翻案风"运动。

然而,以阶级斗争为纲,以"批邓、反击右倾翻案风"运动为名,搞所谓的与北京"天安门事件"有关联的清查"反革命"和"反革命谣言"

的活动,遭到了绝大多数干部群众的消极对待和抵制。"文化大革命"的极左错误和"四人帮"的倒行逆施,已经被广大人民群众辨别清楚,历史正在艰难地走上转折之路。

四、庆祝"四人帮"的垮台

1976年10月6日,中共中央政治局采取果断措施,一举粉碎了王洪文、张春桥、江青、姚文元为首的反革命集团。18日,中共中央发出《王洪文、张春桥、江青、姚文元反党集团事件的通知》,号召全党紧密团结起来,开展揭发批判"四人帮"的斗争。

"四人帮"的垮台,举国欢腾。消息传到安徽后,全省人民无不拍手称快,以不同形式表达庆贺。"广大群众心情振奋,欢欣鼓舞,迅速刷写大标语,举行声讨会,集会游行,编演文艺节目……热烈欢呼粉碎'四人帮'反党集团的伟大胜利。"合肥及全省其他城市,分别举行盛大的集会游行。10月22日下午,合肥全市有20万群众"高举红旗,敲锣打鼓,鸣放鞭炮,高呼口号,潮水般拥向街头",游行庆祝粉碎"四人帮",拥护中共中央的英明决策。23日,安徽省暨合肥市隆重召开30万人庆祝大会。短短几天内,合肥地区参加各种集会游行的群众达到126万人次。市属各系统、行业及长丰县和郊区,也分别举行集会和庆祝游行。人们群情振奋,多年未有的欢快气氛洋溢在城市的各个角落。

在热烈欢呼粉碎"四人帮"的同时,中共合肥市委按照中央和安徽省委的要求,开始揭发、批判"四人帮"及其帮派体系的工作。11月,全市举办读书班学习活动,参加读书班的有市、县、区、局领导成员共407人,主要是揭发批判"四人帮"的罪行。

粉碎"四人帮"后的两个多月,合肥从城市到农村,从工厂到街道、商店、机关、学校,批判热浪,滚滚向前,到处是揭批"四人帮"的战场。各单位围绕着"四人帮"篡党夺权这一要害,运用批判会、大批判专栏、广播、文艺等多种形式,集中火力进行专题批判,万炮齐轰"四人帮"。因粉碎"四人帮"带给人们的欢呼、喜悦,萦绕着整个城市,久久回荡。

1976年10月,合肥长江路庆祝粉碎"四人帮"的游行队伍

第五节 "文化大革命"期间的经济状况

一、农业学大寨

(一)农村经济停滞不前

"文化大革命"期间,农业生产贯穿着农业学大寨和"文化大革命"运动,推行以阶级斗争为纲的路线及一系列"左"的政策和措施:

在劳动管理上,有的地方取消评工记分,推行"突出无产阶级政治、一心为公劳动"的劳动管理制度,即按照劳动者的政治思想、劳动表现、自报公议,每月或半年评定一次标准工分,实际上是干多干少一个样,干好干坏一个样。在收益分配上,合理工分和按劳取酬,被批判为搞"工分挂帅""物质刺激",实行平均主义,搞"穷过渡"。在组织形式上,取消生产队的经营自主权,生产由公社下达各种指令性计划。大搞形式主义和瞎指挥,不求实效。在政策上,社员的自留地和家庭副业,被当作"资本主义的尾巴"来割;农副产品的集市贸易,被认为是"资本主义市场",被部分禁止。上述措施和做法,背离了农民的利益,严重挫伤了农民的生产积极性,破坏了农村生产力。

由于上述原因,导致"文化大革命"期间合肥农业生产发展缓慢,社员的生活长期得不到改善。肥东县有不少生产队每个日工分值不到3角钱,最少的仅有5分钱,成为"吃粮靠回销、生产资金靠贷款、生活费用靠救济"的"三靠队"。全市农民人均年纯收入增长十分缓慢,1965年为72元,1970年为79元,1975年为88元。①

(二)农业学大寨运动

大寨,是山西省昔阳县的一个生产大队,原本是一个贫穷的小山村。20世纪50年代,农业合作化后,大寨人开山凿坡,修造梯田,使粮食产量增长了几倍。中共中央和毛泽东曾发出农业学大寨的号召。

1968年,农村"斗、批、改"运动仍在进行的过程中,农业学大寨运动的形式在全国轰轰烈烈地开展起来,合肥全市农村亦开展了农业学大寨运动。

合肥农村的农业学大寨运动,首先是举办各种类型的毛泽东思想学习班。同时,大抓阶级斗争,"以大寨人为榜样,高举革命批判大旗,狠批中国赫鲁晓夫及其在安徽和合肥地区的代理人。""批判'三

---

① 《合肥四十年巨变》,第161页。

自一包''四大自由''工分挂帅''物质刺激'等反革命修正主义黑货。广大社员学大寨的积极性空前高涨。现在,全区已有500多个生产队采用了大寨大队'突出政治,为公劳动,各尽所能,按劳分配'的劳动管理办法,彻底砸烂了'工分挂帅',干群增强了团结,大大提高了劳动生产率。"①

为进一步开展学大寨运动,1968年,合肥郊区分四批共派出200多人到大寨参观学习,还组织召开了"农业学大寨"誓师大会。

10月20日,市革委会在长丰县岗集区召开"农业学大寨"经验交流现场会。长丰县和郊区各级市委会负责人以及农业、水利、农机等部门的有关人员200余人参加会议。会议号召"全面落实毛主席'农业学大寨'最高指示,进一步深入持久地开展学大寨群众运动"②。

市革委会还将郊区的五里拐、井湾、竹西、红光、红星、戚圩和长丰的松棵、万岗、长岗、三十铺等共有12个大队树立为市"学大寨"的样板。

1970年10月中旬,安徽省革委会组织召开全省公社以上四级干部参加的农业学大寨会议。会后,合肥郊区、长丰县和部分工厂及时传达贯彻了省农业学大寨会议精神,并组织报告团,分片传达贯彻省农业学大寨会议精神。此外,合肥郊区和长丰县分别成立农业学大寨办公室。县、区的第一把手亲自抓,还专门设立办公室,开展此项工作。

这一时期,市革委会还组织市、县(区)、社第一把手和有关部门的主要负责人共70多人,先后到大寨参观学习。市、县、郊区各级领导班子都抽出三分之一的力量深入基层,亲自抓点,并统一农村各种宣传力量,组成1200多人的规模庞大的"学大寨""超纲要"宣传队分别深入农村第一线,开展大学习、大宣传、大发动工作。

1971年,长丰县在松棵、顾岗、新庄等先进大队召开现场会议,推

---

① 《郊区学大寨运动波澜壮阔地向前发展》,《新合肥报》1968年9月28日。
② 《深入持久地开展学大寨群众活动——市革委会在岗集召开"农业学大寨"经验交流现场会》,《新合肥报》1968年10月21日。

广他们的先进经验,并抓住马岗大队由后进变先进的这个典型,提出"全县学马岗"的口号,组织 61 个后进大队分批到马岗举办学习班,推广马岗学大寨的经验。

在农业学大寨运动中,全市工厂企业开展起支农活动。1971 年,全市先后参加支农的达 10 万多人次,支援农村夏收夏种和秋收秋种,还动员社会车辆送肥下乡,积极帮助长丰县建立化肥厂、水泥预制厂、窑厂、酒厂,扩建农机一厂、二厂。有的工厂还帮助挂钩公社的农具社充实设备,增强维修农机具的能力。合肥开关厂支援郊区东方红公社车床、刨床、钻床等设备,帮助该社办起小型农具厂。合肥机具厂支援长丰县新兴公社车床、弹簧锤等,充实该社农具生产设备。全市还帮助县、社培训 300 多名的技术骨干,加强县、社工厂的技术力量,从而使县、社工业有所发展。1971 年,全市还通过清仓查库,把积压的废旧物资清理出来,经过整修,支援农村。

1972 年 2 月 21 日至 28 日,合肥市召开农业学大寨会议,来自长丰县和郊区的公社、大队的负责干部,以及工业、财贸、科技等有关部门的代表共 800 多人参加了会议。以后几年,合肥几乎每年都召开规模较大的农业学大寨会议,全力推动农业学大寨运动。

1976 年 5 月下旬至 6 月上旬,根据中共安徽省委指示,长丰县和合肥郊区分别组织了千人检查组、百人检查组,由市有关部门派人参加,县、区负责人带队,分头深入各公社、大队、生产队,对"农业学大寨、建设大寨县"的群众运动进行全面检查。1976 年,全市初步建成大寨式公社 12 个,大寨式大队 126 个。

合肥的农业学大寨运动一直持续到 20 世纪 70 年代末期。1980 年 11 月,中共中央 83 号文件转发了山西省委《关于农业学大寨运动中经验教训的检查报告》,以大搞阶级斗争,"穷过渡"及批判所谓"工分挂帅""物质刺激"的学大寨运动终于结束。

在农业学大寨运动中,全市的农业科学研究活动也比较活跃。全市农村有三分之一的社、队建立了农科组织,参加人数达 6300 多人。

合肥在农业学大寨运功中,在发动社员学习大寨人艰苦奋斗、自力更生的精神,开展农田水利建设,推行科学种田,提高农业机械化等方面,取得了一些成绩。如各地都开挖了众多的灌渠,兴修了一批水库和电灌站。全市农田有效灌溉面积,1965 年为 179.8 万亩,占耕地总面积的 37.6%,1978 年扩大为 290.6 万亩,占耕地总面积的 68.8%。农作物基本上实现了良种化,其中水稻、小麦实现了高产矮秆化。全市农业机械总动力,从 1965 年的 6.6 万千瓦,提高到 1975 年的 20.3 万千瓦,1978 年达到 32.4 万千瓦;农用大中小型及手扶拖拉机由 1965 年的 58 台,增加到 1978 年的 5769 台。[1]

但是,在"文化大革命"期间,农业学大寨被提到不适当的高度,不顾具体条件,生搬硬套大寨经验,推行以阶级斗争为纲的路线及一系列"左"倾政策和措施,造成了消极影响。如肥东县湖滨公社组织 300 多劳力,在茶壶山上建梯田,结果把一座蓊郁的林山变成了秃山,引起水土大量流失。王铁公社大姜生产队,费时费力在山边开了一个几分地的"大寨田",因砂石太多没有耕种价值,得不偿失。[2] 取消评工记分,搞所谓"大寨记分法",即自报公议,造成干活"大呼隆",极大挫伤了社员的劳动积极性。

二、工业学大庆

(一)工业经济跌宕起伏

1966 年,"文化大革命"主要在文教和党政机关等上层建筑领域进行,对企业生产领域的影响还不大,大多数工业企业生产秩序基本正常。所以,当年,合肥工业总产值比上年有所增加,达到 52950 万元。[3]

---

[1] 《合肥四十年巨变》,第 158、164 页。
[2] 《肥东县志》,第 118 页。
[3] 《合肥市志》,第 412 页。

1967年初造反派夺权后,合肥市陷入混乱状态。7月,全市连续发生打砸抢事件,造成群众不敢上街,职工不敢上班,许多工厂被迫停产。7月至10月,合肥电池厂、合肥新光印刷厂、合肥软木厂、合肥日用化工厂等单位因武斗,造成停产1至3个月。同时,工业企业管理各项制度被视为"管、卡、压",遭到全面批判,致使一些企业一度停产或处于开开停停状态。是年,合肥工业总产值严重下滑。1968年,合肥工业总产值再度下滑。

1969至1973年,由于国内形势渐趋稳定,合肥在大动乱中也出现了一段相对稳定的时期,工业生产得到一定的恢复和发展。自1969年开始,合肥市工业生产走出了1968年的低谷,开始在逆境中回升,是年,全市完成工业总产值6.3亿元,比1966年增长11.6%,1970年比1969年又增长29.9%。[①] 1971年后,进入"四五"计划时期,合肥市开展了群众性企业管理运动,同时,注重调整工业内部结构,优先发展基础工业和主要发展轻工业,促进了工业生产的发展。但其间,1974年的"批林批孔"运动,冲击了国民经济,导致工业生产下降。1975年3月后,由于贯彻邓小平关于各条战线进行全面整顿的指示,全市国民经济又开始回升。1975年,全市工业总产值达13.59亿元,比1965年增长2.08倍,比1970年增长79.4%。[②] 但企业管理和劳动生产率仍处于低水平,亏损企业达21个,经济效益差。[③]

1976年后,合肥工业进入平稳调整发展期。是年10月,"四人帮"被粉碎,中共中央重申要实现"四个现代化"建设的伟大目标,极大调动了全市工业战线广大职工的生产积极性,全市工业生产得到较快的恢复和调整。到1978年,全市工业总产值达16.63亿元。[④]

"文化大革命"中,合肥工业经济虽遭到严重破坏,但一些领导干

[①] 《中国共产党合肥简史》,第174页。
[②] 《合肥工业五十年》,第8页。
[③] 《安徽省情2》,第14页。
[④] 合肥市统计局编:《合肥四十年巨变——四十年经济、社会发展统计资料(1949—1988)》,第59页。

部和工人群众敢于冲破禁区,敢于抓生产,抓管理,从而使合肥工业经济在艰难中起伏、前进。这一时期,合肥新建和扩建了一批工厂,即:安徽省东风塑料厂、合肥化工机械厂、合肥手表厂、合肥自行车厂、合肥化工厂、安徽拖拉机厂、合肥手扶拖拉机厂、江淮汽车制造厂、合肥电视厂、合肥轴承厂、合肥无线电厂、合肥仪器厂、合肥晶体管厂、合肥轻工机械厂、长丰化肥厂、合肥钢铁厂等。其中,合钢公司10年完成投资1.02亿元。根据合肥市"四五"计划的要求,合钢630轧钢车间1974年生产能力要达到20万吨。为此,必须对原有工艺、设备进行技术改造。1971年8月1日,合肥市开始了630改造工程大会战。合肥动员全市各方面的力量,共有35个单位6300多人义务参加会战,全国有158个单位支援会战。改造后的630车间,建筑面积增加,生产能力提高。到1976年,合钢公司10年新增生产能力为钢16万吨,生铁10万吨,基本形成了20万吨钢的规模,成为全国较大的地方中型钢铁联合企业。①

(二)工业学大庆运动

大庆,20世纪50年代末期在黑龙江钻探开发的大油田,1959年国庆节前出油,因此命名为大庆。大庆人自力更生、艰苦创业,仅用3年时间就建设成世界上特大油田之一。1964年,中共中央和毛泽东发出工业学大庆的号召。从此,全国工业交通战线上掀起了学大庆的高潮。"文化大革命"运动中,工业学大庆迅速发展成为群众运动。

1971年9月2日,大庆报告团应邀来合肥市介绍创业经验。"工业学大庆"运动在合肥迅速展开。1973年,市革委会第十三次全体扩大会议要求厂矿企业广大工人、干部和技术人员总结"学大庆"经验,发动广大群众讨论国家生产计划,制定完成计划的各项具体措施,并把各项计划指标落实到班组和个人。合肥钢铁公司24位老工人首先发出"学大庆"的倡议,公司上下都提出了超产超标计划。合肥市

---

① 《中国共产党合肥简史》,第175—176页。

机械局向全市工交战线发出倡议,提议"全系统提前一个月完成全面计划"。当年,全市工业生产提前33天完成全年生产计划。并评出第一炼钢厂等18个"学大庆"先进单位。

从1973年开始,到1978年,合肥每年都召开一次全市工业学大庆先进集体、先进生产者(工作者)代表大会。1975年3月,在全市"工业学大庆"先进生产者代表大会上,对20个"学大庆"先进单位和37名劳动模范以及371个先进集体、855名先进生产者(工作者)进行表彰。会议还发出号召,要求工业战线要更加广泛地开展"工业学大庆"群众运动,目标是把工厂企业办成"大庆式"企业,把职工队伍建成"铁人"式队伍,把各级领导班子建成像大庆那样"革命化"的领导班子。

1976年7月、11月,市革委会开展了两次全市"工业学大庆"工作检查,评选出13个企业为"大庆式"企业。1977年3月,合肥市召开1976年度"工业学大庆"先进集体、先进生产者(工作者)代表大会。会议总结了1976年"工业学大庆"运动经验,提出深入揭批"四人帮",加快步伐"学大庆",为普及"大庆式"企业而奋斗的任务。会议还要求全市272个县、区、局直属企业1977年度建成20个"大庆式"企业,到1980年建成190个"大庆式"企业和进入"学大庆"先进行列。"文化大革命"结束后的1977年11月到1979年12月,市革委会先后四次组织检查组对全市"工业学大庆"、普及"大庆式"企业的群众运动进行全面检查。[①]

"工业学大庆"的群众运动同阶级斗争、路线斗争紧密联系,搞所谓的"政治挂帅",把一些经验绝对化、模式化,加之要求过急,逐渐流于形式。直到1979年,全市"工业学大庆"的群众运动逐渐停止。

三、商业贸易遭破坏

"文化大革命"期间,全市商业管理工作陷入混乱之中,许多必要

---

① 《合肥市政府志(1949.1—1985.12)》,第44页。

的规章制度被废除，以致企业无章可循，账货不符相当严重，企业亏损被认为是"正常"，商业流通领域受到严重打击。

"文化大革命"初期，在扫"四旧"的浪潮中，蟒袍玉带、凤冠霞帔等古装戏剧服饰被付之一炬；旗袍短裙和胭脂口红及一些工艺品、高跟皮鞋、西服等100多种商品被勒令停止出售；一些传统的商标设计被当作"封、资、修"的产物而遭禁止，如凡有"八仙过海""花好月圆""二龙戏珠""长命富贵""松鹤延年""龙凤呈祥""才子佳人"或以历代名人字画为图案或商标的商品，一律从商店柜台上撤销，撕掉商标，改变包装；一些服务项目在"不为资产阶级老爷服务"的口号下，或被取消或简化服务，如浴池业擦背、修脚等项目被取消，旅店则撤除高、中档客铺及单人间，简化服务内容，有的还让旅客"自我服务"打扫卫生、冲开水等；饮食业中的合作店组及个体摊贩被割掉，多数饭店的一些名点、名菜被取消，改为经营大众饭菜；多数广告被改为政治口号和标语，橱窗陈列千篇一律。

"文化大革命"期间，合肥的商业机构遭到撤并，商业网点大为减少，商业人员大多被下放。全市各个合作商店被当作"资本主义尾巴"而遭"一刀切"。大多数个体工商业被停供货源，一些个体工商业者被下放农村。到1977年，仅有209户老弱病残的经营者被以个体联营的形式保留下来，其经营处于半开半停状态。商业网点的减少，给市民生活带来极大的不便。在农村，收回社员自留地，限制家庭副业生产，并取缔集市贸易。1971年，合肥市恢复了城郊结合部8个集贸市场，但禁止粮、油、棉、竹、木、烟、麻、茶等一、二类物资入市，只准零星的蔬菜、瓜果、禽蛋、鱼虾等三类小农副产品进行交易；农村社队计划生产的各类农副产品均由国家统一收购，严禁机关、团体、部队、学校和企事业单位自行到集市或农村社队采购。

由于商品的生产和流通受到限制，以致商品供应日趋紧缺。一些紧缺的商品，均被列为"节日供应商品"，造成节日期间排队购物的现象随处可见，凭票、凭证供应的商品涉及衣食住行各个方面。

第六节 "文化大革命"期间的文、教、卫事业

一、教育事业被严重摧残

(一)各级各类教育概况

"文化大革命"首先从教育领域爆发,学校成了重灾区。"文化大革命"开始后,合肥市各级学校纷纷"停课闹革命",平静的校园立即被打破。随后,大学停办、"中学下迁""废除考试制度""读书无用论"等使教育事业遭到严重破坏,广大教育工作者受到严重摧残。

幼儿园被诬为"培养修正主义苗子的园地",大部分被迫停办、撤销,园舍被占用或遭破坏。20世纪70年代,街道、厂矿、企事业等单位又逐渐恢复和创办幼儿园,名曰"红儿班""育红班"。

小学"停课闹革命",1969年后,部分小学1至3年级下放给街道办,教学质量严重下降。

普通中学教育受到严重破坏,至1969年,全市有11所全日制中学被强行下迁到农村办学,一些幸免下迁的中学,也都"停课闹革命"。1970年后,由于中、小学比例失调的矛盾严重突出,出现了工厂办中学、小学附设初中班的情况。至1972年,全市有47所小学附设了初中班,工厂等单位开办的中学达到28所,以至于教育质量严重下降,很多中学生的实际文化程度达不到"文化大革命"前高小学生的文化水平。

中等专业教育受到破坏,半工半读中等专业学校几乎全部被砍掉,全日制中专学校连续中断招生长达5年之久。1971年后,虽有少数中专学校恢复招生,但教学秩序混乱。各种职业中学和技校全部

砍掉,形成教育结构单一化。成人教育被迫停止,青壮年中的文盲人数上升到33%。①

高等教育受到严重破坏,先后迁出大学1所,砍并大学5所,迁进大学1所。尚存的几所大学,连续四年没有招收新生,教学活动处于停顿状态。1972年后,一些高校恢复招生,主要采取名额分配、群众推荐、领导批准、学校复审的方法,招收工农兵学员。这种招生导致的后果一方面是大学生文化程度低,另一方面由于没有实质性的考核,使走后门上大学成风。

在"文化大革命"中,受到冲击、揪斗的教师占三分之一以上。广大教师被诬蔑为"修正主义的基础""臭老九",一批教师被打成"特务""反革命""牛鬼蛇神"而备受摧残。1966年6月3日,《安徽日报》刊登署名文章《彻底批判万绳楠的反党反社会主义罪行》,诬指合肥师范学院讲师万绳楠为吴晗的忠实门徒、"三家村"黑店的闯将。同年七八月间,被批斗的市属学校走资派、反动学术权威以及冠以各种名目的批斗对象136人。② 1968年,工宣队进驻各级各类学校,在组织学生复课的同时,大搞"斗批改"和"教育革命",错误地批斗了大批干部、教师。1971年召开的全国教育工作会议,全面否定解放后17年的教育工作。提出了"两个估计",即:教育战线是资产阶级专了无产阶级的政,是"黑线专政";知识分子的大多数世界观基本上是资产阶级的,是资产阶级知识分子。"两个估计"像枷锁一样,紧箍在广大教育工作者的头上。

(二)学校下迁

1968年9月12日,《人民日报》《红旗》杂志发表毛泽东的"最新指示","从旧学校培养的学生,多数或大多数是能够同工农兵相结合的,有些人并有所发明、创造,不过要在正确路线领导之下,由工农兵

---

① 《合肥概览》,第450页。
② 《合肥市社会主义时期党史专题资料辑存(1949—1978)》,第165页。

给他们以再教育,彻底改变旧思想。"①随即,安徽省革委会酝酿制定缩小"三大差别"(工农差别、城乡差别以及脑力劳动与体力劳动的差别)、改造上层建筑的大规模"下迁"计划。

首先,是大专院校的师生下迁。1968年秋,全省大专院校广大师生,在工宣队、军宣队带领下,浩浩荡荡离开城市,步行几百里到农村的工矿企业搞"斗、批、改"。一辆辆大卡车把学校食堂的炊具、实验室的仪器、图书馆图书资料等拉到农村驻地。学校的教职员工多数是举家搬迁。至1969年年初,全省14所大专院校约有1.3万师生搬迁到了工矿、农村,与贫下中农或工人同吃、同住、同劳动。"接受贫下中农再教育,培养无产阶级感情,批判资产阶级世界观"成为当时压倒一切的政治任务。老工人、老贫农被请上讲坛,给大学师生上"忆苦思甜"课,帮助师生提高阶级斗争觉悟,文化知识课被抛到九霄云外。

"文化大革命"开始后,合肥的大专院校与全国一样停止招生,或撤并或迁出,合肥高校由8所减为3所,校园被大量侵占,仪器设备遭到严重破坏。1968年年底,合肥师范学院下迁至长丰县不久,又迁往芜湖与皖南大学合并为安徽师范大学;接着安徽农学院被一分为三,分别下迁至滁县沙河镇、凤阳县和宿县紫芦湖;安徽中医学院被全部下迁徽州地区,1970年后又被并入安徽医学院;安徽工学院、安徽水利电力学院并入合肥工业大学。经过撤并,合肥的高等院校只剩下安徽大学、合肥工业大学、安徽医学院3所。

大专院校在下迁和撤并过程中,遭到破坏,造成了极大的损失。安徽农学院下迁至农村10年之久,停止招生4年,造成了安徽农业科技、管理人才一度青黄不接的严重后果,学院原有校舍和土地被外单位占用,教具、图书和仪器设备等损失严重。安徽医学院虽下迁农村仅2年时间,但亦损失严重,教学人员流散,校舍、设备损失较大。

---

① 中共安徽省委党史研究室:《中国共产党安徽历史》(1949—1978),中共党史出版社2014年版,第426页。

安徽工学院在并入合肥工业大学过程中，教学设备、仪器、图书资料等大部被毁，校舍被76个单位分割，学院变成了居民大杂院。安徽中医学院下迁后，校舍被外单位强占，针灸与玻璃人电子部件被盗，图书大量散失，中国医学史陈列室中的图片、名医塑像被当作"四旧"付之一炬，珍贵中药标本被砸碎，停止招生10年。

其次，是城市中学下迁。1968年12月，省政工组责成省教委组根据江西经验，拟出城市中学下迁规划，合肥市革委会决定全市只留二中、七中、八中、十中4所中学，其余中学和师范学校全部下迁到农村。

1969年1月18日，合肥市举行中学下迁仪式，10万群众在省、市革委会的组织下走上街头，沿街欢送下迁的师生及干部离城。11所中学、1000名教师和6000多名学生分乘300多辆大卡车在锣鼓与鞭炮声中"浩浩荡荡"地离开了合肥。① 其中合肥一中、三中、四中、九中、实验中学、合肥师范学校、第二工读中学等7所分别下迁到阜阳地区的颍上、临泉、利辛、阜南、太和等县；合肥五中、六中、二十中、第一工读中学、巢湖农垦学校5所学校下迁到长丰县农村。

学校下迁农村后，由县安排到各公社，分点办学32所。或借用地方中学的校舍，抑或临时借住单位公房或民房。由于下迁来的师生太多，一个公社往往无法安排，就分散到几个公社，如合肥四中分别安排到利辛县的利辛中学、望疃中学和马店中学；合肥师范学校则被分散安排到太和县的4个公社，等等。下迁各校都成立了革命委员会，作为学校的临时领导机构。

学校下迁后，因当地未能准备足够的校舍，学生只得打地铺，加之时值寒冬腊月，医疗卫生条件又差，很多学生生病后无法得到及时治疗，由此造成学生思想动摇，家长意见大。迫于压力，1969年3月下旬，中共合肥市委宣布下迁学校留下，学生返回合肥，工人根据"工

---

① 王仁泰：《六十年末一场历史性的悲剧——合肥城市学校下迁前前后后》，《合肥文史资料（第10辑）·教育专辑》，第170页。

作需要,本人自愿"决定去留,但下迁的干部与教师要留在原地。① 到 1970 年 5 月,下迁的学生已全部返城。许多教师亦借助各种理由返回合肥。

但是,为了巩固"下迁"成果,1969 年 9 月 18 日至 10 月 28 日,市革委会先后在阜阳、长丰两地举办由下迁学校领导成员、部分党员、教师代表参加的毛泽东思想学习班。学习班结束后,参加学习班的全体人员还召开誓师大会,向省、市、专、县表示决心,向全省学校发出下迁倡议。在会上,一方面承诺给留在农村的学生优先入团、入党、毕业后给分配等;另一方面对有微词的教职员工采取批斗、党内外处分、撤职、开除等手段,以此弹压广大教职工的不满情绪,将绝大多数干部、教师留在农村。尽管如此,到 1970 年年底,大部分下迁教师都通过各种渠道返回合肥,下迁运动实际上宣告失败。

1974 年 11 月 28 日至 12 月 3 日,省革委会在长丰县召开普及小学教育工作会议期间,合肥下迁中学教师两次就城市中学下迁问题,向省市委和省市教育局写公开信。下放中学自此开始回迁。

1969 年合肥城市中学下迁,使全市教育事业遭到严重摧残。首先,各下迁学校的教学设施与教学仪器全部带到下迁地。由于准备仓促,下迁地连学生的住宿都来不及安排,设备只好露天堆放,损毁大半。据不完全统计,教学仪器损失 30 万件,图书损失近百万册,有些图书是珍贵古籍。如合肥四中一部线装本《二十四史》,下迁后堆在墙角被人一页一页撕去当手纸用;合肥一中的 5 万册藏书被烧了 3 天 3 夜,全部化为灰烬;合肥师范学院损失上架编目图书 8 万册。据当时教育局按当时价格粗略估计,图书损失 550 万册,校产损失 400 万元,搬运费达 40 万元。不仅如此,校舍也被其他单位所占用,下迁学校校舍被其他单位占用 2.04 万平方米,直到 20 世纪 80 年代还有 1.3 万平方米校舍没有归还教育部门,给后来教育发展带来很大的

---

① 《合肥市社会主义时期党史专题资料辑存(1949—1978)》,第 169 页。

困难。① 其次,学校下迁使原本就备受打击的教师队伍再遭重创,不仅造成后来合肥市教师严重匮乏、教师生活受到很大影响,许多教师还因对下迁有意见而受到错误批判、处理、甚至开除公职,广大教师的地位跌到谷底。再次,大批中学下迁之后,城市职工子女上学成为问题。为此,合肥市在原有留下的4所中学的基础上,又重新布点,将原下迁学校的校址交给厂矿办学。如,合肥一中原校址交给安徽丝绸厂,合肥二中交给合肥江淮化肥厂,合肥四中交给皖安机械厂、合肥五中交给合肥电机厂、合肥六中学交给合肥农药厂、合肥七中交给合肥机床配件厂、合肥八中交给合肥铸锻厂、合肥九中交给合肥印刷厂等,这些学校从领导到教师全由工厂确定,校名也作了更改,比如在合肥一中原校址上建立的工厂学校名为安徽省丝绸厂韶山中学,等等。除此之外,其他一些厂矿企业也自己纷纷办起学校。厂矿办学,由于设备和师资力量等方面的不足,教学质量很难得到保障。

(三)中国科技大学迁址合肥

中国科学技术大学成立于1958年9月,是中国科学院主管、主办的全日制理工科为主的大学。

1969年是"文化大革命"运动进入"斗、批、改"阶段的第二年。"教育革命"是"斗、批、改"的一项重要内容。是年,全国"教育革命"的重要方向是向"中央文革小组"树立的典型——辽宁朝阳学院学习。中国科学技术大学也不例外,学校派出教改组到朝阳农学院取经,并在驻校工宣队、军宣队的主持下,向科学院领导和国务院分管教育的相关机构递交报告,申请离开北京,到离城市较远但交通条件还算方便的地方办学工、学农、学军的教改基地,也就是所谓的"五七"基地。

8月下旬,国务院科教组组长、国务院驻中国科学院联络员刘西

---

① 《合肥市社会主义时期党史专题资料辑存(1949—1978)》,第169页。

尧主持讨论中国科学技术大学递交的《要求创办"五七教育革命基地"的报告》。这份报告于10月16日获得国务院副总理李先念、谢富治批准。期间,科大革委会派出两个小组,分赴河南南阳和湖北沙市进行考察,考察结果是,两地条件都很差,河南省也不太热情。随后,学校又派出两个考察小组到江西和安徽宣城,江西省明确表示不愿接受中国科学技术大学,而宣城条件太差,不适合办学。

此时,中苏关系十分紧张,中苏边境发生多次军事冲突。8月28日,中共中央发出命令,要求充分做好反侵略战争的准备。由此,中国科学技术大学加快了搬迁出京的速度。10月26日,中共中央发出《关于高等院校下放问题的通知》。中国科学技术大学立即动员,准备尽快将学校搬出北京。经刘西尧与安徽省革委会主任李德生商量,决定将学校迁至安徽安庆。

12月初,中国科学技术大学第一批师生乘火车到武汉,再乘船顺江而下到达安庆。17至30日,又接连迁来两批师生。三批师生共计900多人挤在原中共安庆市委党校一幢三层小楼里,时正值寒冬,安庆下起了罕见大雪,师生睡觉时连垫床的稻草都找不到。由于条件非常艰苦,师生情绪很不稳定。

当时,中国科学院已经做出决定,准备把中国科学技术大学转交给安徽省,并派人到安徽与李德生商量将学校迁到合肥的若干事宜。李德生说:"安徽来了一二十个单位,但都是来找个基点,领导关系还在原上级机关,我们原来以为科大也是如此。现在情况更具体了,关系下放了。经过研究,安庆有困难,可考虑在合肥师范学院。"由此,中国科学技术大学正式迁至合肥,在原合肥师范学院校址办学。全校人员分散到淮南、马鞍山、铜陵、合肥等地厂矿、农场从事"教育革命"实践活动。

中国科学技术大学自1969年12月开始迁来安徽,至1970年10月基本完成搬迁工作。整个搬迁过程曲折、繁杂。据统计,总计组织货运装车70余次,运货量总计8650吨之多,装运仪器、器材、图书、文书等3.5万箱,迁出家属470多户,组织职工、学生、家属客运20

多批,约 6000 人次,用火车皮(按 30 吨计)510 多节,耗用的搬迁经费约 77 万元。同时,学校搬迁也造成重大损失,其中,仪器设备损失三分之二,教师流失一半以上。① 教学、生活用房严重不足,校舍面积不到 6 万平方米。1972 年,全校讲师以上职称的教师不足百人。

1971 年 9 月,国务院决定将中国科大改为安徽省与三机部双重领导,以安徽省为主。1973 年 1 月,国务院决定中国科大的基建和经费仍由中国科学院归口安排。1975 年 9 月,中国科学院经请示国务院,决定中国科大由以安徽省领导为主改为以中国科学院领导为主,由中科院和安徽省双重领导。

1972 年,随校南迁的刘达恢复校党委书记职务。在学校濒临解体的极端困难条件下,中国科大全体教职员在校党委领导下,开始了艰难的第二次创业。是年,学校重建了数理化基础教研室,广大教师在恶劣条件下开始教学科研工作。1975 年,学校在全国范围内挑选 300 多名 1967 至 1970 届毕业生,举办"回炉班",组织他们回校学习,经过两年以上的培训后补充师资,并从全国各地物色调入 200 名教师,使队伍建设取得重要进展,为后来形成以年轻人为主体的教师队伍奠定了良好基础。②

二、文化事业遭受破坏

"文化大革命"爆发后,合肥市的文化艺术事业同样遭受空前的浩劫。

市图书馆遭到破坏,书刊被置于锅炉房,图书阅览业务几乎停顿。1968 年,市文化馆、市图书馆、市工人文化宫三家合并为"毛泽东思想宣传站",原有的机构、建制、职能发生变化,一些干部被下放工厂、农村接受改造。市新华书店除政治书籍及少数集中图书允许上

---

① 本节资料及数据参见柯资能、丁兆君:《科大南迁合肥始末》,中国科学技术大学档案馆(校史馆)主办:《校史资料与研究》,第 2 期。
② 马扬、汪克强主编:《中国科学技术大学》,浙江大学出版社 2000 年版,第 24 页。

柜,大量图书被封存。

电影事业遭到严重摧残,历史题材的影片被封存,现实题材的故事片被迫停映。8个"样板戏"反复上映,被允许放映的外国影片只有阿尔巴尼亚、朝鲜等国的几部片子,节目较为单调,电影事业近于窒息。

新闻出版事业亦遭摧残。"文化大革命"之前,在合肥出版发行的报纸有《安徽日报》《安徽日报(农村版)》和《合肥晚报》等,总发行量120万份。"文化大革命"中,除《安徽日报》外,其他报纸均被迫停刊。中共合肥市委机关报《合肥晚报》历经浩劫,几易其名。[1] 1967年《合肥晚报》被封,总编辑吴仁被批判为"黑总编",被罢官、游斗、抄家、关牛棚。1968年,《新安徽报》发表文章,诬陷吴仁搞"右倾翻案"活动,把他打成"叛徒""顽固不化的走资派"。直到1977年8月吴仁含恨去世。与此同时,报社有22位记者、编辑因受牵连而遭受批判、迫害。[2]

文化娱乐市场被视为宣扬"封、资、修"的阵地,市革委会不断加强文化市场管理。1969年1月,市革委会发出通知,撤销租书摊,租书人员分别由所在居委会或单位动员上山下乡,收藏的小人书画由原市文化馆折价收回。1970年3月,市革委会做出如下5项决定:

1. 一切旧书摊、棋社、球室等坚决取缔,严禁任何艺人说唱黑书黑戏。2. 对继续在社会上利用坏书、坏画进行放毒或篡改、歪曲、破坏样板戏者,市文攻武卫指挥部、毛泽东思想宣传站、"三代会"(工代会、贫代会、红代会)等单位配合各区革委会立即采取行动,坚决打击。查明是坏人者,经区革委会批准,组织群众批斗,揪送有关部门处理。3. 各级革委会特别是中、小学,应加强对青少年儿童的政治思想教育,禁止在青少年中传阅封、资、修书刊和画册等,有收藏坏

---

[1] 1967年1月4日至1968年9月15日,《合肥晚报》因报社内"造反派"夺权而停刊。1968年9月16日至1972年3月,改出《新合肥报》,1972年4月至1978年3月,继改出《合肥通讯》。

[2] 《合肥报社召开平反大会——给原〈合肥晚报〉总编辑吴仁等同志平反》,《合肥报》1978年12月1日。

书、坏画的,动员上交市宣传站处理。4. 对查获的地下俱乐部,新合肥报、市广播站可抓住一两个典型,发动群众写批判文章,批倒、批臭,肃清余毒。5. 依靠租书、说书、摆设棋社、球室为生活来源的群众,各区给予妥善安置。①

由此,群众文化活动受到严格限制,群众的文艺生活变得枯燥无味。

文艺界备受摧残,在"文艺黑线专政论"的毒害和影响下,合肥市有的文艺团体被砍掉,有的文艺队伍被拆散,有的文艺作品受摧残,有的文艺场地被占用,搞得文艺园地百花凋零。一些著名演员、艺人、画家、编剧及其他文艺工作者被扣上所谓"三名三高""牛鬼蛇神""文艺黑线的祖师爷"及"反革命"等各种罪名而受冲击、批判。仅在市庐剧团、越剧团、曲艺团、文工团等7个单位,被撤销职务和受立案审查的文艺工作者和文艺干部共计90余人,其中受冲击、批判、体罚等各种形式迫害的30余人。著名黄梅戏演员严凤英、著名庐剧演员丁玉兰、著名越剧演员周桂芳、京剧演员曹畹秋等都被戴上"文艺黑线人物"的"帽子"被批斗,有的还被关进"牛棚"。一些传统剧目被诬蔑为"大毒草"。如《天仙配》被当作"复辟资本主义招魂幡",在报刊和电台上被反复批判。《岳飞》《还我河山》《初出茅庐》《师徒三代》及《淝河战歌》等文艺作品亦受到错误批判。1969年1月,合肥市曲艺团被下迁至长丰县,一些老演员低头接受改造;同月,合肥市庐剧团撤销,部分人员与原市越剧团部分演员,合并组成合肥市文工团,另一部分人员被下放至长丰县。

三、卫生事业历经挫折

"文化大革命"期间,合肥卫生事业历经挫折,城市医院和卫生机

---

① 《合肥市志》,第1970—1971页。

构被"砍、并、撤",一部分医院下迁到农村,医务人员被下放到农村。1969年1月,合肥市第一人民医院停诊,医务人员下迁阜阳专区颖上、阜南、利辛、蒙城4县广大农村。4月25日,合肥市郊区革委会决定将郊区医院、区防疫站、区妇幼保健站撤销,卫生技术人员和行政管理干部,除老弱病残和"清理对象"外全部下放郊区各大队直接为贫下中农服务。仅1969年6月,全市就有200多名医务人员下放农村。① 1970年,又有600名市属医院医疗卫生工作人员下放蒙城、利辛、颖上、阜南、长丰和合肥郊区广大农村插队落户。② 至此,全市仅剩下12所医院,比1966年减少了6所;病床数减至2653张,比1966年减少了29.2%;卫生技术人员减至2817人,比1966年减少了36.8%,其中西医师减少40.1%,看病难成了城市人民群众生活中的一个突出问题。③

城市医疗机构削减,使城市正常医疗工作秩序受到破坏;农村因受客观条件限制,医疗事业并未加强,后果是不少疾病的发病率开始上升。以疟疾为例,由于长时间中断防治,传染源不断积累扩散。1970年,长丰县疟疾大流行,发病人数达7.2万人,占全县总人口的11.9%。④

1971年后,合肥市逐步恢复重建一些医疗、卫生防疫、医学教育、医学科研等机构,各项卫生医疗工作渐有起色。在此期间,广大卫生工作者响应毛泽东关于"把医疗卫生工作的重点放到农村去"的号召,派出医疗队或以其他形式支援农村、支援基层,使农村合作医疗室和城市街道防治站得到巩固和发展。1976年,全市卫生机构有453个,床位3877张,卫生技术人员6148人。⑤

---

① 朱来常:《"文革"中安徽"斗批改"运动概述》,《安徽史学》,1995年第3期。
② 《沿着毛主席"六二六"指示的光辉道路奋勇前进》,《新合肥报》1970年6月26日。
③ 《合肥概览》,第507页。
④ 《合肥卫生志》,第3页。
⑤ 《合肥卫生志》,第4页。

第五章

初步的拨乱反正

"四人帮"的垮台,标志着十年"文化大革命"的结束。但中国共产党要领导中国人民彻底从这场灾难中走出来,就必须进行拨乱反正。通过"揭、批、查"运动,合肥市对于那些混进各级领导班子的"打砸抢分子""闹而优则仕"的人以及为非作歹的人,坚决清除出去;对于坚持错误,"捂盖子",成为"揭、批、查"运动绊脚石的人,坚决调离领导岗位;对于有错误甚至犯有严重错误的人,通过"路线对比""说清楚会"等形式,帮助他们检查错误,提高觉悟,放下包袱,轻装前进。同时,合肥市还妥善地解决了一系列的历史遗留问题,大规模的平反冤假错案,把被颠倒的历史重新颠倒过来。

迎着全国思想解放的大潮,合肥市开展了真理标准问题的讨论,以清除"左"的影响,从而解放思想,实事求是地做好政治、经济、文化等各个领域的工作。此外,合肥市广开门路,采取多种形式,积极而又稳妥地统筹解决知识青年的安置问题。

第一节 "揭、批、查"运动

一、开展"揭、批、查"运动

所谓"揭、批、查"运动,是指揭发、批判"四人帮"集团及其帮派体系的罪行,清查与"四人帮"集团及其帮派体系有关的人和事。1976年10月20日,中共中央成立专案调查组,主要负责审查王洪文、张春桥、江青、姚文元的反党罪行,并搜集整理其罪行材料。25日,《人民日报》《红旗》杂志及《解放军报》发表社论文章《伟大的历史性胜利》,充分肯定了粉碎"四人帮"的政治意义。12月5日,中共中央下发通知,传达毛泽东生前批判"四人帮"的一系列指示,进一步阐明揭批"四人帮"反党罪行的性质、意义和相关政策。

为贯彻中共中央精神,11月8日至13日,中共合肥市委召开三届十二次全委扩大会议,传达了中央的指示精神,部署"揭、批、查"运动。要求全市党员干部从政治上划清界限,思想上肃清流毒,组织上查清问题。随后,全市开始了全面揭批"四人帮"的群众运动。1977年1月24日,合肥市委在合肥第三轧钢厂召开了全市深入揭发批判"四人帮"经验交流会,全市独立党支部以上的负责人和宣传干部1000多人参加大会。①

但是,合肥乃至安徽的"揭、批、查"运动开展得并不顺利。由于涉及很多的人和事,随着运动的逐步展开,阻力越来越大。安徽的阻力主要来自中共安徽省委。当时的省委主要负责人对揭批"四人帮"及其帮派体系篡党夺权的活动,顾虑重重,不敢揭、不敢批,特别是对自己的问题遮遮盖盖,继续推行着"左"的路线,"捂盖子,压群众,保自己。"②这样,在粉碎"四人帮"后的最初8个月里,安徽包括合肥在内的"揭、批、查"运动未能深入开展,而是搞得"冷冷清清"。

1977年6月20日,中共中央决定:改组安徽省委领导班子,万里任安徽省委第一书记、省革命委员会主任、省军区第一政委。

中央的决定得到了安徽省包括合肥市广大人民群众的热烈拥护。"连日来,合肥城乡红旗招展,鞭炮齐鸣。市委和市革委会机关、合肥钢铁公司、合肥铁路地区,合肥东市、西市、郊区,市文化、粮食、电子、化工、教育、卫生、轻工、机械等系统的广大党员、干部、工人、社员、学生和街道居民,敲锣打鼓,涌上街头,举行庆祝游行。"③

6月23日,中共安徽省委召开常委扩大会议,传达学习中共中央关于解决安徽省领导问题的重要指示。各地、市负责人和省军区、驻皖部队师以上负责人,以及省部、委、室、办、局的领导干部,各高等院

---

① 《市委召开深入揭发批判"四人帮"经验交流会》,《合肥通讯》1977年1月27日。
② 《当代安徽简史》,第352页。
③ 《紧密联系实际大打一场揭批"四人帮"的人民战争》,《合肥通讯》1977年6月25日。

校的负责人共 250 人参加了会议。①

省委常委扩大会议刚一结束,中共合肥市委立即召开市委常委扩大会议,传达学习中央和省委指示。24 日凌晨,合肥市委又组织召开由独立支部以上各单位负责人紧急会议,进一步传达学习上级指示精神。至 25 日上午,合肥已经一层层将上级指示传达到基层广大群众,做到家喻户晓。②

6 月 29 日上午,安徽省暨合肥市 10 多万军民在省体育场举行盛大集会。这次集会是全省揭批"四人帮"以来召开的一次规模最大的群众大会,它打破了安徽 8 个多月来冷冷清清的局面。③

从 6 月下旬到 7 月上旬,合肥科技、文化、机械、教育、卫生等系统分别召开干部职工大会,揭批"四人帮"及其帮派体系,揭批中共安徽省委及合肥市委原主要负责人的错误。全市的"揭、批、查"运动真正开展起来。

7 月 3 日至 8 日,中共安徽省委分别召开地、市委书记会议。会后,合肥市委立即进行传达贯彻,分析形势,并针对运动中出现的问题,研究应对措施,以期进一步发动群众,使运动能够继续深入地向前发展。全市各单位通过大字报、小字报、大批判专栏、有线广播、大批判战斗队、文艺宣传等多种形式,深入揭批"四人帮"及安徽省委原主要负责人的错误,并联系合肥地区的实际情况,揭批市委原负责人的错误。7 月 11 日,中共合肥市委宣传部召开市直宣传单位联系实际揭批"四人帮"大会。会上,市委宣传部、市文化局、市教育局、市卫生局、市体委、合肥通讯社、市广播事业局、市委党校和"五七"干校的

---

① 《坚决拥护热烈欢呼迅速传达华主席党中央关于解决安徽省委领导问题的重要指示》,《合肥通讯》1977 年 6 月 25 日。
② 《紧密联系实际大打一场揭批"四人帮"的人民战争》,《合肥通讯》1977 年 6 月 25 日。
③ 《紧密联系安徽实际深入开展揭批"四人帮"的斗争》,《合肥通讯》1977 年 7 月 2 日。

代表分别作了批判发言。① 7月20日，全市财贸系统召开批判大会，会议联系实际，"抓住要害，揭批省委原主要负责人配合'四人帮'篡党夺权的恶劣行径"。会上，市革委会财贸办公室、外贸局、粮食局、商业局、供销社、财税局、市支行、建设银行和工商局代表作批判发言。②

7月24日至8月2日，中共安徽省委召开三届十三次全委扩大会议，再次对安徽的"揭、批、查"运动作重要部署。全省"揭、批、查"运动"冷冷清清"的局面得到彻底扭转。

由此，粉碎"四人帮"后最初8个月里，"揭、批、查"运动中出现的"神秘化、冷清的"状况全面改变。合肥市各部、室、委、办都分别召开了中层干部和全体干部的揭批会。中共合肥市委还专门召开常委会、常委扩大会，集中时间进行揭批，市委领导带头揭发批判。对一些群众意见较大、问题较多的单位，市委采取果断措施予以协助解决。例如，市委给长丰县、中市区派去了联络组，给文化局、工会派去了新的领导，给重型机械厂派去了机械局党委成员等。

9月10日至14日，中共合肥市委召开三届十五次全委扩大会议，会议号召全市各级党组织和广大党员、干部、群众，迅速掀起"大学习、大宣传、大贯彻、大落实"十一大精神的热潮，把揭批'四人帮'和省委原主要负责人的斗争进行到底。③

10月15日，中共合肥市委召开全市深入揭批"四人帮"、迅速掀起"三大讲"（大讲"四人帮"横行时期深受其害，大讲同"四人帮"斗争的经历，大讲同"四人帮"斗争的经验体会）热潮的经验交流会，市委书记、市革委会主任郑锐在会上作了报告。④

---

① 《市直宣传系统召开批判大会，紧密联系安徽实际，揭批省委前主要领导人的严重政治错误》，《合肥通讯》1977年7月14日。

② 《市财贸系统召开揭批"四人帮"大会，揭发批判省委前主要领导人的严重政治错误》，《合肥通讯》1977年7月30日。

③ 《中共合肥市委召开三届十五次全委扩大会议，认真学习落实贯彻执行党的十一大路线》，《合肥通讯》1977年9月19日。

④ 《迅速掀起"三大讲"热潮》，《合肥通讯》1977年10月17日。

按照中共安徽省委的部署,从 1977 年 11 月开始,合肥的"揭、批、查"运动进入到第三阶段。12 日,合肥市委召开揭批"四人帮"第三阶段动员大会,要求各级党委加强对运动的领导,放手发动群众,紧密联系实际,"深揭狠批'四人帮'及其在安徽的代理人的反革命政治纲领"。市委主要负责人都参加了大会。市直机关各部、室、委、办,各区、局、长丰县以及各工厂企事业、基层独立支部以上单位的主要负责人共 1400 多人参加大会。

会上,中共合肥市委书记郑锐回顾了粉碎"四人帮"一年来全市"揭、批、查"运动的情况。认为,"一年来,合肥"揭、批、查"运动同全省一样,大体分两个阶段。第一阶段,是省委、市委原主要负责人捂盖子的八个月。第二阶段是近四个月来,群众逐步发动起来了,揭露了省委、市委原主要负责人的许多严重问题,一些犯有严重错误的人员初步检查了自己的错误,有的讲清了问题,放下了包袱。总的来看,几个月来运动的发展是健康的,形势是好的。现在,全市要把运动进一步引向深入,着重开展清查工作"。①

中共安徽省委及时批转于 11 月下旬召开的省清查工作座谈会会议纪要,要求全省各地、市,各单位认真贯彻执行会议纪要提出的"十条必须彻底清查""四项政策要求"和完成清查的"五条验收标准"。

中共安徽省委清查工作座谈会纪要下发后,合肥全市"揭、批、查"运动主要围绕着清查工作展开。全市各系统结合本单位发生的与"四人帮"及安徽省委、合肥市委原主要负责人有关联的人和事,召开揭批会 240 次,其中千人以上大会 26 次,召开"说清楚会"408 次,让 223 人自己说,大家帮。市委召开两委领导班子"说清楚会",让有关领导说清楚自己的问题。又两次召开"三大讲"经验交流会,推广安徽拖拉机厂、化工厂、手扶拖拉机厂等 8 个单位的经验。12 月 8 日,市直机关分别在工农兵剧场、长江剧院、合肥剧场、工商联礼堂召开揭批大会,机关以及工厂企业单位的干部和群众代表共 4000 多人

---

① 《下定决心打好揭批"四人帮"的第三战役》,《合肥通讯》1977 年 11 月 14 日。

参加大会。①

至1977年年底,全市被列为清查对象的有186人。在清查对象中,已经采取组织措施的90人,其中:依法逮捕5人;拘留审查7人;隔离审查22人(其中县团干部1人);停职检查21人(其中县团干部5人);撤销职务6人(其中县团干部5人);免职检查20人(其中县团干部15人);停止工作交代问题2人(其中县团干部1人);其他7人(其中县团以上6人)。

1978年1月12日,中共合肥市委召开全市党员负责干部会议,会议提出:"继续抓紧抓好揭批'四人帮'这个纲,彻底摧毁'四人帮'在安徽的代理人和市委内紧跟他的那个人(指原市委书记)在合肥拼凑的资产阶级帮派体系,推动国民经济高速度发展,夺取抓纲治国的新胜利。"会议认为,"我市揭批'四人帮'运动发展迅猛、深入、扎实、健康,各项工作也都有所前进。"②

随着清查工作的持续开展,到1978年4月下旬,全市又进行了一次对清查对象的摸底排队,列为清查对象的有266人。其中,属于敌我矛盾的有18人(现行反革命7人,刑事犯罪分子8人,贪污盗窃分子2人,打砸抢分子1人),犯有严重政治错误的21人,犯有政治性错误的69人,属于说了错话、做了错事的108人,有严重打砸抢问题,但尚不属于"打砸抢分子"("打砸抢分子"指反抗社会主义革命、危害社会主义建设、侵吞社会财富、触犯刑律的反动分子)的25人,有其他方面问题的25人。此外,全市参与"说清楚会"的人数共计416人,已经说清楚的348人(其余68人以后也说清楚了)。③

在集中开展清查工作告一段落后,根据中共安徽省委的统一部署,从1978年6月份开始,合肥还开展了"一批双打"斗争。6月12日,中共合肥市委召开干部大会,动员各单位立即行动起来,放手发

---

① 《紧密联系实际,深揭狠批"四人帮"——市直机关召开四千人揭批大会》,《合肥通讯》1977年12月12日。

② 《举旗抓纲,乘胜前进》,《合肥通讯》1978年1月16日。

③ 市清查办公室:《合肥市清查工作小结》,1979年5月5日。

动群众,开展一场声势浩大的"一批双打"斗争,狠狠打击"四人帮"的社会基础,把揭批"四人帮"的运动进一步引向深入。

7月29日,中共合肥市委召开全市"一批双打"经验交流会。市直部、委、办、室、局、区,以及各独立党支部负责人以上干部和进驻工厂、企业、社队的"一批双打"工作队(联络组)负责人共1100多人出席会议。① 会议主要是交流各单位开展"一批双打"斗争的经验,并针对斗争中存在的问题予以指正。

"一批双打"斗争开展了10个月,到1979年4月份,全市共揭露出"双打"对象766人,其中政治问题111人,经济问题655人。在政治案件中,属于四类分子有破坏活动的7人,现行反革命2人,有严重打砸抢行为的24人,清查转户口(指通过非正常办法将农村户口转为城市户口)的55人,有其他破坏活动的23人。在经济案件中,贪污盗窃、投机倒把牟利万元以上的2人,五千元以上的4人,千元以上的146人,千元以下的431人;贪污贩卖粮票10万斤以上的3人,5万斤以上的1人,万斤以上的8人,千斤以上的60人。贪污盗窃、投机倒把获利总金额达48万多元,粮票53万多斤。同时,揭露出私设小金库405个,金额达15万多元。许多单位还进行了封仓查库,仅供电局就查出了1077笔价值52万元的账外物资。至此,全市"一批双打"运动基本结束。②

1978年9月中旬,邓小平在东北和天津等地视察工作时指出:揭批"四人帮"及其帮派罪行的运动总得有个底,总不能搞三年五年吧!③ 11月10日,华国锋在中央工作会议第一次全体会议上提出:就全国范围来说,到年底,揭批"四人帮"的运动就应当胜利结束了。④

1978年年底,全国的"揭、批、查"运动宣告结束。合肥全市与"四

---

① 《市委召开"一批双打"经验交流会》,《合肥报》1978年7月31日。
② 市"一批双打"办公室:《合肥市"一批双打"斗争的总结报告》,1979年5月5日。
③ 中央文献研究室编:《邓小平年谱(1975—1997)》,中央文献出版社2004年版,第394页。
④ 黄一兵:《转折:当代中国改革开放启动实录》,福建人民出版社2009年版,第272页。

人帮"集团有牵连的人和事基本查清。通过"揭、批、查"运动,合肥地区的诸多历史问题得到了清查,社会经济秩序基本稳定下来。

二、调整各级领导班子

通过"揭、批、查"运动,合肥党、政、企事业单位调整和加强了领导班子。对于那些混进各级领导班子的"打砸抢分子""闹而优则仕"的人以及为非作歹的人,坚决清除出去;对于坚持错误,"捂盖子",成为"揭、批、查"运动绊脚石的人,坚决调离领导岗位;对于有错误甚至犯有严重错误的人,通过"路线对比""说清楚会"等形式,帮助他们检查错误,提高觉悟,放下包袱,轻装前进。① 与此同时,一大批在"文化大革命"中遭到错误批判、被整、被排斥的老干部重新走上了领导岗位,一些有能力表现好的年轻人也得到提拔重用。

1977年,合肥对各级领导班子进行调整充实。中共合肥市委、市革委会常委调整21人。其中,提升的有4人,新参加的有2人,被免职的"双突"(指突击发展的党员和突击提拔的干部)人员有8人(这8人中有6人犯有错误或严重错误),军队干部5人回归原所在部队,有1名老干部因犯有错误也被免职,还有1人被撤职。市各委、办、室和党校原领导成员39人,调整充实33人。其中,选配一、二把手4人,安排老干部12人,平行调动6人,加强充实5人。有6人被免职,包括"双突"人员2人,军队干部4人回归原所在部队。各县、区、局的领导班子共49个,有领导成员378人,共调整41个班子,调整充实领导成员157人。调整的人员中,有73人得到提拔和任用,包括一、二把手22人,安排的老干部28人,平行调动的8人,加强充实的15人。调整的人员中,有79人被免职,包括"双突"人员45人。调整的人员中,有5人被撤职,主要是"打砸抢分子"和"闹而优则仕"的人。②

---

① 《当代安徽简史》,第358页。
② 中共合肥市委:《关于一九七七年工作总结和当前工作打算的报告》,1978年1月13日。

在调整各级领导班子工作中,一批中青年干部走上领导岗位。1980年年初至1981年8月,合肥市共选拔了563名中青年干部进入各级领导班子,其中有89人担任了县、区、局以上领导职务,有98人担任县级企事业单位的领导职务,从而初步改变了各级领导班子的年龄结构。

1980年8月,经中共合肥市委批准,市委组织部下发了《关于全市选拔优秀中青年干部工作的意见》,对各级领导班子的年轻化、知识化、专业化和精干等方面提出了具体的要求。各县、区、局和基层党委都很重视,通过党代会、人代会选举和部分班子的整顿把中青年干部选拔到领导岗位上来。①

合肥市在调整各级领导班子的同时,还着力加强领导作风建设。

经过"文化大革命"的十年动乱,党的组织、党员的党性和思想观念以及党的优良传统和作风等,都遭受严重破坏。为解决这些问题,1980年2月29日,中共十一届五中全会正式通过《关于党内政治生活的若干准则》。

5月,中共合肥市委根据《关于党内政治生活的若干准则》的要求,并参照安徽省委《关于改进领导作风的若干规定》,制定了《中共合肥市委关于改进市委常委领导作风的若干规定》,确定建立健全集体领导和个人分工负责相结合的制度;明确党政分工;压缩市委文件数量;深入基层,调查研究,提高工作效率等。此外,市委常委要严格执行中央和省、市委关于干部生活待遇的若干规定,市委常委要从我做起,从现在做起,在群众中切实起到带头作用。

中共十一届三中全会以后,合肥市委加强了对党员的思想教育工作。思想教育的主要内容是进行政治形势、任务和党的路线、方针、政策的教育;端正党风的教育;党规党纪和党的基本知识教育。在教育方法和措施上,主要争取经常性教育与集中培训相结合的方

---

① 《把优秀中青年干部选拔上来——187人走上县以上领导岗位》,《合肥晚报》1981年8月26日。

式,定期召开民主生活会等。

通过调整各级领导班子,加强领导作风建设和开展党员思想教育工作,全市因"十年浩劫"带来的混乱局面得以改变,上层建筑领域形势稳定,为全市工作重心向社会主义现代化建设转移创造了良好的政治条件。

三、平反冤假错案

"文化大革命"期间,极左路线横行,制造了大批冤假错案。为此,1976年12月5日,中共中央发出《关于重新处理纯属反对"四人帮"案件的通知》(简称《通知》)。全国各地查处、平反了一批类似案件。1977年7月,在中共十届三中全会上,邓小平第三次复出。全国各地平反冤假错案的工作突破这个《通知》划定的界线,扩展到整个"文化大革命"10年甚至之前的历史案件。

1978年1月,中共安徽省委发出《关于目前运动情况和正确执行有关政策的通报》,明确提出:对"文化大革命"中的冤案错案,要有计划地复查。3月,省委又专门召开会议,部署平反冤假错案工作。5月23日,安徽省委为严凤英平反昭雪。

与此同时,1978年年初,中共合肥市委成立复查工作领导小组。领导小组按照中共中央和省委的指示,有条不紊地开展平反冤假错案的工作。

1月25日,中共合肥市委召开有7000人参加的大会,对因牵连"天安门事件"、悼念周恩来、为邓小平鸣不平、反对"四人帮"而遭受迫害的26人彻底平反,恢复名誉。市委书记郑锐在讲话中说:"一切冤假错案,今天不坚决纠正,明天还是要纠正;我们不主动纠正,我们的后人、子孙也是要纠正的。"[1]

---

[1] 《市委召开七千人大会——为悼念周总理、反对"四人帮"受迫害的同志彻底平反》,《合肥报》1978年11月27日。

1978年11月,中共中央政治局为1976年天安门事件公开彻底平反。11月23日,中共合肥市委坚决拥护中央的决定,并再一次郑重宣布,凡是因牵连"天安门事件"、悼念周总理、为邓小平鸣不平、反对"四人帮"而受到迫害的干部、群众,一律彻底平反,恢复名誉。对于过去在追查所谓反革命谣言等过程中受到打击迫害的人员,也一律平反。对于其中的有些人员,不得因为他们说过其他错话或反对过某级领导人,就抓住不放,迟疑不决,不予平反。市委要求,凡拘留、逮捕、判刑至今未释放的,公安、司法部门应立即将他们释放,已经释放但平反不彻底、留有"尾巴"的,应彻底平反;凡受到追查、批判、处分,被迫写了检查的人员,应撤销处分,原来的审查材料和本人检查等有关材料,应一律销毁;要切实做好平反后的善后工作,对于其中因受迫害而造成生活困难的,要给予救济。①

4月5日,中共中央发出《关于全部摘掉右派帽子的通知》(简称《通知》)后,合肥市委于20日即成立了"摘掉右派分子帽子"工作办公室。5月5日,市委又组织召开县、区、局、部、委、办分管"摘帽子"工作负责人会议,针对合肥的实际情况进行具体工作部署。随后,长丰县、郊区也建立了"摘帽子"工作办公室。

在具体"摘掉右派分子帽子"的工作中,合肥贯彻的原则是:(1)对报批材料齐全,一直作为右派看待,单位干群都知道是右派分子的,先把这部分人的"帽子"摘掉;(2)对一直以右派看待,但档案材料中没有批复的,在调查核实取得材料,证明确系"右派"分子后,再宣布"摘帽子",以避免错摘对象;(3)对虽确系右派分子,但在揭批"四人帮"斗争中是重点清查对象的,暂缓"摘帽子",限期查清问题,做出结论,报经党委批准后再处理;(4)对自动离职或去向不明的暂不摘帽子;(5)对原是右派又是历史反革命分子的,后来把反革命"帽子"平掉了,这次也要摘掉右派的"帽子"。

---

① 《悼念周总理无罪,反对"四人帮"有功——市委做出决定,为悼念周总理、反对"四人帮"而遭迫害的同志一律彻底平反、恢复名誉》,《合肥报》1978年11月24日。

上述这些原则,是中共中央4月5日《通知》明确规定的,显然存在着"摘帽"平反不够彻底的问题。9月17日,中共中央批转组织部等5部门起草的《贯彻中央关于全部摘掉右派分子帽子决定的实施方案》,对"摘帽子"工作中的若干重大政策性问题做出进一步的明确规定,纠正了先前《通知》的不足之处。为彻底"摘掉右派分子帽子",铺平了道路。由此,合肥全市为右派分子摘帽、平反工作步伐加快。

对一些在合肥有较大影响的冤假错案,中共合肥市委也及时予以纠正、平反。例如,1978年11月下旬,合肥报社召开大会,为原《合肥晚报》总编辑吴仁及其受株连的22位人员彻底平反,恢复名誉。[1]

11月底,合肥市文化系统召开落实政策大会,为一批老演员、老画家和其他文艺工作者平反。[2]

1977年,安徽省文艺工作者会议召开

到1979年,全市各级"摘掉右派分子帽子"办公室在市委领导下,解放思想,实事求是,抓紧工作。3月底前,凡属市直和各区、局单

---

[1] 《合肥报社召开平反大会——给〈合肥晚报〉原总编辑吴仁等同志平反》,《合肥报》1978年12月1日。

[2] 《市文化系统召开落实政策大会——为一批老演员、老画家和其他文艺工作者平反》,《合肥报》1978年12月6日。

位被错划的"右派"331人全部得到改正,其中,二商局、民政局、税务局、粮食局、合肥报社、团市委等17个单位共66名被错划的"右派",全部改正。对已经改正者,各单位根据本人特长和健康状况,妥善进行了安置。对因错划"右派"受到株连的亲属,改正单位都主动函告有关单位,消除影响。① 至此,全市摘掉右派分子帽子工作全部完成。

1978年12月,中共十一届三中全会的召开,为全国大规模平反冤假错案奠定了基石。

1979年1月11日,中共中央做出《关于地主、富农摘帽问题和地、富子女成分问题的决定》后,合肥农村地区立即着手"摘帽子"工作。仅仅3个月的时间,全市农村地区原地主、富农、"四类分子""帽子"基本摘掉,其子女的出身也予以改正。《合肥报》曾举例报道:"长丰县杜集公社,积极做好四类分子的摘帽工作。目前,全社43个四类分子,已有39个摘掉"帽子",同时5个错戴四类分子"帽子"的也全部予以纠正。"②

1979年,是合肥复查平反冤假错案取得突破的一年。据不完全统计,当年全市需复查的案件达5719件,1979年复查结案5232件,占需要复查总数的91.5%。对"文化大革命"前的案件也进行了复查,这类案件有7569件,复查处理了5477件,占需复查数的72%。③

1980年2月,中共十一届五中全会通过为刘少奇平反的决议。由此,全国开启因刘少奇冤案而受株连的案件的复查平反工作。

合肥因刘少奇冤案受到株连的案件有多起。其中比较有影响的,如,郊区三十岗公社风景大队社员费广柱,在劳动休息时,用棍子在淤沙泥上书写"刘少奇主席"的标语,1968年6月,被定为书写反动标语,拘留审查后,交群众批判。合肥玻璃厂有个工人,因替刘少奇说了几句公道话,就以"为刘少奇鸣冤叫屈",被戴上现行反革命分子

---

① 《克服"恐右病" 大胆落实政策——我市改正错划右派工作步子加快》,《合肥报》1979年3月28日。

② 《杜集公社党委引导群众分清是非——四类分子摘帽工作进展较快》,《合肥报》1979年3月9日。

③ 《去年我市复查了一万多个案件》,《合肥报》1980年1月18日。

"帽子",交群众监督劳动。合肥车辆厂有个技术员,1970年以"吹捧刘少奇"之罪名被定为现行反革命。原东市区民办中学教师陆广武,曾写了4封匿名信,认为"文化大革命""打击一批党内的老干部","削弱党的领导",刘少奇的路线是"无产阶级革命路线","江青是跳梁小丑",1968年被判刑13年,剥夺政治权利3年。原大通路小学毕业生胡民主,对叔叔被揪斗心存不满,1968年7月涂写了"保卫邓小平""保卫刘少奇"等字样的标语,被以反革命罪判刑3年。①

经过两个多月的紧张工作,到1980年5月,合肥对包括上述5个案件在内的所有因刘少奇冤案遭受株连的案件,宣告无罪,彻底平反。

至1982年8月底,合肥市"除部分历史老案外,'文革''反右派''反右倾''四清'案件已全部复查完毕,一大批冤假错案都得到了纠正"。"对错误处理的人员平反纠正后,一般都召开了相关的会议,宣布恢复名誉;对档案中的有关材料,按上级规定进行了清理销毁;对受迫害致死、致残者的家庭,按规定给予一定的抚恤和生活补助。"②

第二节　真理标准问题的讨论和"知青"安置工作的开展

一、真理标准问题的讨论

1978年5月11日,《光明日报》发表特约评论员文章《实践是检验真理的唯一标准》,新华社当天发出通稿,次日,《人民日报》《解放军报》同时转载了这篇文章。由此,一场关于真理标准问题的大讨论在全国展开。

---

① 《市公安局、市中级人民法院积极贯彻五中全会精神——为受刘少奇同志冤案株连的人复查平反》,《合肥报》1980年5月16日。
② 《我市冤假错案复查工作成绩显著》,《合肥晚报》1982年9月17日。

6月26日至30日，在安徽省革委会第二次全体会议上，中共安徽省委要求各界认真学习《实践是检验真理的唯一标准》等文章，并提出要从实际出发，提出问题，分析问题和解决问题。7月，安徽省哲学学会召开真理标准问题的讨论会，批判"两个凡是"的错误观点。10月份，中共安徽省委宣传部召开地、市委宣传部长会议，进一步明确了这场讨论的重要性和必要性，并要求各地把真理标准问题的讨论，同总结历史经验教训、清理"左"的影响、全面拨乱反正紧密结合起来，以推动思想解放运动的发展。

在安徽省哲学学会的支持和影响下，10月中旬，中共合肥市委党校的领导干部和理论工作者，举行真理标准问题讨论会。① 23日，《合肥报》刊发文章，对真理标准问题讨论的重要意义进行阐述："真理标准问题是马克思主义的一个根本观点，是个重大的原则问题。首先，是揭批'四人帮'斗争深入发展的要求，是进一步肃清林彪、'四人帮'假'左'真'右'的流毒，拨乱反正，分清理论是非的需要。第二，是恢复和发展党的实事求是优良传统和作风的迫切需要。敢于面对事实，坚持实践标准，一切从实际出发。第三，是贯彻十一大路线，实施新时期总任务的需要。根据新的情况，决定新的方针，在实践中丰富和发展马列主义、毛泽东思想。"②

此后，11月19日，市委宣传部印发通知，要求各县、区、局组织干部收听中国科学院邢贲思《关于实践是检验真理唯一标准》的录音报告。县、区、局机关干部和工厂企业车间以上领导、科室干部、工程技术人员参与收听。这次组织收听的目的是进一步推动关于真理标准问题的大讨论向更广的范围扩展。11月下旬，市委宣传部又分两批组织县、区、局宣传部长和政治处负责人座谈，讨论真理标准问题和加快实现四个现代化需要解决的问题。③

---

① 《在实践中不断开辟认识真理的道路》，《合肥报》1978年10月18日。
② 《讨论真理标准有什么现实意义？》，《合肥报》1978年10月23日。
③ 《解放思想，发扬民主，敢想敢说——市委宣传部召开会议座谈真理标准问题》，《合肥报》1978年11月27日。

1978年12月召开的中共十一届三中全会确定了解放思想、开动脑筋、实事求是、团结一致向前看的指导方针。这为继续深入开展真理标准问题的讨论提供了坚强后盾和可靠保证。1979年,在中共安徽省委部署指导下,合肥市委及宣传部多次召开讨论会、座谈会,贯彻和宣传党的十一届三中全会精神,继续深入开展真理标准问题的讨论。9月1日,市委下发《关于深入开展真理问题讨论的通知》,结合合肥市的实际情况,对继续深入开展真理标准问题的讨论提出领导干部要带头补课,坚持和发扬理论联系实际的学风,大兴调查研究之风,抓好基层讨论的试点工作,推动生产的发展等5项要求。讨论中,机关提倡业余自学,适当利用工作时间进行集中讨论,基层不要占用工人生产时间。

中共十一届三中全会召开前后全国开展的关于真理标准问题的大讨论,是一场自上而下的思想解放运动,是实事求是与"两个凡是"两条路线的争论。这场大讨论的结果是,彻底否定了"文化大革命""左"的错误,为中国共产党重新确定实事求是的思想路线、政治路线奠定了理论基础。

二、知青安置工作的开展

1978年10月31日至12月10日,国务院召开全国知识青年上山下乡工作会议,决定调整政策,在城市积极开辟新领域、新行业,为更多城镇中学毕业生创造就业和升学条件,逐步缩小上山下乡的范围,有安置条件的城市不再动员下乡。12月12日,中共中央批转《全国知识青年上山下乡工作会议纪要》。

就在全国知识青年上山下乡工作会议期间,合肥市召开一系列座谈会,研究统筹解决城乡知识青年问题。11月25日,市革委会发出《关于大力发展集体所有制企事业,认真做好城市待业人员安置工作的通知》,要求各区、局、企事业单位和街道行动起来,着手解决本系统本地区城乡知识青年的问题。

从"文化大革命"前到1978年止,合肥城乡知识青年上山下乡的基本情况是:上山下乡知青总人数约1.9万人(其中女知青9018人,已婚知青1173人,大多是1972年前下放的),在农场的有3729人,在农村插队的有1.53万人。按下放地区统计,在郊区、长丰县的有7790人,在省内各县的有1.09万人,在省外的有286人;按下放年限统计,1972年以前的有1646人,1973年有382人,1974年有1651人,1975年有2275人,1976年有6342人,1977年有6099人,1978年正式办理了下放手续、转移了户口和粮油关系的有592人。此外,还有约1.5万因各种原因未上山下乡的知识青年和城市待业人员。①

全国知青工作会议以后,合肥市从实际出发,"解放思想,广开门路,采取多种形式,积极而又稳妥地统筹解决知识青年的问题"。到1979年2月底,全市已有约110个单位办起知青厂(队),安排知识青年8000多人。② 到4月底,全市通过兴办知青厂(队),初步安置知青和其他待业人员共2.16万人,占全市应安置人数的60%以上。此外,还有7000多人参加了文化实习,有一部分人在做临时工。

为进一步做好上山下乡知识青年返城后的安置工作,巩固安定团结的政治局面,1979年7月17日至23日,中共合肥市委组织召开全市知识青年工作会议,研究如何进一步广开门路,大办集体企事业,以安置待业青年的问题。会议认为:"必须广开门路,安排好待业青年,主要是大力发展集体企事业。""要大力宣传集体所有制经济在国民经济中的地位和作用,大造参加集体企事业光荣的社会舆论。"③

在随后发出的《会议纪要》中,中共合肥市委就加快"广开门路,加快安置"工作步伐的具体办法,提出了十项措施:一是利用大厂多余设备和边角余料生产零部件和市场所需要的日用品,或承担部分

---

① 《大办集体企事业、安置待业青年——市委召开知青工作会议》,《合肥报》1979年7月27日。
② 《解放思想广开门路、统筹解决知青问题》,《合肥报》1979年3月14日。
③ 《大办集体企事业、安置待业青年——市委召开知青工作会议》,《合肥报》1979年7月27日。

外协件加工任务,从事产品包装和市内运输,或在全民企业举办集体车间,直接为大厂工业生产服务。二是根据机关、学校、企事业单位的需要,举办缝纫组、洗衣组、托儿所、幼儿园等福利事业,为群众生活服务。三是增设商业和饮食服务网点,增加服务项目,延长营业时间,为人民生活服务。四是开展各种用具的修理业务,方便群众。五是组织搬运队、装卸队,或利用市内现有交通工具,增加班次,搞好装卸和市内运输。六是搞园林绿化、环境卫生、道路养护、房屋修建、水电安装等,为市政建设和社会需要服务。七是从事工艺美术、各种编织、文物修复等,为人民文化生活和出口服务。八是参加铁路、水利建设,为基本建设服务。九是举办多种形式的劳动服务组织,拾漏补缺,见缝插针。十是组织一部分待业知青顶替计划外农村劳动力,等等。总之,只要是生产和群众生活需要的,都可以组织行业知青去办。会议还对安置工作中的有关政策问题,根据中央、省委有关文件精神,分类逐项进行了研究,提出了解决意见。

合肥知识青年工作会议结束后,全市把知识青年安置就业工作提升到城市工作的重要日程,并作为一项大事来抓。截至1979年8月15日,全市已批准兴办知青厂队320个,安置待业知青和其他待业青年2.3万人,占应安置人数的68%。

1980年,合肥市又安置了待业青年2.2万人,办知青集体企业602个,这些企业年工业总产值1949万元,比1979年增长3.08倍,商业销售额2587万元,比1979年增长1.6倍,利润703万元,比1979年增长1.8倍。上山下乡知青回城安置工作取得重大进展。[①]

到1981年年底,随着全国知识青年上山下乡运动的结束,合肥上山下乡知识青年回城安置就业工作也基本完成。

[①] 《我市召开劳动就业工作会议——发展第三产业安置待业青年》,《合肥晚报》1981年5月30日。

第六章
1949年至1978年的巢湖和庐江

第六章 1949年至1978年的巢湖和庐江

1949年1月23日,巢县、庐江两县分别解放。从此,巢县、庐江的历史翻开了崭新的一页。

巢县,位居合肥东南,紧邻肥东;庐江,位居合肥正南,与肥西接壤,两县均毗邻巢湖。1949年以后,巢县、庐江两县在行政区划及隶属上,多有变动。但到1978年时,巢县、庐江均为巢湖地区所辖,其中巢县还是巢湖地区地级各机关单位驻地。两县与合肥市相互间没有行政隶属关系。

从1949年至1978年的30年间,巢县、庐江两县与合肥市及安徽各县一样,经历了从新政权建立、恢复和发展经济、执行第一个五年计划、"大跃进"和人民公社化运动,直到"文化大革命"等的变迁过程,其中也显露出各自突出的地方。如巢县、庐江两县在1949年人民解放军渡江战役中发挥着突出的作用,巢县在"大跃进"运动中的群众诗歌创作,庐江在20世纪70年代开展的全县植树造林运动,在当时的安徽全省都很有影响。

第一节 1949年至1978年的巢湖

一、巢县解放与新政权的建立

(一)巢县解放与新政权的建立

1949年1月23日,人民解放军华东野战军先遣纵队独立支队二大队奉命解放巢县[①]。在中共地方武装含山大队的配合下,二大队队

[①] 巢县,又名巢城,1984年1月4日巢县撤销,设立县级巢湖市。1999年底撤市改称居巢区。2011年8月撤地级巢湖市,设立县级巢湖市。

长庄家才率3个连和1个机炮连共500多名战士从含山清溪出发，进军巢城。部队在半汤研究了攻城的战斗部署，决定由四连长陶文率四连首先占领巢城北门外东西两边的成龙尖和凤凰山制高点；庄家才率五、六2个连从正北攻城。在北门，与国民党守城部队展开炮战。是日晚，巢城守敌刘汝明部从东门沿淮南铁路仓皇南逃，四连追击至东门，将来不及逃跑的百余名残敌全部俘获。24日，庄家才率部队进入巢城，巢城获得解放。全县各界人士上街贴标语，放鞭炮，欢迎人民解放军解放巢城。

巢县解放后，中共巢县县委、县政府在柘皋建立，曹树华、方茂初分任县委书记、县长。

（二）支援人民解放军渡江

巢县解放后，新政权的首要工作是支援人民解放军渡江。1949年3月上旬，巢县成立支前指挥部，由方茂初任指挥长，曹树华任政委。各区乡也相应成立支前委员会和支前生产委员会。在中共巢县县委、县政府和支前指挥部的统一指挥下，巢县人民全力以赴，积极支前，为大军过江做出了贡献。

第一，筹集粮草保证部队供应。根据中共江淮五地委、五专署关于筹建粮站、征集粮草的决定，巢县在巢城设立中心粮站，在夏阁、柘皋、炯炀等地设立分站，在粮站附近的大村庄设立堆栈，每隔15里设一茶水站，做到"村村有粮食，户户有烧草"。据统计，在支援渡江战役中，巢县人民共支援粮食900万斤，满足了驻地部队的需要。

第二，组建担运团随军支援渡江。在支援渡江战役中，巢县政府共动员短期民工7万余名运输粮草，组建两批常备民工担运团，随军支援前线。其中，第一批担运团为合巢支前民工团，由巢县的5个营和肥东2个营组成，每营500人。4月21日，合巢支前民工团随军渡江。他们因在随军运输、抬伤员、追歼残敌中表现出不怕艰苦、不怕困难、勇敢顽强的精神而受到表彰。6月11日，巢县支前民工团归来，江淮五专署在夏阁召开庆功大会，欢迎支前归来的民工们。

第三，修筑公路保证部队运输畅通。为了使部队人马、大炮等能安全到达江边，修筑了巢县到含山的公路约 30 华里、巢无公路从大古庙到巢城约 30 华里、巢槐公路 50 华里，共计 110 华里。

第四，征集船只、选派船工帮助部队进行水上训练。大军渡江时，巢县积极征集船只和船工，并按部队建制编成分队、中队、大队，进行整训，帮助部队进行水上训练。据统计，全县共有 860 余名船工、260 余只木帆船载运部队渡江，有 5 名船工牺牲。其中，钓鱼乡的船工张孝华带领的 1 个分队共 15 艘小船第一批过江，他驾驶的船只荣获"渡江第一船"光荣称号。[①]

（三）剿匪反霸

解放初期，巢县的巢南、黄山一带土匪活动猖獗，百姓深受其害。当地群众中流传着这样一首民谣："招安军（指土匪）吃喝睡，牵人家牛抱人家被，拉人家姑娘一头睡。"与此同时，旧社会残余的各种反动势力，互相勾结，组织了地下军和 9 股匪徒，出没流窜于巢县山区和巢湖水上，进行抢劫、骚扰和各种破坏。

1950 年 6 月，剿匪反霸斗争在巢县展开。由中共巢县县委、县政府和县军事武装部门负责人组成成立县剿匪指挥部，各区乡干部一律配备武装，组织民兵，与公安部门统一行动，于 7、8、9 三个月捕获匪徒 11 股，共 70 人，缴获长枪 8 支、短枪 11 支，逮捕匪首何昌祥和葛加来，摧毁了残匪的主力。1951 年，又捕获匪徒 7 股共 52 人，缴获长短枪各 7 支、子弹 71 发、手榴弹 7 枚、大刀 4 把。[②] 到 1953 年 6 月，全部肃清了残存的匪徒，彻底清除了历代都没有清除的匪患。

（四）国民经济的恢复和发展

1949 年年初的巢县，百业凋敝，民不聊生，经济落后，发展停滞。

---

① 方兆本主编：《安徽文史资料全书·巢湖卷》，安徽人民出版社 2005 年版，第 584—585 页。
② 《巢湖市志》，第 653 页。

农业方面,全县粮食平均亩产360斤,总产仅2.1亿斤;皮棉单产仅7斤,总产2000担;工业基础落后,全县城乡仅有少数的手工业工场和作坊还在运行,主要产品是食品加工、简单的农具和生活用具制造,总产值5万元左右;商业全部为私人控制,在30多个商业行业中,资本稍大的商店500多户,主要分布在巢城、柘皋镇和炯炀镇。[①]

为医治战争创伤,恢复经济,安定人民生活,新政权成立后,立即展开了一系列措施。

在农业方面,主要是兴修水利和扩大棉花种植面积。

解放初巢县有大小塘坝2.74万口,但多数年久失修,坍塌淤塞,有三分之二失去蓄水和灌溉效能,仅有5760口塘坝能存雨蓄水,总容积6040万立方米,总灌溉面积49万亩。一般只能放水一至两次,平均每亩用水120立方米。十天半月无雨就呈现旱象。当地流传一首民谣:"家住小山坡,年年旱灾多,不是棉受旱,就是稻干枯。"因此,普遍只栽一季中稻,土地利用率很低。人民政府为改变这一状况,在每年冬、春季节,组织农民大兴水利。1949至1952年,修整原有塘坝1.8万口,新建塘坝108口,蓄水容量增加480万立方米,整理灌溉沟渠480条,改善与扩大灌溉面积共11万亩。[②]由于水利条件的改善,粮食作物和经济作物的播种面积和产量有所增加。1952年,全县水稻面积比1949年增长36%。[③]油菜播种面积由1949年的4.9万亩,上升到1955年的12.9万亩,增长164%;油菜总产由365万斤,增加到1797万斤,增长392.3%。[④]

扩大棉花种植面积。1949年种植棉花2.84万亩,品种为中棉,纤维短,品质差。1950年,人民政府颁布"粮棉比价,优质优价"政策,鼓励群众多种棉、种好棉。1952年,全县种植棉花面积增加到4.29

---

① 《巢湖市志》,第2页。
② 《巢湖市志》,第255—256页。
③ 《巢湖市志》,第169页。
④ 《巢湖市志》,第177页。

万亩。①

工业方面,主要是建立国营工业企业。

解放初,巢县先后建立了巢县酒厂(后来的巢湖市酒厂)、巢县电厂、巢县巢湖印刷厂3个国营工厂。这3个国营工厂都是由私营小厂改造而成。巢县酒厂原为私人办的柘皋鲍家糟坊,职工仅6人,手工操作,生产米醋、白酒等,年产量22吨。巢县电厂原有发电机容量27千瓦,仅供巢城商店、部分居民照明用电。巢湖印刷厂仅有5台印刷机,印刷一些文件、资料和地方小报等。② 1949年10月,巢县酒厂被改造为国营企业。1952年职工人数扩大到68人,当年,安徽省投资十多万元对工厂进行扩建。巢县电厂被改为国营企业后,1952年的发电量为5.56万千瓦时。③

在商业方面,主要是建立国营商业和供销合作社。

解放初,巢城私营商业有30多个行业,853户,从业人员(包括职工)约2400人,资金19万元左右,营业总额597.2万元,是国营商业的10倍以上。④

巢县解放后,先后建立了一批国营商业和供销合作社。1949年,成立巢县贸易支公司。1950年改为"中国百货公司巢县支公司柘皋办事处",经营批发、零售业务。同年,成立烟酒专卖管理处,禁止私自酿酒,将原料、生产、调运、储存纳入国家计划,统一管理。1952年,成立巢县百货商店,1953年改为巢县百货公司。供销合作社是农民集资入股组织起来的一种集体所有制商业合作经济组织。1950年6月1日,巢县供销合作总社在柘皋镇成立。随后,各区乡等基层也相继成立了15个供销社,成为全县农村商品经济的主体力量。

---

① 《巢湖市志》,第179页。
② 《巢湖市志》,第295页。
③ 《巢湖市志》,第308页。
④ 《巢湖市志》,第475页。

(五)实行土地改革

1950年6月,中央人民政府颁布《中华人民共和国土地改革法》。巢县的农村地区纷纷投入到轰轰烈烈的土地改革运动中。

1950年9月初,巢县人民政府成立土改委员会。9月中旬,根据中共巢湖地委建议,县委决定同地委一同在中苔区凤凰乡(环城乡)进行土改试点。在取得试点经验后,是年底,巢县土改全面展开。又经过几个月的时间,到1951年2月底,全县土改基本结束。

在整个土改中,全县共没收地主土地14.97万亩,征收半地主式富农、工商业者兼地主、小土地出租者等土地4.95万亩。4.6万户农民获益,获益人口18.62万人,分得土地16.12万亩。其中,4.16万户贫农人均分得土地0.78亩,4282户雇农人均分得土地1.29亩。收回公地8380亩。没收地主房屋1.07万间,获益农民2.84万户。没收耕牛4047头、驴47头,获益农民3881户。没收犁6040件,耙444件,水车583件,风车138件。没收粮食115.1万斤,获益农民2.9万户。[①]

经过土改,广大贫雇农无偿分到了土地,实现了"耕者有其田"。广大农民在自己的土地上劳动,生产积极性空前高涨。他们兴修水利、添置农具,使农村生产迅速发展。土改进一步巩固了乡村基层政权。土地改革运动中,涌现出大批积极分子,成为农民翻身的带头人。农会、共青团、民兵、妇女会等组织也在土地改革运动中发展壮大。

(六)建立新的文化、教育事业

巢县解放之初,巢县仅有幼儿园1所,入园儿童43人;小学43所(公立小学5所,民办小学38所),学生1296人;中学2所(公立、私立各1所),学生389人。遍布四乡的教育机构主要是私塾,有854所。[②]

---

① 《巢湖市志》,第155页。
② 《巢湖市志》,第794页。

巢县解放后,人民政府立即对各级学校进行接管,并对私塾进行改造。从1950年起,又着手兴办中、小学校。是年,增设中学1所,公办小学发展到11所,民办小学发展到188所。到1952年下半年,全县小学共计430所,入学学生4.16万人,教职工2070人,与1950年相比,学校数量增加7.4倍。[①] 中等专业学校也有所发展。新中国成立前,黄麓师范是巢县境内唯一的中等专业学校。1950年后,县内先后办起巢湖师范、巢县初师各1所。成人业余教育开始起步,并快速发展,创办了农民业余学校和工人业余学校。建立健全学校各种规章制度,提高教学质量。1949至1951年连续3年举办暑期教师教学研究班,以提高教师的教学水平。1952年,部分中学教师还参加了思想改造运动。

巢县解放初,全县文化单位仅有民众教育馆1所,没有固定的影院、剧院。巢县解放后,人民政权着手发展文化事业。首先是建立文化馆、文化站。1949年9月,巢城人民教育馆(不久改为巢城人民文化馆,1951年改为巢湖专区巢城中心文化馆)建立。次年3月,巢县文化馆在柘皋镇成立。[②] 县属各区、乡则建立文化站。其次是戏曲艺术的发展。巢县解放前,全县没有固定的专业剧团,也没有演出场所。1950年春,巢县第一个京剧团——艺光京剧团成立。同年,倒七戏"德胜班"成立。1951年,县文教科拨款在巢城中后街搭建一座毛竹芦席简易剧场。此后两年,"德胜班"在简易剧场的基础上盖了一座草顶木质结构的剧场,这也是巢县第一个固定的演出场所。再有,群众文化的发展。巢县解放后,群众文艺开始兴起,村村办冬学,课前课后教唱革命歌曲。烔炀、桐荫、黄麓一带,革命歌曲竞赛活动比较活跃,每逢集会,群众都要"拉歌"比赛,彰显着历史悠久的巢县民间文艺重新活跃起来。

巢县解放前,全县卫生事业落后,机构不健全,医务人员少。全县

---

① 《巢湖市志》,第796页。
② 1952年春,县政府由柘皋迁回巢城,巢县文化馆撤销。

仅有2所医院,设备简陋,医务人员10余人,此外还有50多名个体中西医在城乡各地行医。巢县解放后,人民政府着手建立新的卫生机构。1949年,县政府在柘皋筹建县卫生所。1952年,改为县卫生院,工作人员46人,设床位50张。① 1952年,省投资150万元兴建县医院,1954年建成。乡村卫生机构由无到有。1952年,成立柘皋、槐林、银屏3个公办区卫生所,烔炀1个集体卫生所;另组建联合诊所10所。妇幼保健事业开始起步。1952年,建立县妇幼保健站,下设柘皋、槐林2个分站,主要任务是培训接生员,推广新法接生。此外,为改变城乡公共卫生的落后面貌,1952年,全县广泛开始了爱国卫生运动。

巢县解放前,社会陋习有吸毒、嫖娼、赌博及包办婚姻等,且长期存在,人们也习以为常。解放后,人民政府把整顿社会风尚、建立社会新风尚作为民主改革的一项重要任务。1950年夏,人民政府发布禁止种植罂粟的公告。烔炀区及所辖各乡政府组织民兵一次铲除烟苗4000多亩,并查收了烟具,其他区乡也都开展严厉打击毒品的运动。这次禁烟运动,彻底根绝了自清末时起多次禁烟未果的状况,禁烟效果明显。1950年《中华人民共和国婚姻法》(简称《婚姻法》)颁布后,巢县按《婚姻法》办理登记结婚,取缔包办买卖婚姻,实行一夫一妻制。1953年3月,全县开展宣传贯彻《婚姻法》运动月活动,宣传婚姻自主。此外,县政府还开展了封锁妓院、戒赌等活动。这些措施的实施,打击了各种陈规陋习,净化了社会风气,全县社会新风尚迅速形成。

(七)人民团体的建立

巢县解放后,在中共巢县县委的领导下,工会、农会、青年团、妇联等人民团体相继建立。这些新建立的人民团体团结和带领各界群众积极参加各项社会改革运动和建设事业,发挥了十分重要的作用。

1950年5月1日,巢县总工会在柘皋成立(1953年迁至巢城)。总工会成立后,积极发展会员,并按行业建立了铁路、邮电、手工等基

---

① 《巢湖市志》,第830页。

层工会,领导职工积极参与各项社会事业建设。县总工会组织工人参加抗美援朝、捐款购飞机大炮、投身"三反五反"、防洪救灾、支农抗旱等一系列中心工作。各行业工会还介绍失业工人就业,组织职工补习文化,举办各种形式的业余文化学校。据统计,1952年年底,全县入学职工2419人,占职工总数的23.6%。[1]

1950年5月,巢县农民协会(简称县农会)成立,各区、乡也普遍建立了基层农会组织。年底,全县农会会员发展到7.7384万人,有农会干部1435人。[2] 农民协会成立后,在发动农民进行土地改革、引导农民开展互助合作运动、发展生产等方面,发挥了重要的作用。

1950年,中国新民主主义青年团巢县委员会(简称团县委)成立,各区也相继成立区工委,中学也开始建立团组织。团组织在党的各项中心工作中,成为忠实助手和后备军,更是社会主义革命和社会主义建设的突击力量。1950年抗美援朝运动中,团组织发动青年参军参干,全县700多名青年报名入伍,奔赴朝鲜前线。1951年,在"镇反"和"三反""五反"运动中,团员青年立场坚定,揭发了不少贪污分子和资本家偷税、漏税等违法行为。1953年,团员青年积极参加"三大改造"运动。农村团组织在合作化高潮中大力开展扫盲工作,协助中共培养青年人才,组织、动员青年入社,不少团员青年成为合作社中的领导骨干。

1951年12月,巢县民主妇女联合会(简称县妇联)成立,并召开第一届妇女代表大会。随后,全县12个区也相继成立妇联组织。县各级妇联成立后,积极发挥"半边天"的作用。在抗美援朝中,妇联发动妇女做军鞋、绣荷包献给志愿军,并为烈军属代耕、洗衣服,从各方面帮助政府做好优抚工作。妇女杨桂芝由于工作突出,1950年被评为省优抚模范。在农业合作化运动中,各级妇联组织举办妇女培训班,培训大批社队女干部。当时,全县妇女担任合作社社长的有32

---

[1] 《巢湖市志》,第610页。
[2] 《巢湖市志》,第612页。

人,副社长有 429 人,委员 778 人,监委主任 46 人,副主任 38 人,生产队长 119 人,副队长 1485 人,生产组长 552 人,副组长 4809 人。妇女干部占全县社队干部总数的 30% 以上。[1] 各级妇联在宣传贯彻《婚姻法》中,大力维护妇女合法权益,并与卫生保健部门配合,广泛开展对妇女"四期"(经期、孕期、产期、哺乳期)的卫生保护,推行新法接生,训练新法接生员。

(八)行政区划

1949 至 1952 年,巢县的行政隶属关系变动较大。1949 年 2 月巢县解放后,行政上隶属于江淮解放区第五行政区,县人民政府设在柘皋镇。1949 年 4 月 21 日,巢县改属皖北行署巢湖专区。1952 年 1 月,巢湖专区撤销。2 月,巢县改属芜湖专区。同年,县人民政府由柘皋迁至巢城。

解放伊始,巢县仅辖巢湖以北的新城、中苔、炯黄、新民、柘黄 5 个区和 6 个街道。1949 年 5 月,巢湖以南的湖东县撤销,其所辖的槐林、坝镇划归巢县;无为县所辖的银屏区亦划归巢县。巢县基本恢复旧有县域。1952 年,庐江县七里乡金城一社居南大圩划归巢县。至此,全县共有新城、新民、黄山、夏阁、炯炀、银屏、坝镇、柘皋、清涧、鲁桥、中垾、中庙、槐林等 13 个区 155 个乡、镇。

二、三大改造与"一五"计划

(一)宣传总路线

1953 年,中共过渡时期总路线公布后,巢县县委根据上级指示,对贯彻执行党的过渡时期总路线作具体部署。11 月 11 日,中共巢县县委召开县、区、乡三级干部扩大会议,学习党在过渡时期的总路线、

---

[1] 《巢湖市志》,第 614 页。

总任务、总政策。11月23日,县委组织大批机关干部到农村宣传总路线。通过宣传教育,提高广大干部群众的思想觉悟,动员全县人民积极参加到建设社会主义的热潮中去。

(二)农业合作化运动

土地改革后,农民获得了土地,但一部分贫农因缺乏其他生产资料,无法在分得的土地上发展生产,摆脱贫穷。同时,一家一户的小农经济没有兴修水利、抵御自然灾害的能力,许多农民有走合作化道路的愿望。为此,中共巢县县委根据中央、省委的指示,号召农民组织起来,走互助合作的道路。

巢县的农业合作化运动,经历了由点到面、由少到多、由低级(互助组)到高级(农业合作社)的发展过程。

1951年8月10日,下汤乡(原新城乡)苏圩村农民杨桂枝(女)带头试办农业互助组,为全县第一个农业互助组。到年底,全县发展常年农业互助组17个,参加农户132户;临时性互助组672个,参加农户4776户。1953年,常年互助组发展到681个,参加农户6901户;临时性互助组发展到6808个,参加户数7.24万户。1955年,全县互助组发展到6835个,参加农户6.47万户,占农户总数的57.3%;参加人口26.71万人,占农业人口总数的56.5%。[1] 互助组实行自愿互利和等价交换的原则,劳力、耕畜、农具甚至农艺全面互助,以解决一家一户劳力、耕畜、农具不足的困难,以评工记分的形式实行等价交换,年终分配时结算。

这一时期兴办的互助组虽然打破了农民个体经济的局限性,但仍存在规模狭小、经营分散、很难有效地利用土地、劳力和资金等问题,仍然束缚生产力的发展。1952年2月,新城乡在互助组的基础上,试办杨桂枝农业生产合作社。到年底,全县兴办合作社7个,入社农户63户,占总农户的0.05%;入社人口278人,占总人口的

---

[1] 《巢湖市志》,第155—156页。

0.06%。这7个合作社共有耕畜11头，经营耕地419亩。1953年，全县合作社发展到18个，其中，自发组织成立的有12个。全县加入合作社的农户118户、入社人口483人，占总农户和总人口的0.1%。1955年，全县共兴办初级农业社984个，入社农户17764户，占总农户的15.7%；入社人口7.5万人，占总人口的15.8%；入社耕畜2628头，经营土地18.01万亩。①

从1955年春开始，全国兴起大规模的农业合作化运动，并在1956年达到高潮，在大趋势影响和各级党委、人民政府的大力支持鼓励下，巢县亦掀起兴办更高一级农业合作社热潮。在1955年春，巢县下汤乡有5个初级社合并，成立高级农业社，是全县第一个高级农业社。1956年年底，全县兴办高级社451个，入社农户10.89万户，占总农户87.2%；入社人口44.99万人，占总人口89.2%。1957年，全县共有高级社430个，入社农户11.81户，占总农户99.2%，基本上实现了农业合作化。②

(三)手工业的社会主义改造

巢县手工业生产历史悠久，生产有许多具有地方特色的手工业品。如散兵的陶瓷；黄山的蚕丝布；炯炀、柘皋的土纱土布等。但由于手工业长期沿用古老笨重的生产方式，劳动生产率很低，不少技艺濒临失传。巢县解放后，全县的手工业有所恢复并发展。到1952年，全县手工业个体户由1949年的4843户增加到4991户；从业人数由8200人增加到8708人；总产值由5万元增加到56万元。③

巢县手工业社会主义改造源于早先零星出现的手工业合作社。1951年5月，巢城的邵国鉴、吴林智等12个铁匠铺，按照"自愿互利"的原则，合并成立巢县第一个手工业生产合作社，即城关铁器生产合作社，也是全国最早组织起来的3个铁器生产合作社之一。全社有

---

① 《巢湖市志》，第156页。
② 《巢湖市志》，第156页。
③ 《巢湖市志》，第296页。

工人48人，红炉12张，自筹资金5000元。1952年，全县手工业进一步扩大合作组织的试点工作，至1955年，相继成立了铁、木、竹、缝纫等8个生产合作社、组，从业人员240人。这些社、组当年的劳动生产率即比个体手工业提高10%～30%。1956年，全县手工业合作社、组发展到62个，职工人数增加到3368人，占手工业总数的67%，基本实现了对个体手工业的社会主义改造。①

（四）私营工商业的社会主义改造

解放初，新政权为恢复和发展商业，一方面新建国营商业机构，另一方面采取措施保护私营商业的合法经营，使私营商业逐渐恢复并有所发展。1950年，巢县私营商业在全县商业中占有明显优势，私营商业营业总额达597.2万元，是国营商业的10余倍。②

1952年，国营商业机构开始在巢城的百货、棉布、南货三个主要行业中组织同业工会，实行联购分销、定价出售。1954年，国家对粮、油、棉实行统购统销。粮、油由国家统一经营，棉布由零售商为国营代销。1955年，私营商业组织成立了14个中心商店、97个自负盈亏的合作小组，从业人员925人；另外有个体经销和自营的136户，代销的280户。人民政府又根据经商户经商所得与其生活来源的关系情况，逐户安排营业额，定额收税，银行贷款。1956年1月12日，巢县成立对资本主义工商业改造工作领导组，开展对私营工商业社会主义改造。全县269户个体工商业者分别组成15个公私合营商业，由对口的国营专业公司统一领导。同时，成立由公方、职工、私方等人员组成的店务委员会，进行清产核资、折价入股、实行定息制度；对私方人员，量才录用，安排适当工作，担任副经理的有14人。③

---

① 巢湖文化研究会编著：《巢湖文化全书·工商文化卷》，皖CH－2011－08号，2011年版，第306页。
② 《巢湖市志》，第475页。
③ 《巢湖市志》，第475页。

(五)1954年抗洪救灾

1954年,安徽省遭遇百年未遇特大洪水,位于江淮之间、湖泊河流众多的巢县亦未幸免。是年,巢县全年降雨量1604毫米,且雨量集中。其中5月至8月的降雨量就达1054.8毫米,接近或超过正常年景的全年降水量。巢湖水位4月20日开始上涨,8月份达到最高,为12.93米,比1931年最高水位高出0.91米,比1949年最高水位高出1.66米。县内大小湖泊、河流水位全部暴涨。特大洪水,致使全县所有圩口全部溃破,受淹田地约27.52万亩,减产约1.376亿斤;全县有11个区,83个乡,4.1万户,16.52万人受灾。受淹房屋约4.87万间,倒塌冲毁房屋约1.34万间。淹死11人,抢险和倒墙打伤8人。家禽家畜溺水死亡甚多。[①]

灾情发生后,中共巢县县委、县政府立即组织抗洪救灾工作。县委发出《关于今后灾区生产自救工作的布置》,号召全县发展以互助合作为中心的生产救灾运动,度过灾荒。全县共抢救、转移、安置灾民10.8万余人,发放赈济粮297万余斤,发救济款241万元。同时组织灾民生产自救,发动社会互济。[②]

(六)"一五"时期经济社会发展

1953至1957年,是巢县执行国民经济与社会发展第一个五年计划时期(简称"一五"时期)。这一时期,巢县的农业、工业及社会各项事业都取得了较快发展。

农业方面。1955年,巢县开始推广双季稻,引进山芋新品种。对圩田耕作制进行改进,由原一熟制改为两熟制度,有条件的还向三熟制过渡。是年,全县粮食总产量4.38亿斤,创历史最高纪录。1956年9月,巢县第一座中型水库——下汤水库建成,灌溉面积1.36万亩。

---

① 《巢湖市志》,第139—140页。
② 《巢湖市志》,第675页。

由于耕作制度和水利条件的改善,农业生产发展较快。水稻生产:1957年,巢县水稻播种面积比1952年增长2.8%,单产增长17.6%,总产增长20.9%。"一五"时期,水稻平均年播种面积58.38万亩,单产346斤,平均总产2.95亿斤。① 棉花生产:1954年,巢县在炯炀、黄麓两区引进推广良种棉。1955年种植面积上升到7.59万亩,单产23斤,总产1.78万担。1957年发展到9.5万亩,平均单产43斤,总产4.08万担。② 茶叶发展较快:1949年,全县茶林面积200亩,年产36担,1957年面积扩大到450亩,年产589担。③ 畜牧业有所发展:1957年生猪全年饲养12.1万头,比1952年增长55.5%;年末存栏5.6万头,增长53.8%。年末存栏羊3500头,增长40%;家禽存栏87.3万只,增长40.4%。大牲畜饲养虽受折价入社的影响,但存栏数仍达2.51万头,增长26.8%。1957年全县畜牧产值1576万元。④

工业方面。巢县酒厂、电厂、巢湖印刷厂3家国营工业企业有所发展。到1956年,酒厂职工人数发展到54人,年产白酒550吨;电厂经过几次扩建,发电机容量增加到150千瓦;印刷厂的印刷机增加到15台。3个厂职工总数约300人,固定资产31.24万元,年产值68.1万元,利润5.82万元,上交税金4.318万元。巢县窑厂⑤到1956年扩大到8口土窑,年产砖300万块。手工业发展较快。1957年,巢县出现了由联社投资兴办的合作工厂。是年,全县手工业总产值达到263万元,比合作化初期增长14倍。⑥

"一五"时期,巢县教育事业获得一定的发展。幼儿教育方面,到1956年,县幼儿园发展到8个班,入园幼儿达400人。小学教育方面,1952年下半年,巢县小学数达430所,入学儿童4.16万人,教职工数为2070人。1953年,安徽省教育厅重点调查巢县炯炀大高、河

---

① 《巢湖市志》,第169页。
② 《巢湖市志》,第179页。
③ 《巢湖市志》,第181页。
④ 《巢湖市志》,第213页。
⑤ 1951年由县窑业公会兴办,建厂初期,仅有2口土窑,年产青砖约50万块。
⑥ 《巢湖市志》,第297页。

滩两学区,作为制定全省整顿小学方案的依据,提出在不减少学龄儿童入学的情况下,学校数减少到330所,教职工数减少到1859人。经过整顿,学校布局比较合理,教学秩序趋向正常,教学质量提高。中学教育方面,学校数虽未增加,但入学人数和班级有所增加。到1957年,巢县的中学仍为3所,但高中班由解放初的2个增至10个,在校学生由60人增至515人;初中班由解放初的7个增至37个,在校学生由329人增至2221人。业余教育发展较快,这一时期,兴办了形式多样的业余学校。到1956年,巢县共有民校及识字班1041所、1587个班,学习小组455个,包教包学送字小组107个,入学农民4.66万人;职工业余学校5所,共33个班,学员1310人。①

"一五"时期,巢县卫生事业有所发展。第一,建立防疫站、血防站。1956年1月,防疫股从县卫生院分出,成立县卫生防疫站。1956年3月,安徽省投资3万元,兴建巢县血吸虫病防治站(简称血防站),下设银屏、槐林两个防治组。1957年增设半汤、夏阁、司集血防组。第二,成立联合诊所。1954年,组织个体中西医生成立联合诊所。这些原先分散的医务人员在普种牛痘、扑灭疫情、防汛救灾等社会公益活动中发挥了作用。到1957年,公办卫生所和联合诊所发展到69所,分布于农村各集镇。第三,医院床位和卫生技术人员也有所增加。到1957年,全县的医院床位由1952年的50张增至60张,卫生技术人员由141人增至376人。②

"一五"时期,巢县文化事业亦取得不小的进步。第一,兴建了一批新的文化机构。1957年春,巢城中心文化馆、烔炀文化馆合并建立巢县文化馆,同时撤销各区文化站,改设槐林、烔炀、柘皋、黄山4个文化分馆。1956年10月,在接收县文化馆图书室的基础上,扩建成县图书馆,藏书近万册,经费不足2000元。③ 1956年,全县有2个流动电影放映队。同年冬,巢湖电影院建成。1956年10月,建立巢县

---

① 《巢湖市志》,第792、794、800、809、811页。
② 《巢湖市志》,第838页。
③ 《巢湖市志》,第749页。

有线广播站。第二,戏曲艺术的发展。1954年,巢县庐剧团成立。巢县民歌获得发展,并培育出一批优秀的民歌歌手。1955年3月,农民歌手胡吉英、刘宏英把民歌对唱《姑嫂对花》唱到了北京怀仁堂,受到了毛泽东、刘少奇、周恩来、朱德等党和国家领导人的亲切接见。此后,巢湖民歌在全省、全国的影响力日益扩大。

(七)社会主义政治建设

1953年元月,巢县着手新中国成立以来的第一届人民代表选举工作。县、乡分别成立了选举委员会,开展划分选区,划编选民小组,审查选民资格等工作。全县选出各界人民代表460名。[①] 1954年3月14日至19日,巢县第一届人民代表大会第一次会议在巢城召开。会议选举出巢县县长、副县长、政府委员,成立巢县人民政府(1956年元月,县人民政府改称县人民委员会);听取审议政府工作报告;通过学习宣传过渡时期总路线的报告等。

1955年4月9日,中国人民政治协商会议巢县委员会成立。6月20日至23日,巢县政协第一届委员会第一次会议召开,出席会议的委员38人(全体委员43人),列席11人。会议听取了巢县各界人民代表会议常务委员会的工作报告;传达周恩来总理在政协全国第二届委员会第一次会议上作的政治报告;通过了关于巢县各界人民代表会议常务委员会工作报告的决议;选出了本届委员会主席、副主席和常务委员。

1956年3月8日至11日,中共巢县第一次党员代表大会召开,出席会议的正式代表308人,列席代表63人。大会听取县委7年来的工作报告,讨论和通过了1956年主要工作任务。会议选举产生了由19名委员、3名候补委员组成的中共巢县第一届委员会,郑重任中共巢县县委书记,选举7名党员代表出席中共安徽省第一次党代会。

[①] 《巢湖市志》,第625页。

三、探索与曲折

(一)农业"大跃进"及人民公社化

1958年5月,中共八大二次会议通过了"鼓足干劲、力争上游、多快好省地建设社会主义"的总路线。会后,"大跃进"运动在全国范围内开展开来。在此形势下,巢县①各行各业的"大跃进"热潮扑面而来。

巢县农业"大跃进"主要表现在大办水利、积肥运动和竞放高产"卫星"等方面。1958年初冬,在安徽全省大办水利的热潮中,巢县提出"大战一冬春,完成兴修土方一亿五千万立米,百日无雨不旱,一年不雨保丰收"的目标,组织动员农民投入水利兴修。由于仓促而起,只求数量,忽视质量,水利工程质量较差,上报的土方完成量出现浮夸。

与兴修水利同时兴起的是积肥运动。1958年,巢县推行"熏、换、挖、扫、铲(草皮)、堆、沤、捞(塘、河泥)、打(秧草)"等10字法,开展积肥运动。由于无法完成预定的积肥任务,造假数字层出不穷。

竞放高产卫星是农业"大跃进"的特征之一。1958年8月中旬,巢县柘皋区新陈乡红旗农业社放出亩产2.2万斤以上的中稻大"卫星"。8月下旬,巢县又放出3万斤的中稻卫星。此后,"卫星"越放越高,浮夸风盛行一时。

人民公社化是农业"大跃进"运动催生的产物,是对农村社会制度、生产关系和组织形式的重大变革。1958年9月初,巢县开始试办人民公社,最先在炯炀、复兴(黄麓)两乡试行,试行工作进展很快,仅一周时间即告完成。到月底,全县即实现了"人民公社化",在原有的35个乡镇的基础上合并成立21个人民公社,平均每社5806户。其中,规模最大的炯炀人民公社由3个乡合并,共1.42万户,规模最小

---

① 这一时期,巢县隶属关于变化较大。1958年8月7日,巢县由芜湖专区改属合肥市领导。1961年4月13日,又改回芜湖专区。1965年7月14日,巢湖专区复建,专区驻地巢城,巢县又改属巢湖专区。

的亚父人民公社也有 2040 户。①

(二)工业"大跃进"

工业"大跃进"主要表现为全民大办钢铁。1958 年 8 月 23 日,中共巢县县委向全县发出"大办钢铁"号召,并成立冶金指挥部,下设重工业局,在全县范围内掀起大办钢铁的群众运动。是年,共约 10 万人参加了大炼钢铁运动。据统计,当年有 1.5 立方米以下小土炉 727 座、宝塔式土炉 54 座、坩埚 47 万只、2 立方米小热风炉 58 座、8 立方米以上高炉 12 座;年产钢 3809 吨,生铁 1.5 万吨。② 在巢城周围较大的钢铁厂有 4 个,其中省属的有皖江钢铁厂和政法钢铁厂,县属的巢县钢铁厂和民兵师钢铁厂。由于土法上马,矿石、燃料缺乏,钢铁质量低劣,亏损太大,得不偿失,从 1959 年开始,4 个钢铁厂相继"下马"。

手工业的"大跃进"主要表现为,在短时间内由个体、合作性质迅速升为国营。1958 年,巢县大部分手工业合作社、组或"升级"为国营,或转为合作工厂,或下放到人民公社。在 64 个手工业合作社、组中,转为国营的有服装、竹器、五金、日用品、棉针织、夏布等 6 个企业;由自负盈亏的社、组升级为统负盈亏的合作工厂的有 17 个;区社基层社、组除城关、柘皋、烔炀仍属于手联社领导外,其余交所在人民公社直接领导。这种强制性的"升级"和不适当的"下放",使手工业生产遭到严重的损害。1962 年,全县手工业总产值比 1957 年下降 9.4%,造成手工业品市场供应紧张。③

一哄而起、大办工业也是工业"大跃进"的特点之一。巢县工业基础原本较为薄弱,全民所有制工业企业只有 3 家,职工约 300 人。1958 年,在"大跃进"的热潮中,全县掀起大办工业的运动。仅仅 10 个月左右的时间内,兴办有农机厂、胜利煤矿、化工厂、化肥厂、纺

---

① 《巢湖市志》,第 157 页。
② 《巢湖市志》,第 307 页。
③ 《巢湖市志》,第 297 页。

织厂、针织厂、电机厂、窑厂、酒厂等9个国营厂矿,有职工3000余人。①

(三)文化、教育等"大跃进"

1958年的"大跃进"运动波及全社会各个方面,文化、教育事业也卷入其中,掀起"大跃进"的热潮。

巢县司集乡全国群众文化现场会

巢县的群众性诗歌创作,历史悠久,且代代相习。1958年的"大跃进"运动更对巢县诗歌创作起着推波助澜的作用。比较典型的有司集乡,大大小小的诗歌创作组多达267个,参加传唱及创作人数达1.32万余人。全乡的人,几乎"人人是歌手,个个是诗人,诗画满墙头、歌声遍山野",被称为全省文化放"卫星"之乡,甚至在全国都有相当的影响。1958年9月2日,全国社会主义歌唱运动现场会议在司集乡召开。国家文化部副部长钱俊瑞率江苏、河南、江西和湖北4省的文化局长来司集乡参观考察。参观结束后,钱俊瑞写下一首诗来概括司集乡的文化活动:

---

① 《巢湖市志》,第295页。

政治来挂帅,生产大解放。工农知识化,生产大高涨。
人人学科学,技术个个强。人人看电影,每月两三场。
人人能唱歌,歌声满城乡。人人能舞蹈,男女喜洋洋。
人人能创作,诗歌是海洋。人人能画画,处处是画廊。
人人能表演,百花齐开放。文化大普及,红旗天下扬。①

这首诗比较生动地描述了司集乡的诗歌在"大跃进"中的情景。司集乡有人口2.1万,参加诗歌创作的就有1.5万多人,能够创作兼歌唱的有1.3万多人。② 有人形容司集乡,"作家千千万,李杜也平常""三岁女童成歌手,八十老妈舞蹈忙"。"大跃进"期间,司集乡组织男女老幼各种诗歌合唱团,如"老黄忠合唱团""穆桂英合唱团""少年罗成合唱团"等,乡里涌现出许多诗歌作者和民歌手。其中,农民诗人戴永良还代表司集乡参加了1958年在北京召开的中国民间文学座谈会,并成为中国民间文学研究会会员。

教育"大跃进"主要表现为在短时间内快速兴办数量众多的各级各类学校。在幼儿教育方面,1958年,巢县盲目发展幼儿园、托儿所,当年猛增至515所,1959年减至491所;1960年又增至641所,入园幼儿达2.2万人,教职工总数1246人。在641所幼儿园、托儿所中,教育部门仅办有2所(城关1所、幼师附属1所),其他部门办有2所,人民公社办的最多,达637所。在小学方面,1958年,全县在学校和教师均未增加的条件下,班级数发展到1506班,在校学生增加到6.77万人,并宣称已基本普及了小学教育。中学方面,1958至1960年,共建初中14所,并兴建22处小学"戴帽"初中(在小学中办初中班)。工农业余教育也掀起"大跃进"高潮。1958年,巢县民校增加到2700多所(班),比上年猛增1倍以上;办业余高小班400所左右。此

---

① 中共安徽省委党史研究室编:《"大跃进"运动和六十年代国民经济调整(安徽卷)》,安徽人民出版社2001年版,第147页。
② 《"大跃进"运动和六十年代国民经济调整(安徽卷)》,第150页。

外,还举办各类"红专"学校多所。①

由于各级学校发展过多过快,致使师资、办学条件和设备等都跟不上,严重影响教育质量,甚至名不符实,许多学校在兴办不久即相继停办。如幼儿教育因教养员文化水平低,工资无保证,绝大多数于1960年后相继停办。

(四)困难局面的出现

"大跃进"和人民公社化运动使巢县的国民经济遭受严重的挫折。在农业方面,从1958到1961年,在盲目追求"高速度、高指标、高产量、高征购"的政策中,农民的生产积极性遭到严重挫伤,导致粮食大幅度减产。1961年全县粮食总产量降到2.2亿斤,与1949年的2.1亿斤大体相当。当年,还迫不得已用掉国家库存696万斤。到5月底,全县粮食库存仅有区区413万斤,为1953年同期库存粮食2668万斤的15.48%。全县农民平均每人每天只有不到0.5斤原粮可食,被迫以瓜菜等可食物充饥。对城镇人口口粮供应采取压缩供应人口、压减供应标准的办法,到年底减少商品粮供应人口4.87万人,1963年又减少4255人。每月减少粮食供应量16.17万斤。② 由于口粮不足,巢县农村同全国农村的许多地方一样,出现了严重的饥饿、逃荒和非正常死亡现象。1959年7月24日,中共合肥市委在《关于巢县浮肿病的情况报告》中指出:6月下旬到7月下旬,巢县发病人数高达2.55万人,死亡344人。③ 到了1960年春,发病和死亡现象更加严重。是年,全县出生人口仅3395人,出生率7.54‰,死亡4.55万人,死亡率高达101.24‰,人口自然增长率为-93.7‰。④

在工业方面,由于片面强调发展重工业尤其是钢铁工业,加上所

---

① 《巢湖市志》,第792、795、800、809页。
② 《巢湖市志》,第507页。
③ 巢湖地区地方志编纂委员会编:《巢湖地区简志》,黄山书社1995年版,第15页。
④ 《巢湖市志》,第147页。

谓"五小"(指县办的小化肥厂、小钢铁厂、小水泥厂、小农机厂和小煤矿等)企业遍地开花,一哄而上,管理混乱,产品质量参差不齐,致使工业生产水平大幅倒退。1962年,全县工业亏损达8.73万元。[①] 同时期,商业大幅萎缩,市场上副食品、蔬菜、日用工业品匮乏,人民生活受到严重影响。

(五)调整国民经济

面对严重经济困难局面的出现,1960年冬,中共中央发出指示信,开始纠正农村工作中"左"的错误;1961年又提出"调整、巩固、充实、提高"的八字方针,对国民经济进行调整。从1961年开始,巢县经济社会发展逐步进入调整时期。

农业的调整,主要表现为推行"责任田"。1961年3月,中共安徽省委决定在全省扩大推行"责任田"办法。当月下旬,中共巢县县委根据省委要求,开始在全县推广"责任田"。仅1年时间,"责任田"便全面推开,极大地调动了农民的生产积极性。巢县劳模杨桂枝在省委召集出席省人代会的部分劳模座谈会上说:"实行责任田能多收粮食,群众自己买工具,老老少少都参加劳动,做活讲究质量,圆田变方田,连田埂两边都种了粮食,多年的田漏子也补好了,田底子恢复了,有的群众甚至卖掉老母鸡买化肥。"[②]巢县及时推行"责任田",对尽快克服困难局面,度过粮食危机,起到了有效的作用。

工业的调整,主要是压缩基建规模和精简职工。根据"八字"方针,巢县对一批盲目发展的工厂企业实行关、停、并、转,到1962年,全县工业企业仅保留酒厂、造纸厂、农机厂3个企业。基建项目一律暂停。同时,精简下放一批职工。从1960到1963年,全县共精简职工3045人,其中下放回农村参加生产的2465人。[③]

手工业的调整,主要是恢复手工业原有管理体制,将快速"升级"

---

① 《巢湖市志》,第295页。
② 周曰礼:《农村改革理论与实践》,中共党史出版社1998年版,第648页。
③ 《巢湖市志》,第692页。

为国营的手工业合作社、组退回到原来的合作组织,并改善经营管理,使之基本恢复到合作化时期的水平。

商业的调整,主要是初步开放集市贸易,搞活商品流通。1960年,巢县市场上副食品、蔬菜、日用工业品等人民生活必需品匮乏。鉴于此,当年12月,巢县着手开放初级市场,仅1个月内,全县40个集市迅速恢复。但上市的品种、数量仍很匮乏,巢城农贸市场的上市品种仅48种。1962年,随着国民经济进入调整时期,特别是农业生产开始走出低谷,巢县集市贸易开始活跃。到1963年,上市商品达283种,市场贸易恢复如前。[1]

在调整国民经济的同时,巢县还进行了甄别平反工作。1961年,中共巢县监委专门成立甄别办公室,对党员和干部1957年以来被处分的案件进行认真全面的甄别。到1962年12月底,甄别结案人数占案件总数的98%。到1964年上半年,甄别工作全部结束,平反的党员和干部占被处分总数的70%以上。[2]

(六)"栏杆集事件"

由于责任田的推行,农业生产得到恢复,粮、棉、油和各种家禽家畜有了较大增长,一些农民便把手中余粮和其他农副产品拿到集市上出售,从而使萧条多年的农村集市贸易开始活跃起来。

栏杆集地处肥东、巢县、全椒三县交界,与巢县青岗公社紧邻,当时属肥东县管辖。这里集市繁荣,集上不仅有公家的供销社、粮店,还有私人开设的粮、油、棉、土纱、土布行和牛行、猪行49个,饭店、油炸锅26家,烟酒、百货摊贩20多处,经常从事经营人员200多人。[3]每到逢集,三县交界处的老百姓带来各种农副产品到栏杆集交易,整个集市熙熙攘攘,有"小香港"之称。

---

[1] 《巢湖工商行政管理志》编纂办公室:《巢湖工商行政管理志》,黄山书社1993年版,第50页。
[2] 《巢湖市志》,第604页。
[3] 《巢湖文化全书·历史文化卷》,第126页。

1963年7月,中央财贸检查组到青岗公社检查工作,公社副主任王秀福在汇报工作时说,栏杆集生意兴隆,十分繁荣,除枪炮子弹外,什么东西都能买得到。此话引起中央财贸检查组的警觉。时隔一年后,1964年9月,中央财贸检查组再次来到青岗公社进行暗访,不料走漏了风声。当他们来到栏杆集时,发现这里冷冷清清。原来得知消息的农民临时把农副产品交易转移到了栏杆集东边大武村进行。中央检查组觉得事态严重,认为青岗有和投资倒把分子内外勾结、通风报信的人。就此,检查组向中央写了调查报告。此后,中央打电话到安徽,指出栏杆集投机倒把猖狂,资本主义泛滥严重。

中共安徽省委接到中央指示后,于1964年11月7日组成工作组进驻栏杆集,发动打击投资倒把、打击资本主义的攻势,成立专案组调查。刚刚兴起的栏杆贸易集市就这样被取缔扼杀了。当时,省里还在栏杆集召开了肥东、巢县打击投机倒把联防会议。会上宣布取缔摊贩、商行的决定,以巩固社会主义阵地,巩固全民所有制经济和人民公社集体经济。会后,巢县县委对青岗公社书记管育志、公社管委副主任王秀福、刘家祥给予撤职处理,并由县公安局拘捕了青岗公社3名生产队干部。

四、"文化大革命"10年

(一)红卫兵运动

1966年5月16日,《中国共产党中央委员会通知》(又称"五一六通知")发布,宣告长达10年全国范围的"文化大革命"运动的开始。

巢县的"文化大革命"运动首先是在教育领域展开。6月,巢县各中小学校师生、主要是中学学生掀起了以批判学校校长、教师为对象的斗"黑帮"浪潮。师生们以"四大"(大鸣、大放、大字报、大辩论)为武器,向所谓"黑帮"开战。各学校内大字报铺天盖地,各种乱揪乱斗的现象不断发生。有些学校的校长,一些家庭成分高(即指地主、富农、资本家成分)或与反革命、右派分子有血缘关系的教师和极少数学生或是遭到人身攻击,或被揪斗。有些人不堪侮辱,自杀身亡。巢县第一中学教师方百湘,因不堪红卫兵的侮辱,于6月9日在巢城郊区卧轨自杀。①

7月6日晚,巢城大街上出现了第一张矛头直指中共巢县县委主要负责人的大字报。这标志着巢县"文化大革命"运动的对象开始指向"走资本主义道路的当权派"。

在此前后的时间内,受全国轰轰烈烈的"文化大革命"运动的影响,特别是受到合肥红卫兵的熏染,巢县的红卫兵运动发展十分迅速。并在巢县掀起了破"四旧"的高潮。这些以青年学生为主体的红卫兵,高喊着"横扫一切牛鬼蛇神"的口号,大破"四旧",将众多的传统文化典籍付之一炬,大量文物遭到洗劫。一大批知识分子、领导干部和地富反坏右分子被抄家,遭批斗。

到10月前后,巢县的红卫兵和中小学师生开始大批拥向北京,接受毛泽东的检阅,后来又走向全国各地,进行"革命"的大串联。同时,全国各地大中学校师生或路过或串连到巢县,鼓动"文化大革命"。大串联使学生们见到了"大世面",并受到"启发",回来后造反的胆子更大了。全县中小学及一些文化单位先后组织起造反组织,巢县一中、二中的造反组织开始冲击并占据县党政机关,把攻击的火力集中转向各级党政领导机关的所谓"走资本主义道路的当权派"。在"踢开党委闹革命"的口号下,巢县各级党政机关,包括公、检、法均遭到冲击,领导干部被当作"走资派"遭到揪斗,有的被殴打致伤、致残。许多机关处于瘫痪半瘫痪状态,工农业生产陷入无人过问的局面,社会秩序遭到严重破坏,动乱层出不穷。

(二)"三支两军"

1967年上海"一月风暴"后,巢县造反派组织掀起了夺取党政机

---

① 钱征主编:《巢湖历史上的今天(1949—2009)》,黄山书社2009年版,第165页。

关领导权的狂暴行动,1月底,巢城造反派夺取了中共巢县县委、县人委和县直单位的党、政、财、文大权。

当时,巢县的各类"造反"组织众多,其中成立较早、人数多、影响较大的有"巢县一中革命造反司令部""巢县一中革命造反联合司令部""巢县二中革命造反兵团""巢县二中联合造反兵团""巢县搬运公司工人造反司令部"等。后来商业、工交系统也纷纷成立起大大小小的造反组织。在全面夺权的过程中,各造反派组织为争权夺利,拉帮结派,争斗激烈,以至酿成武斗,并发生了抢枪事件,导致社会动乱进一步恶化,许多工厂停工停产,交通也经常堵塞,严重影响正常生产生活。

为了约束混乱状况,毛泽东号召群众组织实现大联合,要求正确对待干部,并派人民解放军执行"三支两军"(支左、支工、支农、军管、军训)任务,派工人毛泽东思想宣传队进驻学校。1967年1月23日,巢县人民武装部奉命对全县重要目标实行军事管制。2月14日,巢县革命造反派工农业生产临时指挥部成立。3月底,临时指挥部改为"巢县抓革命促生产第一线指挥部",人员构成以军队干部为主,另配以少数地方干部和造反派。在"支左"部队的领导下,巢县各造反派于1967年年底组织大联合,成立联合委员会。

(三)成立革命委员会

1968年3月,巢县的东风路小学在全县率先成立了校革命委员会。嗣后,一些工厂、学校、基层单位、农村人民公社在"大联合""三结合"的基础上,相继成立革命委员会。8月12日,安徽省革命委员会批准巢县革命委员会成立。至8月下旬,全县各区、社革命委员会全部成立。巢县革委会按照"三结合"的原则,有"支左"部队干部、解放的革命干部和造反派代表组成,其中部队干部居多。各级革委会集党政大权于一身,实行党政合一、高度集中的领导体制。革委会成立后,"一手抓革命,一手促生产",学生逐步复课,工厂逐步开工,持续动乱的局面初步得到遏制,工农业生产开始恢复。

(四)"斗、批、改"运动

1968年9月17日,《人民日报》《解放军报》发表《无产阶级文化大革命的全面胜利万岁》的社论,标志着"文化大革命"运动进入了"斗、批、改"阶段。这一阶段的内容主要有建立革委会、大批判、清理阶级队伍、整党、精简机构、改革不合理的规章制度,下放科室人员等。在实际过程中,还包括"教育革命"、干部下放劳动、知识青年上山下乡等。

巢县虽然建立了"三结合"革命委员会,但其内部剪不断理还乱的派性斗争严重干扰了"抓革命、促生产"的贯彻执行。为解决派性斗争,巢县革委会根据毛泽东关于"办学习班是个好办法"的指示,在全县自上而下层层大办各级"学习毛泽东思想班",以此推动"斗、批、改"。1970年3月,巢县"支左"部队为解决巢县严重存在的"派性",即所谓的"巢南派""巢北派"问题,将全县革委会大多数成员派往合肥参加安徽省办"毛泽东思想学习班"学习,直至年底方结束。期间,又有一批干部受到莫须有的批判斗争。1971年和1972年,全县公社、生产大队和28个县直单位领导班子成员"一锅端",全部集中到县参加"毛泽东思想学习班",前后共有900多人。据统计,在"斗、批、改"阶段,全县共办各种"毛泽东思想学习班"数百期,参加人数有3000多人次。参加"学习班"的大部分学员均遭到不同程度的批判斗争,百人以上受到各种处分。"学习班"几乎变成了"斗争班""批判班"。

为在全县顺利开展"斗、批、改",巢县革委会还组织多支军宣队、工宣队进驻中学、农村,进行"斗私批修"和"吐故纳新"。实际上是在此旗号下,大搞突击入党、突击提干。与此同时,巢县革委会还错误地处理了一批党员干部,还把一批党员干部下放到偏远农村劳动。这一时期,由于极左路线盛行,巢县各级革委会在具体工作中,首先强调大批判开路。这类批判基本上是不讲事实,不讲道理,无限上纲,甚至捕风捉影。有的地方还出现将一些干部、群众挂牌游街、游乡的情况。各种大批判尤其是批判所谓的"唯生产力论""白专道路""奖金挂帅""物质刺激"等,不仅不能使人们分清是非,反而造成了人们思想上的极大混乱,使"斗、批、改"的各项工作越搞越乱。

(五)"文化大革命"的终结

"文化大革命"运动期间,巢县广大干部和群众中对"左"的错误和极左思潮不同程度、不同形式的抵制和抗争,始终存在。这种抵制和抗争,或表现为对批判、造反持消极态度,在各自的岗位上坚持工作和生产;或表现为对武斗、破坏持抗议立场,对"左"的错误做法提出批评。

1971年9月13日,林彪叛逃事件的发生,客观上宣告了"文化大革命"的失败。此后,对"文化大革命"运动持怀疑、抵制、反对态度的人越来越多。1972年,巢县开展"批林整风"运动,批判林彪反革命集团的罪行和言论。1974年,"批林批孔"运动接踵而至。巢县又紧跟着在全县"批林批孔"。1975年,邓小平主持中央日常工作,开始"全面整顿",纠正"左"的错误。年底,毛泽东发动"批邓、反击右倾翻案风"运动,全国刚刚趋于稳定的形势再度陷入混乱。1976年1月8日,周恩来总理逝世。巢县人民自发开展悼念活动。清明节期间,巢县的一大批青年学生、工人、干部等勇敢地参与到悼念周恩来、反抗"四人帮"的群众运动中。

1976年10月6日,"四人帮"被粉碎,标志着长达10年的"文化大革命"运动结束。10月19日至20日,巢县城乡隆重集会,庆祝粉碎"四人帮"反党集团的伟大胜利。24日,全县数十万人分别集中收听北京天安门百万军民庆祝粉碎"四人帮"伟大胜利大会的实况转播。

"文化大革命"10年动乱,给中共巢县各级组织和政权带来极大的破坏,大批干部和群众遭受到残酷迫害,民主和法律被肆意践踏,工农业生产和经济建设遭到严重损失,人民生活水平下降,科学文化教育事业遭到严重摧残,历史文化遗产遭到巨大破坏。这个付出了巨大代价的惨痛的历史教训,应当牢牢记取。

(六)初步的拨乱反正

1977年,巢县开展揭批"四人帮"的运动,清查与"四人帮"有牵连的人和事。在各级革委会中担任职务的一批军队干部被调回部队,造反起家的所谓"头头"被清理出各级革委会。此后,中共巢县县委着手对"文化大革命"运动中的冤假错案进行甄别和平反昭雪。接着,县委又对"文化大革命"运动以前的一些重大案件进行了甄别,包括给在反右派斗争和"反右倾"斗争中被错误处理的人员平反,使他们重新走上工作岗位或担任新的职务。

据统计,至1984年年底,巢县"文化大革命"运动中的冤假错案1229件全部结案。落实政策共用经费23.29万元,共有劳动指标242个;平反涉及冤假错案的人数831人,解决户口117户计305人;补发被扣减工资的有6人,共1.42万元,归还"文化大革命"中被查抄的13户的财物,其中实物168件,补赔3770元,归还"文化大革命"中被占用的私房26户计119间,恢复、安排工作410人,306人发放了死亡抚恤金,给15人发放救济金。[①]

第二节　1949年至1978年的庐江

一、新政权的建立与巩固

(一)庐江解放

1947年9月13日和1948年10月11日,人民解放军第二野战

---

① 《巢湖市志》,第604页。

军(亦称刘邓大军)第三纵队八旅二十四团两次攻占庐江县城。但由于战场形势的变化和解放战争的需要,人民解放军两次解放庐江后,仅作短暂的停留,随后即开赴新的战场。庐江县城旋即被国民党占据。

1949年1月,随着淮海战役的胜利结束,国民党在大陆的统治面临全面崩溃。此时,仍在皖北地区的国民党军队和地方官员,尾随国民政府安徽省主席夏威沿着安(庆)至合(肥)公路向南撤退。1月21日夜,国民党庐江县县长周益雄(又名周一弘)和保安团团长李涛,带领2500余名官兵撤出县城,不告而别,向桐城方向退逃。当他们逃至桐城县界时,中共领导的庐江独立团将其拦截,歼敌400余人,余敌四散逃走。① 这时,驻守在庐江县城西20公里处柯家坦的庐江独立团一部在副政委胡菲带领下,立即率1个连部队,于22日下午7时从西门岗上进入庐江县城,收缴国民党残留官兵的武器,并派小分队在城内巡逻。23日上午,庐江独立团及大批人民解放军开进庐江县城。至此,国民党在庐江22年的统治宣告结束,庐江全境获得解放。

第二天,中共领导的刚成立的庐江县民主政府和卫戍司令部联合颁发"安民告示",宣传军队纪律和民主政府的政策,号召人民安心生活,迅速恢复生产。之后,中共庐江县委书记王捷三、县长黄自强、副县长许生分别召开工商、青年和群众代表座谈会,听取各方面反映,宣传胜利形势和中共的政策、法令。中共庐江县委还在县体育场召开数千人参加的群众大会,庆祝庐江全境解放。

(二)支援渡江战役

庐江解放后,面临的首要任务是支援人民解放军渡江。

1949年1月,淮海战役结束后,人民解放军百万雄师随即准备渡江。2月下旬,在人民解放军渡江战役总前委的统一部署、指挥下,

---

① 方兆本主编:《安徽文史资料全书·巢湖卷》,第352页。

包括合肥在内的江淮地区各市县纷纷成立支前指挥部。庐江县支前指挥部由中共庐江县委书记胡菲任总指挥,指挥部下设总站,沿公路的区设供应分站,区长任站长,区委书记任政委,下设粮食股、柴草股、人力动员股等组织。同月,湖西县[①]也成立了支前指挥部,湖西县民主政府县长李群珊任总指挥,中共湖西县委书记侯希仁任政委。湖西还成立了支前送粮运输大队、担架大队。3月,人民解放军第三野战军第七兵团十几万人到达庐江,并在此驻扎、训练至4月20日强渡长江,司令部设在庐江中学。在此期间,庐江人民在中共各级地方组织和支前部门的领导下,积极做好各项准备渡江的工作,主要包括:一是发动6万余人参加运输、修路,共修建了6条土公路,计178.7公里[②];二是筹备粮草,保证供给,在不到1个月的时间内,共筹备粮食4.78万石;三是组织成立1000余人的固定担架队,担架队编成营、连、排,每个单位都由中共的基层干部负责;四是架设大小桥梁30余座,筹民船300余只。[③]

人民解放军渡江战役最急需的渡江工具是船只。为此,庐江县民主政府在缺口港成立白湖船舶管理处,筹集船只,动员船员支援人民解放军渡长江,2个月内征集大小船只232艘约1300多吨位,动员船工560余人,编成支前运输大队。[④] 4月4日先后在无为灯笼地、凤凰颈、姚沟、泥汊等地给人民解放军运送粮食、武器弹药、帮助人民解放军训练登舟、划船、摇橹、扯帆等船舶航运技术。

此外,庐江人民还竭尽所能,从人力、物力、财力各方面支援人民解放军渡江,如盛桥区、镇就捐献菜籽油8000斤,食盐1万余斤,送慰问鞋万余双,慰问袋7000余条。湖西县则发动民工2万余人,修

---

① 湖西县于1949年1月成立,同年7月撤销,划归庐江县。
② 即庐江至舒城25公里,庐江至三河25公里,庐江至无为黄姑闸25.7公里,庐江至钱家桥40.5公里,桠岗至砖桥延伸至枞阳桂家坝31.3公里,庐江至巢县沐集31.2公里。
③ 胡菲:《解放庐江县城支援大军渡长江》,《安徽文史资料全书·巢湖卷》,第575页。
④ 庐江县地方志编纂委员会编:《庐江县志》,社会科学文献出版社1993年版,第308页。

筑公路190公里,捐粮3.2万石,征集民船300只,还有许多船民帮助人民解放军在巢湖、白湖和内河进行渡江演习和泅水训练。①

在支援人民解放军渡江作战中,庐江人民积极支援,涌现出许多可歌可泣的英雄模范。4月20日午夜,渡江战役开始,支前运输大队的船民船工冒着枪林弹雨,奋力摇橹划船,不顾个人生命安全和船舶被毁的危险,连续奋战7天7夜,胜利完成运送人民解放军渡江任务。在此后召开的庆功表彰大会上,人民解放军渡江部队给参加渡江的庐江船民船工颁发"渡江光荣证"和"立功证"。庐江船民船工有2人荣立一等功,153人荣立二等功,362人荣立三等功。②

(三)巩固基层政权

1949年庐江解放初期,境内还有各种敌对势力,企图颠覆新生的人民政权。为了巩固人民政权,庐江先后开展了登记审查国民党有关人员、剿匪反霸、镇压反革命、取缔反动会道门等运动,在政治、组织、军事等各方面打击敌对分子的嚣张气焰,以巩固新生的人民政权,稳定社会秩序。

1. 登记审查国民党党、团、军、警、特人员

为了巩固新生的人民政权,从政治上推倒旧政权的统治地位,给国民党党、团、军、警、特人员改过自新的机会,根据中共皖西区委指示精神,庐江县分两次开展了对上述人员的登记审查工作。

第一次是1949年2月初至6月中旬,县公安局先发出布告,要求上述人员到公安局进行自新登记,后由各级民主政府干部对上述人员及其家属宣传中国共产党的政策,再由自新登记人员写自传和悔过书,交代枪支弹药和档案资料情况,经担保人担保,发给自新登记人员"自新证"后释放回家。

第二次是从1949年2月初开始,对担任国民党区分部书记、三

---

① 中共安徽省委党史研究室编:《安徽现代革命史资料长编》(第四卷),安徽人民出版社2004年版,第206页。

② 《庐江县志》,第309页。

青团区队长、军队连长、政府乡长、警察警长及国民党职业特务等以上职务的自新登记人员分4期(每期一个月)办训练班,进行感化教育,并审查个人历史和检举材料,训练班结束后,发给参加训练人员"毕业证书"。

经过两次登记审查,登记的国民党员约4000余人,其中区分部委员以上人员306人;三青团员2143人,其中分队长以上人员216人;民社党成员19人;青年党成员6人,军界1000人,警察90人;国民党各类职业特务206人。①

2. 剿匪反霸

庐江解放伊始,土匪活动依然猖獗,其中较大的土匪有两股,一股以匪首宛小开为头领,在黄屯、缺口一带骚扰百姓;另一股在匪首邢周海的带领下,在柯家坦一带猖獗活动。此外,还有一些散匪。这些股匪和散匪成伙在与邻县交界和水陆交通要道拦路抢劫、强奸或流窜杀人、放火,袭击基层人民政权,危害社会治安。据统计,这些土匪武装先后杀害乡村干部群众28人,伤29人,抢劫众多的商埠、民船和居民。②

从1949年3月起,庐江县公安机关组织力量,配合地方武装部队,对武装土匪、特务进行清剿。匪首邢周海纠集20多匪徒,骚扰乡村,残杀基层干部和农民多人,抢劫民财、强奸民妇,破坏人民政府施政。1950年9月,由公安和地方武装力量围剿,将其歼灭。是年底,全县共剿灭匪特122股,缴获一批轻重武器弹药,县境内的武装匪特基本上被歼灭,从而巩固了新生的人民政权,安定了社会秩序。③

3. 镇压反革命

解放初期,庐江境内潜伏着与新生政权为敌的反革命分子,他们网罗土豪、恶霸,勾结起来,与中共基层组织、人民政权抗衡,并成立反革命组织,进行抢劫、杀人、煽动复辟等反革命活动,使人民生活不

---

① 《庐江县志》,第575页。
② 《庐江县志》,第572页。
③ 《庐江县志》,第573页。

得安宁。1950年10月,在中共庐江县委统一领导下,各级人民政权组织力量,开展镇压反革命宣传工作,发动群众与不法土豪斗争,搜捕潜伏的反革命分子。1951年1月,镇压反革命运动在全县开展。此后,又分别于同年秋季、冬季在全县范围内镇压了一批反革命骨干分子。1953年春季,庐江县集中力量打击坏人造谣(主要散布"水鬼毛人"等谣言)破坏活动。至年底,县境内的破坏活动势力基本肃清,社会秩序趋于稳定。

4. 取缔反动会道门

庐江解放之前,就有"大刀会""一贯道""先天道""黄枪会""红枪会"及"同善社"等会道门。这些会道门主要利用部分群众的迷信思想,以"救苦救难"的"活神仙"面目出现,发展组织,网罗成员,愚弄人民,道、会、社首多系富豪、地痞充任,有的与人民为敌,其中大刀会常以聚会为名,破坏中共基层政权,杀害群众和中共基层政权干部。

庐江解放后,1952至1955年,先后对全县境的道、会、社组织进行调查摸底,掌握了确凿的证据。人民政权对他们广泛宣传教育,使2472名道、会、社众办理自首手续或自动退出道、会、社,同时,逮捕处置一批罪大恶极的道、会、社首。[①] 1952年取缔了"大刀会""一贯道"及"同善社"等组织,1955年又取缔"先天道""黄枪会""红枪会"及其组织。

(四)参与抗美援朝运动

1950年10月,中共中央做出"抗美援朝,保家卫国"的战略决策,并组织志愿军开赴朝鲜前线。庐江人民积极响应,年底,县、区相继成立抗美援朝委员会,统一领导全县的抗美援朝运动。庐江青年踊跃参军,杀敌报国。是年,共有1800名青年自愿入伍,涌现出很多父母送子女、妻子送丈夫、兄弟争相报名参军的感人事例。1953年春,

---

① 《庐江县志》,第574页。

全县仅用15天时间,超额完成2068名征兵任务。① 同时,庐江人民还在精神上、物质上对抗美援朝进行支持。1951年3月至4月,全县35万多人为抗美援朝签名。全县还开展捐献活动,关庙乡捐款1200万元(旧人民币,本段下同),塔山乡捐款600万元,义记矾厂胡延兰个人捐款4000万元。② 此外,还捐送布鞋、慰问袋、鸡蛋等大量慰问品。为了使庐江儿女在前线奋勇杀敌,又开展了优军拥属活动,1950年,对农村中无劳力或缺劳力的优抚对象实行包耕代耕,由乡村互助组分别组成代耕组(队),给优抚对象代耕代管农田,1950至1955年,全县约有1.37万户4.06万人获得政府优抚优待,代耕土地8.06万亩。③

(五)开展土地改革

1950年6月,中央人民政府颁布《中华人民共和国土地改革法》,一场轰轰烈烈的土地改革运动在全国展开。11月20日,庐江县土地改革委员会成立,开始在全县开展土地改革(简称土改)运动。庐江的土改分为3期,在全县12个区、76个乡、52个行政村,由点到面,点面结合,以推进、带动、跳跃的方式进行,计划用1年的时间完成。

土改前的庐江,各阶层土地占有情况不均衡。据统计:在全县范围内,占总农户2.08%的地主阶层,占有21.63%的耕地面积,有的大地主占有耕地千亩以上;占总农户2.67%的富农(含半地主式富农),占有9.12%的耕地面积;占总农户34.6%的中农,占有40.1%的耕地面积;占总农户46.3%的贫农,仅占有23.1%的耕地面积;占总农户11.1%的雇农,占有的耕地面积仅仅是1.37%,更多的雇农无一寸土地,完全靠出卖劳力维持生存。各阶层土地占有量,悬殊很大。例如,在县城南有个大地主,不仅有租田1000多担(约4000多

---

① 《庐江县志》,第618页。
② 《庐江县志》,第17页。
③ 《庐江县志》,第589页。

亩),还开商店、米行,有木帆船14只,雇工100多人,放贷遍及庐江各地。[①] 而大多数的农民受地租、雇佣、高利贷和苛捐杂税的残酷剥削,生活极为艰苦,每年约有一半时间粮食不够吃,只能去当雇工,或外出逃荒,或借债维生。

庐江土改的第一期从1950年11月至12月底,分别在马厂、陈埠、东岳、裴岗4个乡进行试点;第二期从1951年1月至2月,着手点与面的结合,在城关、柯坦、盛桥、裴岗4个区全面铺开,其余8个区各开展1个重点乡,共在30个乡开展;第三期从1951年2月开始,在剩下的42个乡开展。整个土改工作于1951年12月底全面结束。

土改的步骤是:调查情况,改组和充实农会,发动群众;划分阶级成分;没收地主土地和五大财产并重新分配,做好结束工作。土改结束后又分别进行解决遗留问题,填发土地证,调查和改订农业税负担,组织建设等。

土改中,首先要摸清情况,丈量土地。是时,全县耕地面积为105.78万亩,按土改政策规定,没收、征收土地各44.6万亩和6.67万亩;再经过各级农会讨论和各土改工作组议定,平均分配土地,每户平均分得土地4.77亩,每人平均分得土地1.10亩。其中,贫雇农平均每人占有1.52亩,比土改前人均0.51亩,增加1.98倍。在雇农、贫农和中农3个阶层中,平均每人分得土地为:雇农1.41亩,贫农1.16亩,中农0.82亩。雇农人均占有耕地比贫农略高,这是因分配土地时,对单身雇农略有照顾。中农中有自耕地高于当地人均数的那一部分,保护不动,不单独拿出列入土改,所以中农平均占有耕地总体上略高于全县农业人口平均数,也高于贫雇农人均数。富农人均占有耕地最多,达2.62亩,这是因土改中只征收其出租土地,自耕地不动。地主的土地、房屋、耕畜、农具、粮食等5大财产被没收,以消灭封建土地所有制,但地主也分给一部分土地,使其在劳动中自我改造,重新做人。全县在土改中获得经济利益的农户有10.74万

---

① 《庐江县志》,第149页。

户,占总户76.15%,得益人口46.49万人,占各阶层总人口的73.51%,其中贫雇农29.02万人,中农15.08万人,计共分得土地47.56万亩。土改前农民耕种土地,每年给地主交纳地租5700多万斤粮食,土改后农民在自己的土地上耕种,生产积极性迅速高涨,1951年全县粮食产量比1949年增长21.8%,1952年比1951年增长8.2%,农民生活获得改善。①

经过土改,全县贫雇农、部分中农和少数其他的阶层,还分到大量的生产、生活资料,其中房屋1.57万间,耕畜1185头,农具6581件,粮食163.8万斤。②

(六)恢复和发展国民经济

1949年1月庐江解放时,全县经济已陷入困境。新生的人民政权立即行动,通过建立国营经济、发行人民币、平抑物价、调整工商业等办法,全力以赴地恢复和发展经济。

1. 建立国营经济

工业方面:创办新的国营企业。1950年创建了"人民电灯厂""工农矾矿"和"第一碾米厂"3个国营工厂。1951年,以刘家桥郑敦武私人糟坊为基础,开办国营庐江县酒厂。到1952年,全县国营工厂发展到6个。商业方面:1949年年底,成立庐江县贸易小组,主营百货、食盐、粮食、土产等商品。1950年组建"盐业推销组""贸易公司""百货办事处""烟酒专卖经营处""食品营业所"等国营商业机构,初步形成了国营商业体系。

2. 统一货币

1949年庐江解放后的金融市场,流通的货币众多,物价十分混乱,不法分子利用各种货币不同兑换率和物资供应紧张的情况,进行投机倒把活动,致使物价上涨,且难以扼制。对此,人民政府采取果

---

① 《庐江县志》,第154页。
② 《庐江县志》,第154页。

断措施,坚决禁用银元,废除法币,只准使用解放区货币,并兑换为人民币,以实现市场流通货币的统一之目的,由此,全县逐步建立了统一的人民币市场。与此同时,人民政府对扰乱市场物价的不法经营进行取缔,使物价逐渐趋于稳定。

3. 平抑物价

庐江解放之初,市场被私商和一些不法分子控制。他们囤积居奇,哄抬物价,从中牟取暴利,以致物价出现严重波动。为稳定市场物价,县财政、贸易、银行等部门联合行动,采取统一财政、扩大存款储蓄业务、全面开展汇兑、建立财政和贸易金库、灵活资金调拨等措施。1950年上半年,全县现金管理的收入支出中,转账比重多于现金1至2倍,消除了导致物价波动中的货币因素。到1952年,全县市场物价基本稳定下来。同时,县财经部门对因地区、季节不同造成的差价和工业品与农产品的比价,均作了较合理的调节。全县各种农产品和土特产品的收购价格,比庐江解放前均有提高,市场波动和哄抬物价的现象得以消除。

4. 调整工商业

人民政权刚成立时,庐江县的私营工商业者对中共的政治、经济等政策不太了解,有的甚至怀疑、抵制,出现了消极经营、转移物资、抽逃资金、停业歇业等现象,工商业一度出现营业额下降、经济滑落的情况。为增强工商业者的信心、恢复经济、繁荣市场,中共庐江县委、县政府根据国家有关政策规定,着手对私营工商业进行调整。

在工业方面。首先,县工商税务局于1951年对私营工业与手工业进行一次全面登记,发给营业许可证,手工业开始组织联社、联组。县工商科将百余户棉织业主组织起来,开展联购联销,先在庐城(即县城)试点取得经验,继而在汤池、柯坦等镇推广,扶持发展生产。其次,县工商科组织物资交流会,让各种经济成分的工商业户参加物资交流,同时对棉织业主核实营业额,发给购货证明书,从而稳定信心,提高生产经营积极性。

在商业方面。县工商科贯彻执行政务院颁布的《私营企业暂行条例》,大力宣传贸易自由政策,分别不同行业,妥善安排,对有利于国计民生、市场需要的行业,除支援货源外,银行给予适当的贷款,鼓励其发展;一般行业维持现状;对不利于国计民生,市场不需要的行业,适当地加以限制。1953年,县工商联对私营商业进行登记,制止随便开业、歇业、盲目自流现象。对分散的商户与摊贩,加强整顿和管理,分别组成同业公会或小组,并进行摸底排队,划出守法户与违法户,在货源供应上照顾守法户,以资鼓励。

通过上述对私营工商业者的保护措施,庐江城乡私营工商业个体摊贩均有不同程度的发展和扩大。

5. 开展"三反"运动

1952年1月,中共中央做出反贪污、反浪费、反官僚主义的"三反"运动指示和反行贿、反偷税漏税、反盗窃国家财产、反偷工减料、反盗窃经济情报的"五反"运动指示。一场轰轰烈烈的"三反""五反"运动在全国展开。

庐江县的"三反"运动自1952年1月开始,至8月结束。全县共有708人参加"三反"运动。运动分为检查揭发、"打虎"、定案处理、思想组织建设4个阶段。在整个运动中,全县计打出"大虎"22只,"小虎"110只(均指贪污分子),后经核实定案只有"小虎"2只。[①]

(七)建立新的社会文化教育事业

庐江解放前,社会风气恶劣,各种腐朽的思想、观念、行为盛行。各种丑恶现象,诸如卖淫、嫖娼、吸毒、赌博、包办婚姻等长期存在。1949年庐江解放后,人民政府把整顿社会风尚,建立社会新秩序,作为民主改革的一项重要任务。相继开展了封闭妓院、禁毒、戒赌、宣传贯彻《婚姻法》等活动,还大力开展群众性爱国卫生运动。这些活动的实施,打击了各种陈规陋习,净化了社会风气,形成了新的社会风尚,得到了人民群众的拥护和支持。

---

① 《庐江县志》,第513页。

1. 开展"三禁",净化社会风气

庐江解放后,县人民政府明令禁毒、禁娼、禁赌(简称"三禁"),并立即取缔县城内的3处烟馆,对储存的鸦片烟当众销毁,对吸毒者进行劝阻教育,至1950年,全县内的吸毒者已基本绝迹。同时,查封取缔县城和集镇的娼妓户和暗娼,对从娼者进行教育改造,从良从嫁,娼妓绝迹。此外,县人民政府多次发布禁止赌博通令,经过3年的严格查禁,赌博现象在全县绝迹。

2.《中华人民共和国婚姻法》(简称《婚姻法》)的宣传贯彻

解放以前,庐江的青年男女结婚以父母包办为主,凭媒妁嫁娶,以传庚送帖为依据,无婚姻登记一事,在封建婚姻制度下,一夫多妾、童养媳、早婚等现象盛行。1950年《婚姻法》颁布施行,庐江县立即开展宣传贯彻《婚姻法》运动,建立了婚姻登记机构。1951年,全县开展较大规模的宣传《婚姻法》活动。年底,县司法机关与县妇联、文化馆联合举办宣传《婚姻法》的展览,有多达万余名干部、中小学生和群众参观。新的《婚姻法》开始在全县传播开来。

3. 开展爱国卫生运动

1952年,庐江成立县爱国卫生运动委员会(简称爱卫会),乡、镇成立卫生站,村成立卫生组。县爱卫会先后举办3次干训班,培训干部1145人次,为全县人民预防注射鼠疫活菌苗、霍乱菌苗、牛痘、连三苗(霍乱、伤寒、副伤寒)等疫苗,同时开展消灭"四害"(蚊、蝇、鼠、麻雀)活动。1953年7月,全县掀起除"四害"运动,参加者有43万余人次,清除垃圾约7万吨,疏通污水沟95公里,填平污水坑4.7万平方米,消灭鼠、蝇、蚊、臭虫不计其数。[①] 从此,逐渐形成人人讲卫生的良好习惯,人们平时经常打扫,节日前进行大扫除,也逐步形成制度。全县各单位和家庭普遍订立了《爱国卫生公约》。爱国卫生运动的开展,改善了公共卫生和人们的卫生习惯,提高了全县人民的健康水平。

---

① 《庐江县志》,第721页。

4. 建立新的文化教育事业

1949年1月庐江解放后,人民政府着手建立新的文化教育事业。首先是县文化馆和各区文化站的建立。1950年1月,庐江县文化馆在庐城镇建立。县文化馆内设有报刊阅览室和图书借阅处,经常开展乒乓球、棋类、歌舞、幻灯放映、展览、竞赛等活动,之后还开办职工夜校。同时,还举办群众性的搜集民间文艺、创作、演出等活动。1952年,县属各区开始建立文化站,首先建立的是汤池镇文化馆。其余各区文化站随之也陆续建立。1951年,县总工会建立工人俱乐部,对职工进行时事、政策教育,开展文体活动。

庐江解放初,全县除私立小学外,有公立小学8所,教职员工79名。为建立新的教育事业,1951年,县人民政府发布政策,鼓励民间办学,民办和私立小学很快发展到184所,有学生1.91万名。[①] 1952年,国家提出"依靠群众办学"的方针,庐江县大力贯彻执行,全县形成办学热潮,民办和私立小学增加到240所。此后,按照国家有关规定,这些民办学校全部转为公办。这一时期,庐江县成人业余教育也开始起步,并逐步发展,开办有农民业余学校和职工业余学校。在教师队伍建设和教师素质的提高方面,从1952年起,建立星期学校和辅导点,组织小学和初中教师参加学习,进行辅导。1954年后,几次选送部分中、小学教师到有关学校学习深造,并利用寒暑假组织教师参加教研活动。

1949年以前,庐江的医疗卫生状况极差。庐江解放后,卫生事业开始起步。1950年,成立县卫生所,次年改为县卫生院。1952年,乐桥、泥河两区建立卫生所。与此同时,建立县卫生防疫和防治机构,广泛开展预防接种工作。在妇幼保健方面。自1952年起,逐步开展妇幼保健业务,废除旧法接生,普及新法接生。1953年,成立县妇幼保健站,广泛宣传新法接生,到1954年,全县培训新法接生员128

---

① 《庐江县志》,第691页。

名,旧法接生渐废。①

(八)调整行政区划

1949 至 1952 年,庐江县的行政区划变动较大。1949 年 1 月庐江解放之初,与桐庐县同属桐城专区,2 月,桐庐县的砖桥、黄泥河、罗昌河、大凹口 4 个区划归庐江。7 月,湖西县并入庐江县,改隶属于巢湖专区。县以下设区。全县设有 7 区、67 乡、4 个乡级镇。1950 年,无为县杨柳乡的 10 个行政村,约 1.5 万人,划入庐江县。1951 年,调整部分乡(镇)。1952 年巢湖专区被撤销,庐江县改隶属于芜湖专区,全县共 17 区、195 乡、14 个乡级镇。

1953 至 1958 年,庐江县的行政区划变动不大,主要是对县内的区、乡、镇作适当的调整。

二、"一五"时期的经济社会发展

(一)宣传总路线

1953 年 6 月,中共中央关于过渡时期总路线公布后,按照芜湖地委的部署,庐江县委对宣传和贯彻执行党的过渡时期总路线的工作做具体安排,通过多种宣传手段,广泛传播和教育人民群众,使党的过渡时期总路线家喻户晓,深入人心。据统计,县、区级举行报告会 857 场次,听众达 101 万人次。②

统购统销政策是党在过渡时期总路线的一个重要内容,是农业社会主义改造的前提之一。1953 年 10 月,中共中央做出关于实行粮食的计划收购和计划供应(即统购统销)的决议。随后,国家又相继对食用植物油、棉花、棉布实行统购统销。

---

① 《庐江县志》,第 730 页。
② 《庐江县志》,第 517 页。

当年11月,按照上级部署,庐江在全县开始实行统购统销政策。区乡成立征购办公室,设收购点54个,取缔了私商经营,采取定产量、定使用量、定销售量、定供应量的"四定"办法实行统购统销。到1955年9月,又根据调整后的统购统销政策,采取定产、定购、定销的"三定"办法,即根据农户的耕地面积评定常年产量,对余粮(油)户统购,对缺粮户定销。1956年,全县农业生产合作社纷纷成立后,"三定"由以农户为单位改为以社为单位,同时实行油料"三定"。

(二)农业的社会主义改造

农业的社会主义改造,即指农业合作化运动,也就是通过合作化道路,把小农经济逐步改造为社会主义集体经济。

庐江县的农业合作化运动,自1950年组织互助组起,经历了由互助组到初级农业生产合作社再到高级农业生产合作社逐步发展的历程,到1956年,全县实现农业合作化。

1. 农业互助组(简称互助组)

1950年,庐江县即出现有临时性、季节性互助组3个,入组农户21户96人。1951年2月,在土改的试点乡城关区马厂乡,农民尹昌和带头办起了全县第一个常年农业互助组,入组农户12户56人。全县各地纷纷响应,至年底,全县互助组发展到609个,其中常年性的244个,季节性的365个,参加农户7758户,占总农户4.95%。1954年是全县互助组发展高潮期,计有互助组1.04万个,其中季节性的6626个,常年性的3758个,参加农户9.46万户,占总农户61.1%。[①] 到1955年下半年,全县的互助组已全部转为农业生产合作社。

2. 初级农业生产合作社(简称初级社)

初级农业生产合作社是在互助组的基础上发展起来的,实行土地入股分红和按劳分配相结合的分配制度。1952年5月,盛桥区金

---

① 夏俊云:《庐江县建国以来的农业生产组织形式》,《庐江文史资料·潜川新篇》,皖非正式出版字(85)2059号,第300页。

城乡农民刘合曙组织成立了全县第一个初级农业生产合作社,开始只有9户37人,以后发展到26户110人,入社耕地272亩,耕牛7头,实行"土四劳六"的分配制度。至年底全县共有初级社3个,参加农户48户199人,入社土地382亩。1954年,全县初级社发展到519个,1955年为2016个(年底合并为611个),参加农户5.37万户,加上参加高级农业社的农户,入社农户占全县总农户的23.5%。①

3. 高级农业生产合作社(简称高级社)

高级农业生产合作社,是以主要生产资料集体所有制为基础的农民合作的经济组织。它的主要特点是取消土地分红,实行完全的按劳分配。1954年11月,沙溪区(今泥河区)二庙乡由吴家墩等9个初级社、3个互助组和部分个体农户组成全县第一个高级农业生产合作社先进高级农业生产合作社。入社农户186户852人,耕地1644.8亩,耕牛23头,大农具144件。1955年春,全县高级社发展到10个,参加农户703户。但是,从这时开始,全国掀起了农业合作化运动的高潮,庐江县也不例外,兴办的高级社数量猛增,年底即发展到214个,入社农户8.11万户,占总农户的52.9%,经营耕地69.53万亩。1956年,掀起高级社合并之风,高级社的规模越来越大,全县所有高级社合并成181个高级社,其中千户以上的大社就有27个。全县入社农户15.65万户,占全县总农户的99%,实现了农业合作化,农业的社会主义改造完成。②

(三)手工业的社会主义改造

庐江对手工业的社会主义改造,最初是通过供应原材料,加工订货,收购包销等形式,把私营手工业初步纳入国家计划轨道。然后通过组织手工业生产小组、手工业供销合作社和手工业生产合作社,逐步实现对手工业的社会主义改造。

---

① 《庐江县建国以来的农业生产组织形式》,《庐江文史资料·潜川新篇》,第300—301页。
② 《庐江县建国以来的农业生产组织形式》,《庐江文史资料·潜川新篇》,第301页。

1951年，庐江县的一些私营手工业企业开始组织联社、组。此后，手工业联社、组稳步发展。到1955年，手工业的社会主义改造进展较快，手工业社（组）由上年的10个发展到22个，从业人员574人，总产值达67.15万元。1956年春，掀起手工业合作化的高潮，至年底，全县成立手工业生产社、组57个（其中生产社31个，生产组26个），社、组人员1631人，手工业总产值达232.7万元。又经过1957年整社后，全县手工业生产合作社、组61个（其中，生产社34个、生产组27个），社、组人员2306人，总产值达247.2万元，除141人仍单干外，全县手工业基本实现了合作化，手工业的社会主义改造顺利完成。[①]

（四）私营工商业的社会主义改造

1. 改造私营工业

对私营工业进行社会主义改造，主要采取同类合并、联产联销、公私合营等措施，将全县分散的小作坊、小工厂联营合并，组成初具规模的专业工厂。1955年，地方国营庐江印刷厂与县城5户私营印刷业合营，成立公私合营庐江县印刷厂。同年，矾山珠宝坑矿和"义记""裕大"（包括裕大、恒泰、复兴、济源）、"永和"（包括永和、公新、聚成）、"兴泰"（包括兴泰、裕民、源丰）等12个私营厂矿合并为5家公私合营厂矿，占私营工业总户数的22.4%，共有资金5.66万元，占私营工业资金总额的31.2%。[②] 1956年2月，全国范围内掀起了私营工商业社会主义改造高潮。庐江县私营工商业者敲锣打鼓，向政府递交申请书，纷纷要求公私合营。在这个高潮中，私营明矾工业36户全部并入上述公私合营的5个厂。年底基本完成了对私营工业的社会主义改造。到1957年，全县共有工业企业69家，其中国营企业11家，集体企业58家，私营工业都实行了公私合营。[③]

---

① 《庐江县志》，第395页。
② 《庐江县志》，第395页。
③ 《庐江县志》，第242页。

2. 改造私营商业

1954年,县工商联将人民日常生活需要量较大的烟、酒、食盐、棉布等商品实行"代销""经销",借此促进私营商业走合作化道路。1955年,私营商业纳入公私合营的有446户,占商业总户数的29.6%。1956年2月下旬,在社会主义三大改造的高潮推动下,又有40户私商纳入公私合营;组建合作商店185个;代销店33个;自负盈亏合作小组130个。至此,全县商业除尚有158户仍单干外,95%的商户都纳入了合作组织。①

当庐江县的三大社会主义改造进行得如火如荼之时,1956年5月21日,中共庐江县第一次党员代表大会召开。县委书记湛先余作工作报告。这次大会总结了庐江解放7年来庐江县委的工作,提出今后必须克服右倾保守思想,迅速完成农业、手工业和私营资本主义工商业的社会主义改造任务,为提前完成和超额完成第一个五年计划而努力奋斗。这次会议是庐江即将进入大规模经济建设时期召开的一次重要会议,对开展全县经济建设和社会主义改造起着重要的指导性作用。

(五)1954年抗洪救灾

1954年夏,庐江县境内年降雨2024.9毫米,仅7月份就降雨577.5毫米。8月1日,长江大堤安定街段溃破,江水泛滥,波及庐江。全县城乡海拔15米以下地带一片汪洋,城内水深处可行船,盛桥镇水淹屋檐。全县除同大、南宫等圩因及时加土保堤未破外,其余圩口全部溃决,决堤564处,51.52万余亩农田颗粒无收,粮食减产约2亿斤,倒塌房屋8.29万间,死亡51人。② 这次水灾,为庐江1949年以来遭遇的最大水灾,全县受灾户达6.91万户,灾民27.65万人,占总人口的40.2%。③

---

① 《庐江县志》,第396页。
② 《庐江县志》,第119页。
③ 《庐江县志》,第591页。

特大洪灾发生后,庐江县政府立即成立救灾办公室,开展救灾工作。县政府指挥航管部门组织木帆船483艘、6000多吨位,在受灾地区抢险,分片分段地转移灾民和运送救灾物资,共运送民工和转移灾民25.92万人次,抢救牲畜142头,打捞机械24台,运送粮食和救灾物资113.85万斤。县政府还组织灾民转移,解决灾民吃、住、医问题,组织4116名干部深入灾区抢救人畜和财产,总计动员1.9万辆水车、23台抽水机排涝。灾后,各级政府又帮助灾民重建家园、恢复生产,组织灾民开荒4.06万亩,补种晚秋作物3万多亩,种菜7201亩,使灾民度过灾荒。① 除政府救济外,人民群众还开展互助互救。全县人民群众向灾民捐款2500元,棉衣309件,单衣3019件,鞋袜3.82万双,棉布5629市尺。全县有3万多民兵投入抗洪抢险。② 洪水退落后,又组织民兵兴修水利,生产自救。

(六)整风运动及反右派斗争

1957年4月27日,中共中央发出《关于整风运动的指示》,决定在全党进行一次以正确处理人民内部矛盾为主题,以反对官僚主义、宗派主义和主观主义为内容的整风运动。5月,中共庐江县委先在县直机关,继而在区、乡,之后又在文教界,分批开展整风学习。邀请党外人士参加座谈,征求意见,实行开门整风。

6月8日人民日报社论《这是为什么?》发表以后,整风运动急转为反右派斗争。中共庐江县委随即在全县开展了批判驳斥资产阶级右派分子反党反社会主义言论的斗争,号召全县人民拥护党的领导,坚持走社会主义道路。但是在斗争中,对党内外一些人士发表的不同意见,反映的实际情况,却被视为右派言论;又把一批党内干部、知识分子,错划成右派分子。这场反右派斗争中,全县共错化右派分子515人(其中党政工交系统49人,文教系统388人,财贸系统49人,

---

① 《庐江县志》,第591页。
② 《庐江县志》,第592页。

统战系统29人),中右分子98人,被定为反社会主义分子164人(其中工人95人,干部69人)。①

(七)"一五"时期经济社会发展

解放初,庐江县经济十分落后。农业因水利条件差,生产水平低;工业除几家私营矾矿和一些小作坊外,再无其他工业。1949年,全县工农业总产值只有7611万元,其中农业总产值占94.3%。全年财政收入239.7万元。公路通车里程51公里。科学、教育、文化、卫生事业落后,1949年,每万人口中,在校中学生7.05人,小学生15.9人,卫生技术人员5.4人。②

1953年至1957年,是新中国实施"国民经济和社会发展第一个五年计划时期"(简称"一五"时期或"一五"计划),全国都开展了以工业化为目标的大规模经济建设。这一时期,庐江的经济发展较为顺利。5年间,工农业总产值平均每年增长5.74%,1957年工农业总产值比1949年增长74.7%。社会商品零售总额比1949年增长1.78倍。"一五"时期累计完成基本建设投资171.3万元,为全县国民经济的进一步发展奠定了基础。③

"一五"时期,庐江县的文、教、体等事业也得到了发展。在教育方面,尤以小学教育和成人教育发展较快。1957年,庐江县小学发展到230所,学校数量虽比1952年有所减少,但在校学生却大幅增加,达5.27万人,适龄儿童入学率由1952年的31.3%提高到51.5%。同年,农民业余学校达405所,入校农民16.92万人,文盲青壮年入学的有15.81万余人,占全县文盲、半文盲22.34万人的70%。④ 文化方面,1954年,兴建了庐江大戏院。同年,建立电影队1个,到1957年,共建立4个电影队,经常性地下乡巡回放映。体育活动也开

---

① 《庐江县志》,第522页。
② 安徽省人民政府办公厅编:《安徽省情2》,安徽人民出版社1986年版,第907页。
③ 《安徽省情2》,第903页。
④ 《庐江县志》,第691、704页。

展起来。1955 年,县城有篮球场 37 个,篮球队 60 个。① 1956 年成立庐江县体育运动委员会。篮球、乒乓球、羽毛球和象棋等运动活跃于城乡,农村集镇也经常开展篮球和象棋赛。

三、从"大跃进"运动到贯彻"八字"方针

(一)工业"大跃进"

1958 年 5 月,中共八大二次会议通过了"鼓足干劲、力争上游、多快好省地建设社会主义"的总路线。会后,"大跃进"运动在全国范围内开展起来。庐江县紧跟全国和安徽形势的发展,亦掀起了轰轰烈烈地"大跃进"热潮。②

工业"大跃进"主要表现为"以钢为纲"和大办工业。1958 年,庐江县工业追求高指标、高速度,除原计划已建设的工厂外,又将绝大部分手工业社(组)迅速转为地方国营,少数手工业社(组)转为公私合营工厂,还加紧新建土法上马的钢铁厂等企业。一时间,全县工厂林立。当年,全县工业企业数由上年的 69 个猛增到 468 个,其中国营工业企业 30 个。1959 年,国营工业企业达 48 个。③ 但由于投资盲目,工业技术落后,导致产品质量差,经济效益不高。

除大办工厂外,全县上下还把精力、财力、物力主要用于大办钢铁,普遍建小高炉炼铁。中共庐江县委、县政府集中全县力量,在黄屯马鞍山建小高炉 100 多座,营造全县大办钢铁的气氛。为大炼钢铁,全县大砍林木烧炭,毁掉山林约 10 万多亩,造成很大损失。

---

① 《庐江县志》,第 737 页。
② 1958 年 7 月,庐江县由巢湖专区改属六安专区管辖。1965 年 7 月,庐江又划归巢湖专区。
③ 《庐江县志》,第 241、246 页。

(二)人民公社化与农业"大跃进"

人民公社是集工、农、商、学、兵于一体,政治、经济、文化、军事互相结合的政社合一的组织。

1958年8月,在全国"大跃进"的热潮中,庐江县在汤池区着手开展成立人民公社试点(先取名为红旗人民公社,后改为汤池公社),但还未及总结经验教训,紧接着就在全县全面推开,只用1个多月的时间,即将全县原来461个高级社组建成立23个人民公社,全县实现了人民公社化。

人民公社政社合一,生产资料集体化程度高,以生产大队为核算单位,社员报酬实行工资制,社员口粮实行供给制。1958年冬,人民公社大办食堂,实行"吃饭不要钱"。至1960年春,全县先后办食堂4947个,参加农户达14.82万户,占总农户92.8%,就餐人数达64.18万人。[1]但这种做法,严重违背广大农民的意愿,出现了许多问题。至1960年冬,由于发生粮食危机,公社办食堂随即解散。

在全县人民公社化的过程中,"共产风""浮夸风""强迫命令风"盛行,一些干部大搞特殊化,生产瞎指挥。其中的"浮夸风"有水稻放出"亩产超万斤"的"大卫星"。在庐江县《关于1958年农业生产工作的报告》中称,全县有1.95万亩早稻亩产达3000斤以上,有3亩早稻田亩产1.1万斤。事后人们了解到,所谓亩产过万不过是弄虚作假的产物。起初是汤池公社汤池大队马路生产队,将成熟的稻子并棵移栽到1亩田里,使水稻亩产达7000多斤。随后,天井乡张圩高级社东拐生产队用同样做法,将37亩田的水稻移植到一块约2亩多面积的田里,放出亩产1.07万斤的"大卫星",引起全省组织参观,报道,还发"号外"。"卫星"越放越高,浮夸风盛行。[2]

---

[1] 《庐江县志》,第155页。
[2] 《巢湖文化全书·农耕文化卷》,第346页。

（三）文、教、卫"大跃进"

在 1958 年全国各行各业"大跃进"高潮中，庐江县的文化、教育、卫生等方面也掀起了"跃进"热潮。在文化方面，全县掀起学习文化热潮，方式有识字栏、识字牌、小黑板以及在家具上写字识字、田头写字识字等。不到年底，庐江即宣布全县扫除了文盲。教育"大跃进"主要表现为兴办各种形式的学校。泥河中学、金牛中学、白山中学、盛桥中学、乐桥中学、庐江县初级卫生学校、庐江县师范学校、庐江县农业学校、庐江县体育学校等都是在 1958 年创办的。卫生"大跃进"主要表现为"除四害"运动。1958 年，庐江县成立"除四害"指挥部，根据国家爱国卫生委员会发出的关于"除四害，讲卫生，移风易俗，改造国家"号召，在全县掀起声势浩大的除害灭病运动。区以下层层建立指挥所，组织突击队 1263 个，全年发动 1738 万人次，进行灭蝇、挖蛹、灭蚊、灭麻雀、毁雀窝、灭鼠、堵鼠洞、灭臭虫、灭害兽、修厕所、修畜圈、清除污水沟、污水坑和垃圾。① 但这种以运动形式开展的"除四害"，在随即到来的粮食危机冲击下，戛然而止。

（四）严峻的现实

"大跃进"和人民公社化使庐江的经济建设遭受严重挫折。在农业方面，1958 年的"大跃进"和"共产风"盛行，粮食产量下降。1959 年，继续"大跃进"，粮食产量继续下降，是年，全县粮食产量为 3.03 亿斤，比 1957 年减少 2.62 亿斤，比 1949 年还少 191 万斤。1961 年，全县粮食产量再次下降，仅为 2.73 亿斤，为庐江解放以来最低年产量；人均粮食占有量为 407 斤，低于 1949 年的 465 斤的水平，人均棉花、油料等主要农产品占有量均低于 1949 年水平。②

由于粮食产量下降，粮食供应严重不足，导致农村人口吃饭发生

---

① 《庐江县志》，第 721 页。
② 《庐江县志》，第 165 页。

困难。为缓解口粮不足的困难,大搞代食品,实行"瓜菜代",以及吃米糠、葛藤粉和其他代食品等,但吃不饱的现象普遍存在,以致出现浮肿病(营养不良)和非正常死亡。1960年,庐江县人口出现低出生率、高死亡率的情况。当年,全县人口死亡3.38万人。到1962年,全县总人数为64.1万人,比1958年减少8.05万人。①

在工业经济方面,国民经济各行业比例失调,片面发展重工业,尤其是钢铁工业、"五小"企业遍地开花,一哄而上,管理混乱,效益降低,浪费无数,致使工业生产大幅倒退。市场供应紧张,人民生活水平急剧下降,社会经济滑入危机的深渊。

(五)贯彻"八字"方针

面对严重经济困难局面的出现,1960年冬,中共中央发出指示信,开始纠正农村工作中"左"的错误;1961年又提出"调整、巩固、充实、提高"的八字方针,对国民经济进行调整。

庐江县对农业的调整,主要表现为整风整社和实行"责任田"。1960年12月,庐江县从县直和各公社抽调605名干部组成工作组,先以城关、沙溪两公社为试点开展整风整社。次年1月,成立中共庐江县委整风整社办公室,整风整社在全县16个公社全面展开。主要做法是:彻底纠正以"共产风"为主的"五风"错误;调整人民公社管理体制,实行"三级所有、队为基础"的政策,确定了社员自留地、饲料地政策;核算单位以生产队为基础进行分配,实行午季、秋季预分配,年终决分;划小公社和生产队的规模,纠正社队规模过大的问题,1961年5月,全县16个人民公社调整为75个人民公社(其中2个城镇公社),生产大队调整为497个,生产队调整为6983个。②

"责任田"是面对突然来临的粮食危机,安徽省采取的自救措施,是安徽省独有的临时性农业政策。1961年,安徽省试行田间管理责

---

① 《庐江县志》,第130页。
② 《庐江县志》,第25页。

任制加奖励办法(简称"责任田"),并于随后在全省推行。中共庐江县委于1961年3月在移湖公社三里大队搞试点,接着在全县推广。到同年秋天,全县有6865个生产队实行"责任田",占当时生产队总数的98.3%(仅有柯坦公社75个生产队,果树公社43个生产队未推行)。①"责任田"的实行,在当年即增加了粮食产量,受到群众的欢迎,对缓解粮食危机和严重困难时期人们的生产、生活,起到了积极作用。

庐江县的工业调整,主要是压缩基建规模和精简职工。1961年秋,根据"八字"方针,对一批盲目发展的工厂实行关、停、并、转,是年,工业企业数下降到148个,其中国营33个,集体115个。1962年,工业企业数又减少到70个,其中国营15个,集体55个。② 同时,自1961年始,连续3年精简下放职工共6066人,回乡支援农业生产。③

庐江县对文、教、卫等也相应地进行了调整,主要是废止"大跃进"高指标,降低发展指标,控制发展规模。

开展甄别平反工作也是庐江县调整国民经济与社会发展速度的重要方面。自1957年"反右派"斗争以来,庐江县在历次政治运动中错整了一些人,致使一些干部和群众受到伤害。1961年8月28日,庐江县成立甄别平反领导小组,对在"拔白旗""反右倾"、整风整社、民主革命补课等运动中批判和处分错了和基本错了的党员、干部,作甄别平反。1962年本着"有错必纠"的原则,中共庐江县委召开甄别平反大会,对在"反右派"斗争中明显搞错的13位人员进行了甄别平反。至1963年,全县共摘去右派分子"帽子"159人;对原定为反社会主义分子的164人,一律取消"帽子",撤销处分。④ 甄别平反工作,使受到错误处理的一批党员、干部、教师、工人、农民得到平反昭雪,中

---

① 《庐江县志》,第157页。
② 《庐江县志》,第241页。
③ 《庐江县志》,第599页。
④ 《庐江县志》,第522页。

共的干部政策、知识分子政策、统一战线政策重新得到落实,全县国民经济调整和恢复工作得以顺利展开。

(六)"左"的错误再度出现

1963年,中共中央在全国城乡开展社会主义教育运动。运动的内容,起初是在农村开展"清工分、清账目、清仓库、清财物",后期是在城市、农村开展"清政治、清经济、清思想、清组织",简称"四清"运动。

改正责任田是安徽农村"四清"运动的序幕。"责任田"虽然增加了粮食产量,得到群众的拥护,但与人民公社的"以生产队为基本核算单位"的制度不符,因此,推行不久又被强令分期分批进行改正。1962年3月,中共安徽省委下发《关于改正"责任田"办法的决议》,要求全省农村立即改正"责任田"。庐江县被迫在三里大队进行改正"责任田"试点,并立即在全县1890个生产队改正责任田,占全县实行责任田生产队总数的27.4%。到秋后,全县又改正了3543个生产队,占51.3%。1963年春,改正1262个生产队,占18.3%;秋后改正204个生产队,占3%。[1] 至此,全县实行责任田的生产队全部改正过来。

从1963年起,庐江县的"四清"运动逐步在全县展开。首先是在85个生产大队开展"四清"工作。中共庐江县委派出工作组,帮助这些生产大队组织阶级队伍,进行"四清",开展对敌斗争,整顿组织,建立制度。此后,又在其余的社队开展"四清"运动。在持续3年的"四清"运动中,中共庐江县委还突出抓干部参加集体生产劳动,并形成制度。据1964年年底统计,全县3759名干部中(老弱病残者除外)共劳动30.64万天,平均每人劳动81.5天。[2]

"四清"运动的开展,对于解决干部经济上、思想作风上和经营管

---

[1] 《庐江县志》,第157页。
[2] 《庐江县志》,第514页。

理上的一些问题起到了一定作用,也打击了贪污盗窃、刹住了封建迷信的歪风,促进了生产的发展。但是,由于以阶级斗争为纲,把许多不同性质的问题都认为是阶级斗争或阶级斗争在党内的反映,使不少基层干部受到不应有的打击,使经济工作受到严重冲击,造成许多严重后果。

四、"文化大革命"时期

(一)造反与夺权

1966年5月16日,《中国共产党中央委员会通知》(即"五一六通知")发布,宣告"文化大革命"开始。5月18日,中共安徽省委发出《关于认真学习和贯彻执行党中央、毛主席社会主义文化大革命的指示的通知》,要求各地、市、县委和大专院校、文化部门党委第一把手亲自挂帅抓"文化大革命"。庐江县委积极贯彻中央通知精神,并按照安徽省委和巢湖地委的部署,于5月21日成立"文化大革命"领导小组,指挥全县开展"文化大革命"。自6月8日起,县直机关陆续张贴大字报,庐江县由此进入"文化大革命"。越来越多的中学学生、工厂工人、机关职员及至公社的社员,纷纷成立各种类型的造反组织,开展破"四旧""大串联"等,并冲击县委、县政府机关,造各级领导干部的反。到1966年年底,庐江县各级党政机关停止办公,陷入瘫痪,学校停课,工厂停产。各类"造反派"组织又相互发生分歧,逐渐形成派性斗争,大搞打、砸、抢,国家和集体财产受到严重破坏。

1967年1月26日,合肥发生造反派夺权行动。"安徽八二七革命造反兵团"和"合肥工人革命造反联合委员会"夺取中共安徽省委和省人民委员会的权。庐江县的造反派对"一·二六夺权"产生分歧,随即分裂为相互对立的P派和G派(即认为"一·二六夺权""好个屁"和"好极了"的两派),两派间的矛盾冲突不断,致使社会动乱进一步加剧。

为遏制混乱局面,1967年10月,人民解放军6408部队的148部队及南字6449部队部分指战员奉命进驻庐江县,实行"三支两军"①(支工、支农、支左、军管、军训)工作。在"支左"部队的领导下,对立的两派达成了停止互相攻击、制止武斗的协议和实现革命大联合的协议。1968年2月,县内两派群众组织实行大联合,成立大联合总部。1973年3月,"支左"部队撤离庐江县。"三支两军"对稳定局势,维护社会安定,减少财产损失,起到了一定的作用。

(二)开展"斗、批、改"运动

在"支左"部队进驻庐江,两大造反组织实行暂时的大联合后,1968年4月13日,经人民解放军安徽省军事管制委员会批准,庐江县革命委员会成立。县革委会由51名委员(当时缺13人)组成,阎世兴(军代表)任革委会主任。县革委会取代了过去的中共庐江县委和县政府,行使全县的党政财大权。至8月下旬,全县区、社、大队、县直和厂矿、企事业、学校都先后建立了各级革命委员会。在"抓革命、促生产"的革命口号下,全县的工厂复工、学校复课,商店重新开展,恢复生产,恢复秩序。

1968年9月,"文化大革命"进入"斗、批、改"阶段,亦称"斗、批、改"运动。这一阶段的主要内容有:建立革委会、大批判、清理阶级队伍、整党、精简机构、改革不合理的规章制度,下放机关科室人员等。在运动过程中,还包括"教育革命"、干部下放劳动、知识青年上山下乡等内容。

同年10月,在中共八届十二中全会做出关于整党的决定后,庐江县也开展了整党建党工作,实行思想上、组织上的"吐故纳新"。1969年9月4日,"中共庐江县临时核心小组"成立,各区亦成立党的核心小组,逐步恢复了基层党组织。1970年11月,中共庐江县第三

---

① 支左(支持革命左派群众的夺权斗争)、支工(支援工业)、支农(支援农业)、军管(对一些地区、部门和单位实行军事管制)、军训(对学生进行军事训练)。

次代表大会召开,恢复中共庐江县委,接着各区和人民公社党委也相继恢复。项凤林为中共庐江县委书记。

1968年,按照安徽省革委会的统一部署,庐江县开展了"教育革命"。其主要内容包括:缩短学制、高中由3年改为2年,师生学工、学农、学军,城镇毕业生"上山下乡、插队落户",接受贫下中农再教育,取消升学考试制度,实行推荐招生办法等。但这些"教育革命"是在极左思想指导下实施的,对知识的蔑视,也严重破坏了原有的教师队伍,导致"读书无用论"思潮泛滥,教育质量严重下降。

知识青年(简称知青)上山下乡也是"斗批改"的重要内容。1960年代初,庐江县城就有少数初、高中毕业生到农村插队落户。1968年底,全国掀起城镇居民、知识青年上山下乡和机关干部下放的热潮。至1969年,庐江有3661名县内知青和498名上海知青到农村落户,并有一批城镇居民、干部和家属被下放到农村。1970至1977年,又有县内的和上海市、马鞍山市等地8063名知青下放到庐江县农村插队落户。下放的知青分别安置在全县73个农村人民公社518个生产大队和226个社、队办的茶林场,有的知青住在亲友家里,大部分知青组成2至20人的知青插队小组,生活自理,在当地从事农活,名曰:接受贫下中农再教育,进行劳动锻炼。"文化大革命"结束后,从1978年起,全国停止了城镇初、高中毕业生下乡,并对下放知青办理"病退""困退"、招工回城等事宜。当年,从上海市、马鞍山市等下放到庐江县农村的知青通过招工,全部回城;以后逐年对下放知青招工回城,并妥善安排其生活和工作。至1981年年底,原下放在庐江县的1.22万名知青回城安置工作全部完成。①

与知青上山下乡同时,许多的机关干部被下放到农村或五七干校劳动。1968年秋,县直机关干部除留少数人办公外,其余在长龙山"五七"干校集中学习后,分别留长龙山、县苗圃、东顾山林场和缺口农场参加劳动学习,长达数年。

---

① 《庐江县志》,第601页。

(三)"抓革命、促生产"

1966年,庐江县国民经济与社会发展"三五"计划刚刚起步,"文化大革命"运动突然降临,全县正常的工作秩序被打乱,社会经济运行失去控制,工业企业处于停产半停产状态。1966年,工业总产值仅793.4万元(按1980年不变价计算,下同),1967年746.99万元,分别比1965年减少265.8万元和312.15万元,但农业总产值仍稳定增长。[①]

1970年后,"文化大革命"运动中急风暴雨般的"造反""抄家""揪斗"等斗争形式暂时退却,人们对"造反""斗争"感到厌倦,一批被"打倒"的干部逐步"解放"出来,在"抓革命、促生产"的口号下,全县经济混乱的局面有所控制,工农业生产得到一定的恢复和发展。

在工业方面,1970年后对部分调整下马单位进行筹建重办。1971年,国营工业企业上升到23个;对部分老企业进行内涵改造,扩大外延再生产。同时逐步恢复和建立健全各项规章制度,开展"工业学大庆",提倡自力更生,艰苦奋斗,注重增产节约和产品质量,克服浪费现象,工业生产开支逐步回升。

在农业方面,全县掀起"农业学大寨"运动。1968年8月,庐江县第一次组织干部到山西省晋阳县大寨大队参观学习。以后陆续从全县抽派去大寨参观学习人数多达2450多人次。1970年年底,提出"学大寨,赶郭庄"和"拼命苦战一两年,誓把庐江变昔阳"的口号,做出学大寨改造山河的规划;采取"抓庐南促全县"的措施,确定8个农业学大寨典型,狠抓24个后进大队,以此带动建设大寨式县。1973年,庐江县被评为全省农业学大寨先进县。1975年,又被评为全国大寨式先进县之一。到1976年,全县出现大寨式的区5个、公社46个、生产大队326个。[②] 在农业学大寨运动中,全县上下,发扬自力更生,艰苦奋斗

---

① 《庐江县志》,第546页。
② 《庐江县志》,第156页。

精神,大搞农田基本建设,兴修水利,平整一部分土地;向荒山秃岭进军,大力开展植树造林;修桥筑路,加强交通建设,取得了一些成就。但由于"学大寨、赶郭庄"搞了不少形式主义、平均主义的东西,办了许多违背客观规律的事情,给农业生产带来一定的损失。

(四)抵制极左思潮及"文化大革命"的终结

"文化大革命"运动中,庐江的广大干部和群众对"左"倾错误和极左思潮,都有不同程度、不同形式的抵制和抗争。这种抵制和抗争,或表现为对批判、"造反"持消极态度;或表现为对武斗、破坏持抗议立场,对"文化大革命"的错误做法提出批评。

1971年9月13日,林彪叛逃事件发生后,许多人开始反思"文化大革命"运动及其错误,也在客观上预示着"文化大革命"运动的失败。1972年6月7日,庐江县开展"批林整风"运动,批判林彪反革命集团的罪行和言论,以政治上划清界限、组织上查清问题、思想上肃清流毒的方式解决自身问题。

1976年1月8日,周恩来总理逝世,"四人帮"发出各种禁令压制悼念活动,且加紧展开对邓小平的批判。"四人帮"的倒行逆施,激起了人民的极大愤怒和反抗。人民群众冲破阻力,自发开展悼念活动。是日,庐江县部分机关单位工作人员、学校师生、工人、农民等自发举行悼念活动,表示沉痛哀悼。

1976年10月6日,粉碎"四人帮"的消息传来后,庐江的干部群众欢欣鼓舞。10月18日,中共庐江县委在全县8个区和县直举办9场大会,传达中共中央粉碎"四人帮"的报告。24日,庐江召开庆祝粉碎"四人帮"反革命集团胜利大会。之后,全县开展了揭批"四人帮"的活动。

(五)"文化大革命"10年经济社会的曲折发展

"文化大革命"的10年,庐江县的经济社会建设遭受严重挫折。但是,庐江的一大批共产党员、革命干部、工人、农民、革命知识分子,顶住逆流,坚守工作岗位,努力工作和生产,与极左路线作顽强斗争,力图尽力减少"文化大革命"的破坏作用,全县经济建设仍取得了得之不易的发展。

第一,农业总产稳步增长。全县农业总产量在"文化大革命"10年,除1969年因自然灾害农业减产外,其余年份均稳步增长。1966年,全县粮食总产量为4.97亿斤。到1973年,粮食总产达到8.21亿斤,亩产超"纲要",达898斤。到1976年,全县粮食总产达9.12亿斤,平均亩产首次超千斤,达到1021斤。①

第二,水利建设取得很大成就。"文化大革命"期间,庐江先后调集11万人次的民工,凿山劈岭、越河跨冲,用3年多的时间,开挖了80.7公里的舒庐干渠②和总长63.2公里的分干渠③,以及240.2公里的支渠④,将大别山龙河口水库的水引进庐江的山南岗北,灌溉农田,使全县82.16万亩农田基本实现旱涝保收。其中,舒庐干渠自1966年11月开始破土动工,经过2年的艰苦奋战,到1968年9月建成通水,其中庐江县内渠长41.8公里,使全县52个乡299个村的50余万亩农田受益。⑤此外,张院、果园山、金汤、板桥河、七桥、虎洞等水库亦相继竣工。

第三,林业生产发展较快。1970年后,全县大力开展治山造林,掀起轰轰烈烈的群众性植树造林高潮。1972年,全县造林面积7.99万亩,其中杉木5.1万亩,是历史上造林面积最多的一年。1974年,全县共植树造林3.69万亩,获全省先进林业县称号。⑥期间,庐江人民破除了"杉木不过江,过江不生长"的旧观念,大力营造杉木林,使庐江杉木从无到有,从零星分散到集中连片,取得了良好的生态效益和经济效益。"南有庐江,北有涡阳"的评价传遍江淮大地。1974年,

---

① 《庐江县志》,第165、166页。
② 即舒城至庐江的干渠,简称"舒庐干渠"。
③ 即庐南干渠、庐北干渠和庐东干渠,灌溉面积达24.37万亩。
④ 支渠共18条,灌溉面积达37.01万亩。
⑤ 《庐江县志》,第228页。
⑥ 《庐江县志》,第31页。

中央新闻纪录制片厂拍摄庐江《大力营造杉木林》的新闻纪录影片，发行全国。

第四，兴建和扩建了一批工厂。1970年后，全县工业企业稳步发展。县磷肥厂、风机厂、县活塞厂、县锁厂、白湖阀门厂、白湖造纸厂等都是这一时期兴建和改扩建的工厂，后来成为庐江县的骨干企业。此外，还兴办了一些"五小"企业，如县水泥厂、化肥厂、县建筑公司预制厂、县轮窑厂等。

总之，"文化大革命"时期，庐江县经济社会在动乱中仍有所发展。1976年与1969年相比，全县工农业总产值增长2.4倍，其中农业总产值增长2.1倍，工业总产值增长4.3倍。① 但是，工业企业经济效益差，产品质量次成本高，劳动生产率低下；农业片面强调抓粮食生产，而忽视多种经营，结果是增产不增收，人民生活没有得到改善。

（六）局部的拨乱反正

"文化大革命"刚刚结束后，全国开展了揭批"四人帮"的斗争。中共庐江县委着手清除全县各级革命委员会中的造反派头头，清除"四人帮"的影响，并为平反"文化大革命"运动造成的冤假错案做前期准备。

1978年5月以后，关于真理标准问题的大讨论在全国展开。拨乱反正、平反冤假错案等工作，开始冲破"两个凡是"的樊篱，不断向前推进。1978年4月至1982年的3年多时间内，中共庐江县委复查平反了大量的冤假错案。其中，在落实右派分子"摘帽"政策中，平反改正右派分子（包括所谓中间靠右分子）610人，改正后收回安置工作的316人（包括由外地安置的20人），恢复名誉的214人；对已故的予以抚恤，对受株连家属子女安置工作的18人，收回在错误处理期间被遣送农村的家属子女户口105户315人。② 在落实统战政策

---

① 《安徽省情2(1949—1984)》，安徽人民出版社1986年版，第904页。
② 《庐江县志》，第522页。

中,从1978年4月至1986年10月的8年间,庐江共落实各类统战政策案件1206件。在落实的案件中,属于房产问题的有28件,其中退还原房82间,折价赔偿75间,金额6.76万元;查抄财物的832件,退还原物555件,补偿277件,金额7537元。落实政策后人员复职安排工作的342人,作退休处理29人,株连家属复职19人,孤儿安置工作的8人,死亡抚恤171人,撤销原判96人,恢复名誉247人,撤销处分56人,恢复党籍5人,修改结论163人,恢复原职级74人,清退"文革"材料37人,收回株连下放农村户口194户、468人,补发"文革"中扣发工资24人,金额5.59万元,给予困难补助185人,金额2.89万元,实行生活定补130人,金额2.16万元。①

平反冤假错案和落实各项政策,使在"文化大革命"及历次政治运动中受到错误处理的人员得到平反昭雪,妥善地解决了一些历史遗留问题,从而调动了各方面人士报效国家、建设四化的积极性。

---

① 杨则尧:《党的十一届三中全会后落实统战政策回眸》,《庐江文史资料·潜川新篇》,第236页。